Ar Bwys y Ffald

Gwilym Jenkins

Llun clawr: Gwilym Jenkins yn troi cae Frondirion

Ar Bwys y Ffald

Atgofion Amaethwr o Ogledd Ceredigion

inas

Gwilym Jenkins

Argraffiad cyntaf: 2001
Ⓟ Hawlfraint Gwilym Jenkins a'r Lolfa Cyf., 2001

Lluniau: Gwilym Jenkins
Dylunio: Ceri Jones

Rhif Llyfr Rhyngwladol: 0 86243 594 3

Argraffwyd a chyhoeddwyd yng Nghymru gan
Y Lolfa Cyf., Talybont, Ceredigion SY24 5AP
e-bost ylolfa@ylolfa.com
y we www.ylolfa.com
ffôn (01970) 832 304
ffacs 832 782
isdn 832 813

Cynnwys

O'r chwith: Fi, Margaret, Non, Gwenda, Edna, Enoc.

Magwraeth ac Ysgol Tal-y-bont

Mae nhw yn dweud wrtha i mod i wedi cael fy ngeni yn Tyrrel Place, Tal-y-bont – Pennaber erbyn heddiw. Feddyliodd neb newid ei enw yn y dauddegau, roedd hi'n gyfnod pan oedd pawb yn meddwl bod enw Saesneg yn rhoi rhyw urddas ar y lle a bod enw Cymraeg yn israddol. Isaac Richard Jenkins oedd enw fy nhad, un o feibion y Winllan, yn un o saith o blant, chwe bachgen ac un merch, ef oedd yr hynaf o'r bechgyn. Collodd ei dad pan oedd yn 17 oed yn y flwyddyn 1918, a hefyd ei unig chwaer yn 21 oed yn yr un flwyddyn, felly gorfu iddo gymryd cyfrifoldeb mawr ar ei ysgwyddau yn ifanc iawn i gynorthwyo Mam-gu i gynnal y teulu mewn amser caled.

Mary Elizabeth Wear oedd enw fy mam cyn priodi, yr hynaf o saith o blant, dau fachgen a phum merch. Sais oedd fy nhad-cu, ac yn byw yn Kington. Merch Llwynsguborwen oedd fy mam-gu, a chafodd fy mam ei magu gan ei mam-gu yn Llwynsguborwen, tra bu gweddill y teulu yn byw yn Kington, felly 'rwyf i yn dri chwater Cymro a chwarter Sais. Disgynyddion o'r un teulu sydd yn Llwynsguborwen hyd heddiw.

Does gen i ddim cof o'r cyfnod y bûm i yn byw yn y pentref. Symudodd fy rhieni i Dynygraig cyn i fi gael fy mlwydd oed. Un peth y cofiaf fy mam yn dweud oedd bod Mrs Olwen Hughes, gwraig Willie Hughes y painter, a oedd yn byw gyferbyn â ni, wedi bod yn mynd â fi am dro bob dydd yn y pram ar hyd y pentref. Roedd bob amser yn falch o'm gweld am flynyddoedd wedyn, a minnau hithau, diolch iddi.

Roeddwn innau yn un o saith o blant hefyd, dau frawd a phedair chwaer: David, Enoc, fi, Margaret, Edna, Gwenda a Non. Bu David farw yn bump oed o'r afiechyd *Meningitis*, nid wyf yn ei gofio. Roedd gennym i gyd wallt coch, ond Edna, a oedd yn ddu fel y frân. Does gen i ddim cof am y ddwy neu dair blynedd gyntaf, ond deallom yn o fuan bod dydd Sul yn wahanol i bob diwrnod arall, doedd dim cymaint o ryddid i'w gael, roedd rhaid mynd i'r capel. Byddai 'nhad a phob un ohonom ni'r plant oedd ddigon abl i gerdded lawr ac yn ôl i Dynygraig, yn mynd i'r capel bob bore Sul erbyn deg, ac yna yr un fath i'r Ysgol Sul erbyn dau.

Tynygraig

Byddem i gyd yn mynd i'r cwrdd nos erbyn chwech, a Mam yn cario'r babi ar y pryd mewn siôl. Dyna i chi beth oedd carchar – bod yn dawel am dros awr, ond, wedi meddwl, wnaeth e ddim drwg i ni. Creodd ynom ni ryw barchedig ofn tuag at y lle.

Yn fuan iawn hoffwn fynd i'r Ysgol Sul. Tom Lewis Owen, tad-cu John Owen Ellis, oedd yr athro gyda'r plant ieuengaf yn y festri, gŵr â rhyw ffordd arbennig iawn ar sut i drin plant, a gŵr a ddangosodd Pulpud y Diafol i gannoedd o blant wrth fynd ar drip Ysgol Sul i'r gogledd. Anghofiais i ddim o'r gwersi cyntaf ges i ganddo, nid wyf yn cofio enw'r llyfr ond llyfr darluniau oedd, a llun iâr a chywion bach. Roedd gyda ni rai 'run fath adre, a Tom – fel 'oen ni'r plant yn ei alw – yn darlunio i ni fel oedd yr iâr yn amddiffyn ei chywion. Rown i'n gwybod yn iawn beth oedd e'n feddwl – roedd cudyll yn nythu yn chwarel Neuadd Fawr bob blwyddyn gyferbyn â Tynygraig, ac yn ceisio ei orau i godi un o'r cywion bach. Byddai'r cudyll yn dod yn sydyn o rywle ond byddai'r iâr wedi ei weld, ac yn gwneud rhyw sŵn bach rhyfedd, ac ar amrantiad byddai'r cywion bach wedi neidio o dan y fam i ddiogelwch, ond os byddai un ddim yn gwrando, ni fyddai'r cudyll eiliad cyn ei godi. Byddai Tom yn ceisio egluro i ni bod Duw yn ein gwarchod ni yr un fath. Mi gymerodd flynyddoedd i mi ddeall y neges.

Un arall oedd llun Iesu Grist ac oen bach yn ei gôl, ac ychydig o ddefaid yn brefu wrth ei draed, a Tom yn dweud fod Iesu Grist yn fugail da. 'Roen i'n gwybod beth oedd bugail da – gwelais 'nhad yn rhoi llaeth i oen amddifad lawer gwaith, ac yn peryglu ei fywyd ar ôl rhyw ddafad neu'i gilydd. Roedd gen i ddiddordeb mawr mewn defaid ac ŵyn erioed. Y peth oedd Enoc a fi yn hoffi ei wneud yn y gwanwyn ar ddiwrnod cynnes oedd dal ŵyn bach yn cysgu yn y cae, os gallem fynd yn ddigon tawel heb dynnu sylw'r ddafad, gallem eu dal cyn eu deffro. Weithiau roeddem yn llwyddo, ac O! yr oedd yn deimlad hyfryd.

* * *

Cychwynnais fynd i'r ysgol ddiwedd 1934 yn bump oed. Roeddwn wedi dysgu ysgrifennu tipyn yn yr Ysgol Sul cyn mynd, a medru gwneud rhai syms. Roedd Enoc wedi bod yn yr ysgol am flwyddyn a hanner o mlaen i, ac wedi dechrau cael digon ar fynd, ac yn pallu mynd ambell i ddiwrnod. Pan ddigwyddai hyn, byddai Mam yn cydio yn ei law yn ddiseremoni a'i lusgo bob cam i lidiart yr ysgol yn ei ffedog fras fel oedd hi, ac yn gwneud yn siŵr na ddoi adre ar ei hôl.

Pedwar athro oedd yno ar y pryd, Harri Evans oedd y prifathro, o Gei Newydd. Fe oedd yn dysgu'r plant hynaf, plant i fyny i bedair ar ddeg oed. Gan ei fod yn bwtyn byr, roedd rhai o'r plant hynaf yn llawer iawn mwy nag ef, rhywun fel Bennet, Cerrigarannau, a Haydn Ebenezer. Ac yna roedd Miss Lilian Edwards, a fu'n dysgu yn yr ysgol yn ddigon hir i fod wedi dysgu tair cenhedlaeth o blant, athrawes dda, medrai orfodi pob un i ddysgu p'un oech chi am neu beidio. Os dechreuai godi ei llais a phwyntio'i bys atoch chi, a dechrau ffrothio rownd ei gweflau, a sbots o boeri yn tasgu ar eich bochau, byddai rhaid iddo fynd mewn, a dise fe ddim allan yn fuan iawn.

Miss Enid Jones oedd yn dysgu plant ychydig yn iau, merch y Parch. Fred Jones, ein gweinidog ni ym Methel, a Miss Jones yn aelod yno hefyd. Roen i yn ei hadnabod hi yn iawn cyn mynd i'r ysgol, a rhyw ffordd addfwyn iawn ganddi 'n denu i ddysgu. Hoffwn pe bawn wedi medru aros yn nosbarth Miss Jones am flynydde, ond ches i ddim. Er mor ddrygionus oedd y plant, fedre neb geisio gwneud ffŵl ohoni. Miss Morgan oedd yn dysgu y plant lleiaf. Un o Bow Street ydoedd. Hi oedd yn cael y gwaith o'n torri ni i mewn. Erbyn meddwl, doedd hynny ddim cymaint o waith, oherwydd roedd y plant i gyd wedi dysgu bihafio a bod yn dawel yn y capel flynyddoedd cyn hynny.

Does gen i fawr o gof am y cyfnod cynnar y bûm i yn yr ysgol. Methais yn lân â rhoi fy holl feddwl ar y gwaith, er bod yr athrawon yn gwneud eu gorau. Argol fawr, gwelais y dydd yn hir, a mi ddalodd 'run fath tan y dydd ola es i i'r ysgol, roedd y dyddiau cyn dechrau'r ysgol yn gwibio heibio. Roedd Miss Morgan yn gweiddi arna i o hyd, "Gwilym, wyt ti'n gwrando?", a finne'n dweud 'mod i, ond 'doen i ddim. Dysgu'r wyddor i ni oedd hi, B am Buwch. 'Oen i'n gwybod yn iawn mai buwch oedd hi, ac os isen â hi at y tarw i Lletywlydin, gisen i lo bach mewn tipyn. 'Oen i wedi bod gyda 'nhad aml i dro erbyn hyn â buwch at y tarw, Enoc a fi yn mynd tu blaen i agor llidiardau, a 'nhad yn dod â dwy fuwch, un yn gwmni iddi tu nôl. I am Iâr wedyn. Roen i'n gwybod mai iâr oedd hi, ac roen i'n gwybod sut oedd cael cywion bach, roen i wedi gweld Mam yn rhoi iâr i ori llawer gwaith. Roedd fy meddwl adre o hyd – beth fydde nhw'n gwneud pan gyrhaeddwn adref? Cerdded adref byddem efo plant Rhydfach, Cwmslaid, Maesglas a Chae'r Arglwyddes. Annwyl Dad, gwelais amser mynd adre yn hir yn dod.

* * *

Cefais fy symud fyny i ddosbarth Miss Jones yn sydyn rhyw ddiwrnod. Hoffais Miss Jones yn syth, roedd yn dysgu symiau, Cymraeg a Saesneg i ni, roedd ganddi ffordd annwyl iawn i'n cael ni i ddysgu. Os gwelai rhywun yn edrych yn ddiflas a ddim yn cymryd llawer o sylw o beth oedd hi'n dweud, âi i eistedd wrth ei ochr am amser i siarad ag ef, a cheisio dod i ddeall lle oedd ei ddiddordeb. O! roedd hi yn arogli yn hyfryd, arogl briallu, rhosynnau, clychau glas a bysedd y cŵn yn gymysg. Byddai yn rhoi rhes o symiau ar y bwrdd du i'r dosbarth i'w gwneud, er enghraifft, faint yw 4 a 3. Yna byddai yn dod i eistedd wrth fy ochr a gofyn, "petai deg dafad yn y cae a thair dafad yn dod ag oen bach a dwy ddafad yn dod â dau oen bach, faint o ŵyn bach fyddai yn y cae?" Roedd yn haws gwneud y symiau fel hyn.

Felly byddai'n mynd trwy'r dosbarth i gyd, doedd neb yn cael cam ganddi. Dechreuais hoffi mynd i'r ysgol a cheisio plesio Miss Jones yn fwy na dim, a daeth dysgu yn haws bob dydd. Dysgodd Miss Jones y tablau i ni, fyny i dabl pump. Roedd y dosbarth i gyd yn cydadrodd "un dau dau", fyny i "un deg dau pump chwech deg", a rhyw bwyslais arbennig ar y "chwe deg", yn Gymraeg ac yn Saesneg.

Hi ddysgodd i ni bod dwy ffyrling yn gwneud dimau a dwy ddimai yn gwneud ceiniog, pedair ceiniog yn gwneud grôt, deuddeg ceiniog yn gwneud swllt, tri deg ceiniog yn gwneud hanner coron, chwe deg ceiniog yn gwneud coron, cant a dau ddeg ceiniog yn gwneud chweugain, a dau gant pedwar deg ceiniog yn gwneud punt. Pwy feddyliodd am y sustem yma nid wyf yn gwybod, rhaid ei fod e'n o dwp. Mi fuasai yn well petai e wedi rhoi deg ceiniog mewn swllt. Bu hyn yn drafferth i mi tra bûm yn yr ysgol. Nid oeddwn eisiau gadael dosbarth Miss Jones, ond gadael fu raid. Does ryfedd iddi fynd yn ei blaen, a dod yn brifathrawes gyntaf yn Ysgol Gymraeg Bryntâf, Caerdydd. Diolch iddi.

*   *   *

Roedd hi'n dipyn o newid cael symud i fyny a chael athrawes newydd, 'doeddech chi ddim yn gwybod yn iawn beth i ddisgwyl, ond buan iawn y dois i ddeall. Roedd Miss Edwards yn disgwyl i chi weithio, a gweithio'n galed hefyd. Os na fyddai rhywun yn rhoi ei holl sylw iddi pan oedd hi'n dweud rhywbeth, mi fyddai yn dechrau gweiddi. A dweud y gwir mi ges i beth o'i hofn, ond, erbyn meddwl, roedd e'n beth reit dda, 'rown i'n medru bod yn o ddireidus weithiau. Dysgodd Miss Edwards weddill y tablau i ni yn o fuan, o un dau dau i un deg dau un deg dau cant pedwar deg a phedwar, ond yn rhyfedd iawn, dim ond yn y Saesneg, a rwy'n dal hyd heddiw yn gorfod rhifo defaid yn Saesneg. Os bydd mwy nag ugain eisiau eu cyfrif, rwy'n gorfod newid.

Roedd y gwaith yn mynd yn galetach bob dydd yn awr. Dechreusom ddadansoddi brawddegau, rhai bach i ddechrau, ac yna rhai mawr, yn Gymraeg ac yn Saesneg. Cefais drafferth yn y Gymraeg i wybod pa 'i' oedd eisiau, a rwy'n dal 'run fath hyd heddiw. Cefais yr iaith Saesneg

yn haws pryd hynny. Does dim rhyfedd ein bod yn gweld y gwaith yn anodd y flwyddyn olaf gyda Miss Edwards oherwydd roeddem yn gorfod ateb cwestiynau hen bapurau arholiad *Matric* – yr un rhai â phlant Ardwyn a oedd wedi bod yno am bum mlynedd.

Roeddem yn cael gwersi canu unwaith neu ddwy y mis. Rhwng fy mod yn methu canu a Miss Edwards yn gwneud i fi agor fy ngheg, roeddwn yn casáu canu. Roedd tua phump neu chwech o ganeuon ar bamffledi, un ar bob un. Rhai Saesneg oeddynt i gyd ond un, *Twinkle, twinkle little star,* oedd un, *Ye banks and braes* un arall, a rhyw *Lucy Gray* wedyn. 'Y Gelynnen' oedd yr un Gymraeg. Ar brynhawn dydd Gwener, byddai Miss Edwards, ar ôl rhoi digon o waith i ni yn mynd mewn at Mr Harry Evans i'w helpu i wneud y cofrestrau neu rywbeth. Dyna'r unig hoe fach oeddem yn ei gael drwy'r wythnos.

*   *   *

Cefais fynd ymlaen at y prifathro Mr Harri Evans wedyn, ac at y plant mawr. Roeddwn yn naw oed erbyn hyn, ac yn cael yr un gwersi â'r plant pedair ar ddeg oed, byddai pawb yn gadael yr ysgol yn bedair ar ddeg oed. Rhifyddeg oedd y prif wers a gaem, a'r papurau arholiad *Matric* eto. Roeddynt yn bapurau anodd a phroblemau dyrys iawn i weithio allan. Hoffais y cyfnod yma, a deuthum i ddeall sut i weithio'r problemau yma allan, ni aeth yr un dros fy mhen.

Dwn i ddim sut oedd y sustem yn gweithio yn

yr ysgol hyd heddiw. Nid wyf yn meddwl fod pawb yn cael cyfle i eistedd y *scholarship* i fynd i ysgol Ardwyn yn y dref. Cafodd Enoc ddim cyfle i fynd, na llawer un arall. Rwy'n meddwl mai Mr Evans oedd yn dewis. Os oedd e yn meddwl nad oedd siawns gennych i lwyddo, ni chaech sefyll y *scholarship*. Roedd ysgol Tal-y-bont yn enwog iawn amser hynny, ni fethodd un plentyn y *scholarship* i Ardwyn, a hynny yn y deg cyntaf bob blwyddyn. Rhyw ddiwrnod dyma fe'n dweud fod Gwilym, Caer Arglwyddes, John Morris, Glennydd, Gwyn, Llwynglas a fi yn mynd i sefyll y *scholarship* i Ardwyn, ofynnodd e ddim i fi a oeddwn eisiau mynd. Petawn i'n gwybod beth dwi'n gwybod heddiw, mi fyddwn wedi gwrthod yn bendant.

Os 'oen yn gweithio'n galed cyn hyn, bu'n rhaid i ni weithio'n llawer caletach gweddill y flwyddyn. Doedd hi ddim yn deg iawn arnom ni'n pedwar, rwy'n siŵr nad oedd gweddill y plant yn y dosbarth yn gweithio hanner mor galed. Daeth y diwrnod i eistedd y *scholarship*, mynd lawr yn y bws, a Mr Evans yn dod gyda ni. Nid wyf yn cofio dim am yr arholiad, yr unig beth rydw i'n ei gofio oedd cerdded lawr drwy Blascrug a John Morris yn chwilio nyth aderyn bach. Mi lwyddom ni'n pedwar yn yr arholiad, a hynny yn y deg cyntaf, fi gafodd y degfed safle.

Wrth ein gollwng i fynd adref yn y prynhawn, byddai Mr Evans yn hoffi chwarae gêm arnom ni'r plant, yn enwedig os oedd e am gosbi rhywun. Byddai yn dweud, *"Duffers, stand"*, ac roedd dewis gyda ni wedyn eistedd neu i godi. *"Scholars may go"*, meddai, ac felly 'mlaen nes byddai'r sawl oedd e eisiau ei gosbi, y diwethaf i fynd adref – fi rhan amla, a finnau bob amser â brys i fynd adref.

Roeddem yn cario ein cinio, a'i fwyta yn yr ysgol amser cinio. Gan mai Enoc oedd yr hynaf, fe oedd yn ei gario. Felly roedd plant y wlad i gyd yn ei wneud, a phlant y pentref yn mynd adref. Os bwytem y bwyd yn weddol gyflym, roedd perffaith ryddid gyda ni i fynd ble bynnag fynnem, nes canai'r gloch. Medrem fynd lawr i waelod y pentref, neu i chwarae yng Nghae Bach, ond y prif beth amser cinio oedd hela llwynog.

Yr oedd un bachgen yn cael pum munud i guddio, yna'r gweddill yn mynd i chwilio amdano, deg ar hugain o blant yn mynd gwahanol ffyrdd i chwilio. I Goed Llus Duon byddai'n mynd fel rheol, doedd dim llawer o ddewis gennym ble i fynd, ond toc byddai rhywun wedi gweld y llwynog a dechrau gweiddi a sgrechian, yr un fath â chŵn llwynog go iawn, yna byddai'r gweddill yn clywed a thynnu tuag at y sŵn.

Pan welent y llwynog yn mynd yn y pellter, byddai pawb yn sgrechian a gweiddi, ni chlywais gymaint o sŵn cynt na wedyn, rwy'n siŵr eu bod yn ein clywed yn Aberdyfi. Yr unig wahaniaeth rhwng helfa go iawn a'n helfa ni oedd bod y cŵn yn defnyddio'u trwynau, a ninnau'n defnyddio'n llygaid.

Os byddai'r llwynog yn rhedwr go dda, ddaliem ni byth mohono, mi redai draw tu ôl tŷ Frondirion, draw am Allt-goch, nôl dros Banc Tŷ Hen, heibio Llyn Jac a lawr dros Allt-y-crib. Os cyrhaeddai nôl i'r ysgol heb ei ddal, fe fyddai wedi ennill, ond os byddai'r llwynog yn redwr sâl byddai fawr o dro yn cael ei ddal. Weithiau byddai'r gloch yn canu pan oeddem ar fanc Tŷ Hen – dyna i chi ras wedyn 'te, lawr ar ein pennau i Dancoed.

Meddyliodd un neu ddau ohonom pan oedd y rhedwyr gorau yn cael bod yn llwynog, nad oedd gobaith gyda ni oedd â choesau byr ei ddal. Roeddem wedi sylwi dim ots pa gyfeiriad fyddai'r llwynog yn mynd ar ôl cael ei godi byddai'n siŵr o dynnu nôl at yr ysgol fel oedd amser y gloch yn nesáu, felly dyma benderfynu gadael y pac oedd yn hela a mynd fyny i Lyn Jac i ddisgwyl, a medrem weld frest Allt-goch a Tŷ Hen yn blaen o'r top a medru clywed lle'r oedd y pac. Ar ôl deall pa ffordd roeddent yn dod, rhedeg i derfyn Allt-y-crib a gorwedd yn y rhedyn, nid oedd wedi ei blannu â choed bryd hynny, a gwelem ef yn dod. Gwaith hawdd i goesau bach a oedd wedi cael hoe oedd dal rhywun â choesau mawr wedi blino. Rwy'n gwybod ei fod yn fath o sieto, ond dal y llwynog oedd yn bwysig. 'Os nad gryf, bydd gyfrwys', bu hynny'n help mawr i fi ar hyd fy oes.

Yn y gaeaf, roedd Llyn Jac yn rhewi drosodd bob blwyddyn – roedd mwy o rewi o lawer yr amser hynny nag sydd heddiw. Mwynhawsom lawer i awr ginio yn sglefrio arno, a dim yn meddwl cychwyn oddi yno nes canai'r gloch. Mwynheais yr amser chwarae yn yr ysgol yn fawr, a bu yn help mawr i'm cael i fynd yno.

* * *

Roedd Mart yn cael ei chynnal amser hynny yn rheolaidd, dwy fart bob mis yn yr Hydref. Byddai bechgyn y wlad yn bwyta eu cinio yn gyflym iawn ar ddiwrnod mart, ac yn rhedeg lawr heibio ochr siop Richard Jones – Brynafon heddiw – lawr i'r transh, dros yr afon, a gwlychu'n traed yn domen, a draw i gae mart, lle mae Henllan yn awr. Roedd sêl fawr mamogiaid canol mis Medi, a byddai dros dair mil o ddefaid yno. Roeddwn wrth fy modd yno, ni chollais un mart tra bûm yn yr ysgol. Rwy'n siŵr ein bod wedi dysgu mwy yn yr awr ginio honno na wnawn weddill y prynhawn.

Mr Lloyd, yr arwerthwr, oedd yn gwerthu'r defaid, dyn mawr boliog, yn gwisgo het a britsh a legins, ac yn cnoi baco, a sŵn mawr pan yn gwerthu, a phob cyfle gâi e yn rhoi powrad i ganol y cylch ar ben y defaid oedd yn y cylch ar y pryd. Roeddwn i'n meddwl 'radeg hynny ei bod yn dipyn o gamp i fod yn bowrwr da. Roedd Mr Evans, Rhydfach yn bencampwr, yn eistedd ar y setl pen draw yr ystafell ac yn poeri yn groes i'r ystafell yn syth i'r tân a byth yn methu. Bûm yn ceisio fy ngorau i'w efelychu – methais yn lân.

Ar ôl gorffen yr arwerthiant, byddai raid i berchnogion y defaid eu cerdded i lawr i Landre i gwrdd y trên. Roedd amryw o borthmyn o ardal Rhuthun yn prynu yno, a llawer o ardal Llanrhystud. Ganol mis Hydref byddai llawer o hyrddod yn dod i'r mart i'w gwerthu, rhai yn cael eu gwerthu, a rhai heb gael cynnig amdanynt. Os methai Lloyd gael cynnig am hwrdd, byddai yn dweud wrth y perchennog, "Cer ag e adre a rho fe yn y cawl a phaid â dod ag e nôl yma byth eto," gydag anferth o bowrad yn cael ei anelu ato. Nid oeddem yn meddwl cychwyn 'nôl i'r ysgol nes clywem y gloch yn canu – ras wedyn yn ôl dros yr afon a gwlychu'n domen unwaith eto.

Yr ail ar bymtheg o Hydref oedd diwrnod ffair Tal-y-bont bob blwyddyn, a diwrnod pwysig iawn yng nghalendr pob ffermwr amser hynny. Anelai pob ffermwr da at geisio gorffen gwaith y flwyddyn erbyn ffair Tal-y-bont – wedi cael y cynhaeaf i mewn, a hel digon o redyn i roi dan yr anifeiliaid, a chael y tatw, swej a'r mangls. Yna, byddai pawb yn barod am y cyrddau diolchgarwch. Roedd diolch am y cynhaeaf yn beth pwysig iawn i bawb. Ni fyddem yn gweld ambell un mewn capel yn ystod y flwyddyn, dim ond mewn cwrdd diolchgarwch.

Byddai pob math o anifeiliaid yn cael eu gwerthu yn y ffair, ceffylau gwaith a merlod, a llawer iawn o ebolion, buwchod a gwartheg tewion a llawer iawn o wartheg stôr, gwyddau a chŵn defaid, a phob math o ddefaid. Byddai'r gwartheg yn cael eu gollwng i'r cae yn gymysg, ac yr oedd hi fyny i'r perchennog i'w cael yn barod pan ddoi ei dro i fynd i mewn i'r cylch i'w gwerthu. Ar ôl i'r ffair orffen, byddai llawer iawn ohonynt yn cael eu cerdded lawr i Landre i gael eu trycio i wahanol lefydd.

Yn yr hwyr, byddai'r ffair yng ngwaelod y pentref, merry-go-rounds ar Patshyn Glas, a stondinau o bob math ar ochr y ffordd o flaen y ddau Lew. Roedd stondin roc Rhif 8 Pwllheli yna bob blwyddyn a Dei Vaughan, Machynlleth yn gwerthu llestri. Roeddem ni'r plant yn edrych

ymlaen am wythnosau i'r ffair, ac yn cael hwyl fawr. Roedd yn arferiad amser hynny i'r plant gael rhyddid i ofyn i bawb fyddent yn eu hadnabod yn dda, "Plis ga'i fferins". Ni fyddai'r rhai oeddem yn eu hadnabod yn dda byth yn gwrthod, cael roc gan rai, a cheiniog gan eraill. Ar ôl cael ceiniog, ei gwario yn syth ar y merry-go-rownds.

* * *

Diwedd y tridegau, roedd rhyfel yn rhywle, a gorfu i ni gael practis *air raid warning*. Mwynheais y rhain yn fawr iawn. Roeddem wedi cael gwers beth oedd i wneud os deuai'r *Germans* i fomio'r ysgol. Pan ganai'r gloch, roeddem i gyd fod rhedeg allan, a'r plant hynaf i fod i gario un o'r plant lleiaf ar ei gefn fyny i Goed Llus Duon i ddiogelwch. Gan fy mod yn un o'r plant hynaf erbyn hyn, roedd disgwyl i fi gario un o'r plant bach. Nid oeddwn yn un mawr fy hunan, ond roeddwn wedi dewis un o'r rhai ysgafnaf. Nid wy'n meddwl fod yr un o'r plant yn sylweddoli beth dda oedd hyn, ond, yn sydyn, rhyw brynhawn ar ôl i ni ddechrau ar ein gwersi, dyma'r gloch yn canu. Dyma ras allan a mofyn y plant bach, a'u rhoi ar ein cefnau, a ffwrdd â ni, heibio Tanycoed a fyny Coed Llus Duon, heibio'r garreg ateb, draw mor belled â Frondirion, pella yn y byd aech chi, hiraf yn y byd byddech yn cyrraedd yn ôl pan ganai'r gloch eto!

Coed derw oedd Coed Llus Duon amser yma, a byddai llus duon yn tyfu drosto i gyd a dyma lle byddem ni'n eu bwyta ar y ffordd nôl. Roedd gwragedd y pentref i gyd yn mynd i fyny'r coed yn yr haf i gasglu'r llus duon i wneud tarten. Hefyd roedd y gwragedd a'r plant yn gwerthu llawer. Byddai Mr E S Davies yn eu casglu yn y siop ac yna byddai rhywun o'r Llywodraeth yn dod i'w prynu er mwyn lliwio dillad yr awyrlu – roedd yn ffordd i'r plant ennill arian poced. Ond plannodd y Comisiwn Coedwigaeth goed gleision yn lle'r coed derw, a lladdwyd y llus duon i gyd.

Achlysur trist iawn pan oeddwn yn ysgol Tal-y-bont oedd marwolaeth un o'r plant, sef Olive Bushel. Roeddwn i yn hoff o Olive, mwy na mod i yn ei gweld yn yr ysgol, roedd hi a'i mam yn dod i fyny i Dynygraig ar ddydd Sadwrn i moyn menyn a wyau, a ni'r plant wedi chwarae llawer efo hi. Cafodd plant yr ysgol i gyd fynd fyny o'r ysgol i weld Olive yn gorwedd yn yr arch. Roedd yn brofiad bythgofiadwy – gweld Olive yn gorwedd yn hollol lonydd a'i dau lygad lled y pen ar agor.

Bûm yn meddwl llawer, a methu deall lle'r oedd y bywyd a'r wên oedd gan Olive wedi mynd. Cafodd plant yr ysgol fynd i'r angladd, a dywedodd ei gweinidog ar lan y bedd ei bod wedi mynd at Iesu Grist. Roeddwn yn methu deall hyn, a minnau wedi ei gweld yn yr arch, a'i dau lygad lled y pen ar agor, ac wedi ei rhoi mewn twll mawr yn y ddaear. Ond os oedd ei gweinidog yn dweud ei bod wedi mynd at Iesu Grist, roedd e'n gwybod yn well na fi. Teimlais yn hapusach, a meddwl os oedd Iesu Grist yn gallu bod yn ffeind wrth oen bach, y byddai'n siŵr o fod yn ffeind wrth Olive, a chanwyd yr emyn yma ar lan y bedd:

Hoff yw'r Iesu o blant bychain,
Llawn o gariad ydyw Ef,
Mae yn gwylio drostynt beunydd,
Ar Ei orsedd yn y nef.
Mae'n fy ngharu, 'rwyf yn gwybod
Mai Ei eiddo byth wyf i,
Mae'n fy ngharu, diolch iddo,
Prynodd fi ar Galfarî.

* * *

Ar ôl i'm chwiorydd ddechrau'r ysgol, roedd y bag bwyd yn mynd yn rhy drwm, felly cawsom fynd lawr at Mrs Roberts, Isybanc, Isallt heddiw, i gael dŵr poeth, felly nid oedd eisiau cario fflasg. Roedd Mrs Roberts yn gwerthu llaeth yn y pentref, ac yn gweithio'n galed iawn. Rwy'n medru ei gweld yn awr, yn ei *wellingtons* yn cario dau fwceded mawr o laeth, un ymhob llaw i'r tŷ o'r beudy. Roedd y beudy ochr isaf i'r Neuadd Goffa, a'i brawd Arthur yn ei chynorthwyo. Roedd fy nhad ac Arthur yn ffrindiau mawr, yn cynorthwyo ei gilydd ymhob gorchwyl ar y fferm, felly roeddem ni'r plant yn gyfarwydd â Mrs Roberts a'i merched ac Arthur cyn hyn.

Roedd Arthur yn hoff iawn o blant a'r plant yn hoff ohono yntau. Byddai ganddo ddigon o amser i roi sylw i blant bob amser. Ei hoff beth oedd gofyn i blentyn wasgu'r botwm isaf ond un o'i wasgod – wnaethai dim un arall y tro. Yna byddai yn gwneud sŵn corn car yn berffaith heb symud ei geg. Ar ôl gorffen godro, byddai Arthur yn mynd â'r buwchod i fyny i Penybanc i bori am y dydd ar ei feic. Safai yno tan amser te yn gwneud ei waith, ac yna byddai'n dod â'r buwchod yn ôl gydag ef erbyn godro'r nos. Yn aml iawn, byddem ni'r plant yn cwrdd ag ef a'r buwchod wrth fynd adref o'r ysgol. Byddai rhaid i bob un ohonom wasgu'r botwm i glywed y corn yn canu, ac roedd digon o amser ganddo i bob un ohonom gael tro.

Cerdded byddem i'r ysgol ar bob tywydd, roedd cotiau glaw da gennym, lawr at ein hesgidiau, ac esgidiau trwm â hoelion oddi tanynt. Pan oeddem yn yr ysgol, roedd carreg yn y wal o flaen lle mae Nantgaredig heddiw, carreg fawr wastad a thwll mawr yn y rhan uchaf i lawr trwyddi i'r gwaelod ac yn tapro fel oedd yn mynd lawr i'w gwaelod. Toiled yr adar bach byddai Jim Ciper yn dweud wrtho ni'r plant oedd hi. Pan es i chwilio amdani yn ddiweddar methais ei gweld – roeddwn wedi anghofio amdani ers deugain mlynedd. Deallais fod dyn y ffordd wedi bod yn codi sianeli ar hyd y blynyddoedd ac wedi ei chladdu. Roedd yn garreg hynod iawn, ac yn amlwg ei bod wedi bod yn rhywle cyn ei rhoi yn y wal. Bydd rhaid chwilio eto amdani.

Os byddem wedi cyrraedd y garreg yma cyn i'r gloch ddechrau canu, gallem redeg i'r ysgol cyn iddi ddiwedd canu.

Cafodd fy nhad gar tua 1935–36, Austin 10, EJ 3881. Mi wellodd pethau wedyn. Os byddai'n bwrw glaw yn y bore, roedd 'nhad yn mynd â ni i'r ysgol yn y car – nid ni yn unig, ond pob un arall oedd ar y ffordd nes byddai'r drysau yn methu cau a rhywun yn eu dal hanner ar agor!

Ysgol Sul

Os oedd mynd i'r ysgol yn bwysig, roedd mynd i'r capel a'r Ysgol Sul yn fwy pwysig fyth. Ces fy medyddio ym Methel, gan ein gweinidog Y Parch. Fred Jones, BA, BD, yn y flwyddyn 1929, pump ohonom, William Evans, Y Felin, Doris Jenkins, Cwm Road, Delyth Ebenezer, Stryd Pantycalch, Gwyn Jones, Llwynglas, a minnau. Y sedd gyntaf ar y galeri oedd côr Tynygraig; cafodd fy nhad ei wneud yn ddiacon yn 1935 ac roedd yn eistedd yn y sedd fawr, ac yn medru ein gweld ni i gyd yn iawn, felly roeddem yn gorfod bihafio!

Un peth roeddem yn hoffi ei wneud oedd tynnu tipyn o flew o'r ffelt yr eisteddem arno yn barod erbyn y codem i ganu, ac yna ei ollwng i lawr bob yn dipyn bach ar bennau'r bobl oedd yn eistedd ar y llawr, heb i 'nhad na Mam ein gweld. Os medrem gael peth i ddisgyn i lawr gwar rhywun, a hwnnw'n dechrau cosi, caem bleser mawr.

Rhaid oedd dweud adnod neu emyn bob nos Sul yn y Gyfeillach. Byddem wedi dechrau dweud adnod cyn ein bod yn dechrau mynd i'r ysgol ddyddiol. Byddai 'nhad yn chwilio am adnod neu un pennill o emyn i ni i gyd bob nos Sul ac yna byddem yn cael wythnos o amser i'w ddysgu. Byddai Mam yn ein helpu i'w ddysgu ac yna byddai 'nhad yn gwrando arnom bob nos Sadwrn cyn mynd i'r gwely. Rhai byr roeddem yn cael yn y dechrau fel, 'Yr Iesu a wylodd', neu 'Duw cariad yw', ond fel roeddem yn mynd yn hŷn, caem rhai

Parch. Fred Jones, B.A., B.D.

mwy, ac weithiau dywedwn wrth 'nhad ar nos
Sadwrn nad oeddwn wedi dysgu'r adnod yn
ddigon da i'w dweud nos Sul, ac os medrwn
berfformio'n ddigon da i'w argyhoeddi mod i'n
dweud y gwir, dywedai, "Gwell i ti ddweud hen
un heno". Roedd yn gweithio weithiau, ond i mi
beidio treio yn rhy aml.

Byddai Tom Lewis Owen yn cyhoeddi yn y
Gyfeillach, "Ddaw'r plant ymlaen i ddweud eu
hadnodau?" ac yna ninnau'n mynd ymlaen a
gwneud sŵn mawr wrth ddod i lawr y grisiau.
Roedd dwy res o blant yn groes i'r sedd fawr, a'n
gweinidog yn gwrando – nid oedd yn hawdd iddo
gan ei fod yn ddall. Byddai'n rhoi ei law ar ein
pennau pan fyddem yn dweud ein hadnodau, ac os
anghofiai un o'r plant ei adnod, byddai yn ein
helpu 'mlaen – rwy'n siŵr ei fod yn gwybod y
Beibl i gyd ar ei gof. Roedd yn adrodd dwy
bennod bob dydd Sul yn y gwasanaethau, fel
petai'n gweld yn iawn, ac yna ar ôl i bob un
ohonom orffen dweud ein hadnodau, byddai'n
siarad â ni, ac yn diolch i ni am ddysgu adnod.

"Y mae dysgu adnod yn ifanc," meddai, "fel
petaech chi yn llanw sach; y peth cyntaf rydych yn
ei roi i mewn yn y sach, hwnnw yw'r peth olaf i
ddod allan." Rwyf yn sylweddoli erbyn hyn mor
wir ydoedd. Y mae'r adnodau a'r emynau a
ddysgais bryd hynny yn dal yn fy nghof hyd
heddiw. Un o'r adnodau cyntaf ddewisai 'nhad i
ni'r plant yn ein tro i ddysgu oedd 'Eithr yn gyntaf
ceisiwch deyrnas Dduw, a'i gyfiawnder Ef, a'r holl
bethau hyn a roddir i chwi yn ychwaneg',
gorchymyn a geisiodd 'nhad a Mam ei gadw tra

buont ar y ddaear yma, a hefyd ei drosglwyddo i'r
genhedlaeth oedd yn dod ar eu holau.

Y mae yna gyfrifoldeb mawr ar rieni i ofalu
beth sydd yn mynd i mewn gyntaf i sach ein plant.
Diolch bod yr Ysgol Sul yn dal yn llewyrchus yn y
pentref yma o hyd, a diolch bod yna athrawon yn
barod i roi o'u hamser i ddysgu am Iesu Grist tra
mae'r plant yn ifanc.

* * *

Ar nos Sul Cymundeb, byddai llawer iawn mwy o
gyhoeddiadau na'r Suliau eraill. Byddai'r
cyhoeddwr yn enwi pwy oedd i ofalu am y blodau
y Sul canlynol, a phwy oedd i ofalu am yr elfennau
y mis canlynol, cyhoeddi at beth oedd y casgliad
Sul canlynol yn mynd – yr arferiad oedd bod
casgliadau'r Suliau cymundeb a Suliau canol y mis,
yn mynd at y weinidogaeth, a'r ddau Sul arall yn
mynd at wahanol elusennau. Byddai hefyd yn
cyhoeddi angladdau yr ardal a'r pentrefi cyfagos a
fyddai yn ystod yr wythnos – pa amser fyddent yn
codi allan o'r tŷ, a pha amser byddent yn cyrraedd
y fynwent, a chyhoeddi pob peth fyddai ymlaen yn
ystod yr wythnos. Hefyd, byddai yn enwi pwy
oedd i gadw'r mis. Hynny oedd os byddai
pregethwr dieithr yn dod byddent yn gofalu am
lety a bwyd iddo. Enwai ddau i ofalu am y drysau,
y plant hŷn fel rheol, ac enwi dau i chwythu'r
organ am y mis.

Bûm yn gofalu am y drysau lawer gwaith. Ein
gorchwyl oedd agor a chau'r drysau fel oedd
rhywun yn dod, a gofalu bod y drysau ar gau i atal

Coes y fegin yng nghapel Bethel

y gwres fynd allan. Ni fyddem yn mynd mewn i'r capel nes byddai'r gweinidog wedi gorffen gweddïo. Roedd rhai bobl yn hwyr iawn yn cyrraedd amser hynny ac roedd yn gallu bod yn unig iawn yno yn y gaeaf, ond yn iawn yn yr haf – gallech fynd allan am dro a siarad ar y sawl oedd yn gofalu am y drws pella. Pobl ifanc wedi gadael yr ysgol fyddai yn chwythu'r organ, roedd hyn yn gallu bod yn waith ddigon caled yn yr haf.

Un ar ddeg oed oeddwn i pan ddechreuodd y rhyfel. Mi newidiodd pethau yn fawr yn y capel – gorfu i lawer o'r bechgyn oedd yn chwythu'r organ adael a mynd i'r fyddin, a beth sydd yn drist, ni ddaethant yn ôl i gyd. Gorfu i'r plant hynaf fynd i chwythu'r organ yn eu lle, ar yn ail a'r rhai oedd ar ôl, gweision ffermydd rhan fwyaf. Daeth fy nhro i ymhen rhai blynyddoedd, a dyna i chi beth oedd cael dyrchafiad, o ofalu am y drws i gael chwythu'r organ.

Roedd llenni rhwng y rhai oedd yn chwythu'r organ a'r gynulleidfa, rhag eu bod yn eich gweld. Roedd coes fawr i'r fegin a thri smotyn bach gwyn ar y pared â rhyw chwe modfedd rhyngddynt, a nobyn bach yn rhedeg fyny a lawr fel fyddech yn chwythu, yr uchaf yn dweud fod dim gwynt yn yr organ, ac os aethai'r nobyn bach yn rhy agos at yr un gwaelod byddai'r organ yn gorlenwi, a sŵn gwynt yn mynd trwy'r capel, felly, roedd yn rhaid cadw'r nobyn bach yn agos i'r smotyn canol.

Miss Ruffina Owen a Mrs Phyllis Williams oedd y ddwy organyddes a fu'n chwarae'r organ tra bûm i yn chwythu. Roedd rhai yn dweud fod Mrs Williams eisiau mwy o wynt na Miss Owen,

roedd hi'n tynnu mwy o stops allan – wn i ddim am hynny. Yn ogystal â chwythu pan oedd y gynulleidfa yn canu, roedd eisiau chwythu pan oedd y diaconiaid yn casglu hefyd. Roedd pedwar yn casglu ar y llawr, a dau yn casglu ar y galeri. Os byddai cynulleidfa fawr roedd y chwythu amser y casglu yn medru bod yn hir iawn, ac i wneud pethau'n waeth, roedd Miss Owen yn cario 'mlaen i chwarae'r organ ymhell wedi i'r casglwyr eistedd i lawr.

Roeddwn i'n meddwl bod hyn yn wastraff ar wynt, a dywedais hynny wrthi ryw noson – roeddem ni'r plant yn hoff iawn o Miss Owen – hi oedd yn ein dysgu ymhob cyngerdd oedd yn cael ei gynnal ym Methel yr amser hynny. Ond wrandawodd hi ddim arna'i – dal ymlaen i chwarae oedd hi. Dywedais wrthi eto os na fyddai hi yn gorffen ar ôl i'r casglwyr eistedd i lawr y Sul nesaf, y byddwn i'n stopio chwythu. Roeddwn wedi bod yn meddwl tipyn beth ddigwyddai petai'r organ ddim yn cael gwynt.

A'r Sul nesaf yn dod, roeddynt wrthi'n casglu – 'nhad a Richard Evans, Rhydfach oedd yn casglu ar y galeri. Pan oeddent yn dod nôl roeddwn yn medru eu gweld yn cyrraedd y llawr, rhoes ddigon o amser iddynt fynd ymlaen i eistedd yn y sedd fawr, a'r nobyn bach bron cyrraedd y top, a phan gyrhaeddodd, mi dawelodd yr organ ar hanner nodyn.

Wel, mi ges i row ofnadwy gyda Miss Owen, 'run fath â petai diwedd y byd wedi dod, ond nid oeddwn yn malio cael row efo Miss Owen. Roedd hi'n rhoi row yn aml, ond roedd gwen fach yng

Trip Ysgol Sul i Porthcawl 1951
O'r chwith, rhes ôl: John Werndeg, Gwylfa Walsal Stores, fi, Ieuan Maesglas, Dei Tŷ Hen
Ail res: Elizabeth Royle, Enoc Tynygraig, Mary Jones, Alun Rhydfach, Gwynne Royle, Edna Tynygraig, Margaret Tynygraig, Eurug Richards
Rhes flaen: Meirwen Afon Valley, Non Tynygraig

nghornel ei llygad. Roedd hi'n hoffi jôc fach cystal â neb, ond beth roeddwn i'n ofni fwyaf oedd y row gisen i ar ôl mynd adref, ond ddywedodd neb ddim byd, doedd neb wedi deall bod dim byd anarferol wedi digwydd, ond deallodd Miss Owen mai fi oedd y bos amser casglu pan ddoi fy nhro i i chwythu'r organ!

*   *   *

Noson oeddem ni'r plant yn edrych ymlaen yn fawr ati, oedd noson y *Watch Night*, sef noson ola'r flwyddyn i ddisgwyl y flwyddyn newydd i mewn. Roeddem yn cael aros i lawr tan ddeuddeg o'r gloch. Byddai te i bawb yn y festri o wyth tan ddeg, rhes o fyrddau ar hyd canol y festri a'r lle yn orlawn. Roeddynt yn berwi dŵr yn y tai tu cefn i'r capel, mewn clobyn o bair mawr, 'run fath ag oedd gyda ni adref i ferwi tatw i'r moch. Tom Lewis Owen oedd yn gofalu bod y dŵr yn berwi a ni'r plant yn cael mynd ato i'w helpu i roi coed ar y tân a chario dŵr oer, o bistyll Penlon i ddechrau, nes daeth tapiau i'r pentref. (Dim ond tri phistyll oedd yn y pentref amser hynny, pistyll bach Penlon ger Maesyllan, pistyll bach y Wern, a phistyll ochr draw i'r bont fawr, wn i ddim ble. Roedd gwaelod y pentref yn lle dieithr i fi amser hynny. Byddai gwragedd y pentref i gyd yn cario dŵr o'r tri phistyll yma.)

Yna, byddai rhywun yn dod i mofyn bwcedaid o ddŵr berwedig yn awr ac yn y man fel byddai ei angen i lawr yn y festri. Roedd yn waith peryglus i gario bwcedaid o ddŵr berwedig trwy'r bobl yn y festri i'r tu blaen lle roeddynt yn gwneud y te, ond ni welais unrhyw un yn sgaldio erioed. Ar ôl i bawb gael bwyd, byddai cwrdd cystadleuol yn cael ei gynnal yn y capel. Nid oedd unrhyw beth wedi ei baratoi, ond roedd digon o blant ac oedolion yn barod i gymryd rhan, roedd dwy awr yn mynd yn fuan iawn. Yr unig beth rwyf i yn ei gofio o'r cyfarfodydd yma, oedd wit ddywedodd Geraint, Llawrcwmbach pan gafodd e'r wobr gyntaf un flwyddyn. (Roedd cystadleuaeth dweud wit bob blwyddyn). Mrs Jones yn cadw pregethwr dros y Sul ac yn gofyn iddo, "Gymerwch chi 'mach o *tongue* i swper?" "Na," meddai'r pregethwr, "fydda i byth yn bwyta unrhyw beth o geg neb". "Gymerwch chi wy bach, 'te?" gofynnodd Mrs Jones.

Ar ôl bod yn nosbarth y Festri yr Ysgol Sul am rai blynyddoedd, cefais ddod allan i'r capel i ddosbarth Mrs Fred Jones. Mwynheais fy hun yn fawr iawn yno, roedd yn athrawes dda, a buom yn astudio Llyfr yr Actau am flynyddoedd, ac rwy'n cofio rhai pethau a ddywedodd hi hyd heddiw.

Diwrnod pwysig arall i ni'r plant oedd diwrnod y trip – roedd y plant a oedd wedi mynychu'r Ysgol Sul yn cael mynd am ddim, ac roedd llawer o bobl hŷn yn rhoi ceiniog i ni i wario. Byddai gyda ni tua dau swllt i wario, ac roedd hynny yn arian mawr i blant amser hynny. Nid bws fyddai yn mynd â ni, ond siarabáng. Byddai llond tri siarabáng yn mynd, un i'r plant yn unig a dim ond Tom Lewis Owen fyddai gyda ni – amser da oedd hwnnw.

Dechrau Ffermio

Bob nos Sadwrn, byddai 'nhad yn cerdded lawr i'r pentref i siopa, i siop Ifan Rees Morgan, lle mae'r fferyllfa heddiw. Yr unig beth fyddai yn prynu oedd te a siwgr a'r *Welsh Gazette*, oherwydd roedd pob peth arall yn cael ei gynhyrchu ar y fferm, ond byddai yn dod â phaced bach o gandis adref, caramels bob amser, a dyna lle byddem ni'r plant yn ei ddisgwyl adref yn eiddgar, a phan ddoi, byddai yn moyn tair canden o'r bag a'u torri yn eu hanner, a rhoi bobi hanner i ni'r plant, roeddynt yn fendigedig. Roedd y paced yn dal bron drwy'r wythnos fel'ny.

Doedd dim sôn am Siôn Corn amser hynny – *Father Christmas* oedd pawb yn ei alw, a *Meri Christmas* oedd enw ei wraig, ond bu'n galw yn Tynygraig bob blwyddyn. Roedd Enoc a fi yn cysgu yn yr un gwely, a phenderfynu nad oeddem yn mynd i gysgu nes gwelem ef, ond welsom ni 'rioed mohono. Afal, oren a siocled a rhywbeth i wisgo a oedd â gwir angen amdano oedd yn yr hosan. Cael afal, oren a siocled cyfan i ni'n hunain, ni fyddem yn dymuno cael mwy. Nid oeddem byth yn cael teganau i chwarae, roeddem yn medru dyfeisio pethau i chware ein hunain.

Ein hoff beth i chware oedd bwcedaid mawr o gnau. Roeddem yn esgus bach mai defaid oeddynt. Os byddai 'nhad yn mynd i'r mynydd, byddai'n mynd ar ddydd Sadwrn os y gallai, er mwyn i ni'n dau gael mynd efo fe, a beth bynnag fydde fe yn ei wneud y diwrnod hwnnw, byddem ni'n dau yn ei wneud efo'r cnau yr wythnos ganlynol. Er enghraifft, os bydde nhw yn tynnu'r ŵyn ar y mynydd byddem ninnau hefyd yn tynnu'r ŵyn trwy arllwys y bwcedaid cnau i gorlan fawr roeddem wedi ei hadeiladu o gerrig. Wedyn, byddem yn pigo'r ŵyn i gorlan arall – y cnau bach oedd yr ŵyn – ac yna ni fyddent yn cael mynd 'nôl i'r bwced mawr y flwyddyn honno.

Pan fyddai 'nhad yn cronni'r afon i olchi defaid ar y mynydd cyn cneifio, byddem ni'n dau yn cronni'r nant wrth y tŷ a golchi'r cnau i gyd. Pan fyddai 'nhad yn dewis y mamogiaid i'w gwerthu, byddem ni'n dau yn dewis y cnau roeddem ni eisiau cael gwared arnynt, ac yna bwyta'r rheiny i gyd a'r un fath pan oedd e'n pigo ŵyn tew i'w lladd. Yr unig wahaniaeth rhwng y ddwy ddiadell oedd mai ychydig gannoedd oedd gan fy nhad, a bod rhai miloedd gyda ni. Nid oedd llawer o amser gyda ni i chwarae rhywbeth arall, oherwydd roeddem ni yn medru cynorthwyo dipyn ar y fferm erbyn hyn, a helpu Mam i gario dŵr o'r ffynnon, a mofyn glosced i achub tân.

*   *   *

Lewis Lewis oedd yn ffermio Tynygraig cyn fy nhad, roed e'n ewythr i 'nhad. Welais i erioed mohono, roedd wedi marw cyn fy ngeni, ond clywais 'nhad yn dweud ei fod yn ddyn mawr cryf iawn. Roedd bron bob tŷ yn y pentref yn cadw mochyn amser hynny, a Lewis fyddai'n lladd llawer ohonynt i'r pentrefwyr.

Clywais Yncl John Glanyrafon yn dweud ei fod yn mynd â defaid ac ŵyn i'r Hen Barc i bori dros yr haf, ac yn dod â nhw adref i gneifio, a bod Yncl John fod mynd lawr i'w helpu drannoeth, a phan gyrhaeddodd yn y bore, roedd Lewis wedi cneifio dros eu hanner, roedd wedi bod yn cneifio drwy'r nos yng ngolau cannwyll. Cadwai ferlod ar fanc Tynygraig amser hynny, merlod o ansawdd da iawn. Byddai yn mynd fyny i'r banc i mofyn merlen noson cyn Sioe Tal-y-bont ac yn ennill bob tro. Y ferlen gyntaf brynodd Mr E S Davies, y siop, oedd eboles a anwyd yn Nhynygraig yn y flwyddyn 1910, a galwodd hi'n Seren Ceulan, a dyna ddechrau gre Ceulan, gre sydd wedi dod yn enwog drwy'r byd erbyn hyn. Enillodd Seren Ceulan Bencampwriaeth Sioe Amaethyddol Cymru yn y flwyddyn 1928.

Yn y flwyddyn 1933, cafwyd gaeaf caled iawn ac eira mawr, a chafwyd colledion mawr. Cofiaf yn dda cael mynd efo 'nhad a'r gwas pan yn bedair oed i gladdu mam Seren Ceulan ger ffynnon Llety Gwyn, a hithau bron yn ddeg ar hugain oed. Cofiaf yn dda hefyd cael mynd i Ddolrhuddlan yn yr un flwyddyn, efo 'nhad, Yncl John ac Yncl Enoc, a chladdu tri deg tri o ddefaid wedi mygu o dan yr eira, yn yr un bedd, a hynny efo caib a rhaw. Roeddent wedi eu claddu dan yr eira mewn pant cysgodol rhwng Bryn Gwyn a'r Hafan.

Ymhen rhai blynyddoedd, aeth 'nhad lawr i Ffair Rhos – roedd ffair ferlod yn cael ei chynnal yno yn gyson bob blwyddyn, a phrynodd ferlen yno. Aeth Yncl James a hi adref – roedd ef yn ffermio Pwllpridd, Lledrod, ac yn dod â defaid ac ŵyn i Ddolrhuddlan i bori dros yr haf, felly cadwodd y ferlen nes y byddai yn dod â'r defaid a'r ŵyn i fyny yn y gwanwyn. Byddai'n cerdded y defaid o Bwllpridd i Benparcau a dod â'r ferlen yr

Seren Ceulan a Mr E. S. Davies (tad Ann) wrth ei phen

un pryd. Yna, byddai 'nhad yn mynd i lawr ar y bws erbyn rhyw amser arbennig i gwrdd ag ef, a mynd â'r defaid o Benparcau i Ddolrhuddlan, ac Yncl James ym mynd nôl ar y bws, a 'run fath pan fyddent yn mynd adref yn yr Hydref.

Roedd Enoc a fi wedi edrych ymlaen i weld y ferlen yn cyrraedd, ac yr oedd yn ferlen felen hardd iawn a thipyn o fywyd ynddi. Buan iawn y meistrolem y grefft o farchogaeth a hynny heb gael gwers gan unrhyw un; roeddem yn dysgu sut i wneud gwahanol bethau ar y fferm heb yn wybod i ni ac mae'n syndod beth all rhywun ei wneud os yw'r elfen gennych.

* * *

Byddai'r Parch. Fred Jones yn dod fyny yn weddol aml i ymweld â ni, a phan doi, byddai 'nhad a ni'r plant yn mynd i'r tŷ i siarad ag ef – roeddem yn hoff iawn o Mr Jones. Un diwrnod, pan oedd fyny ar ddiwrnod poeth yn yr haf, roedd y drws allan ar agor, ac roedd un o'r cŵn yn gorwedd ar y sach roedd Mam yn gadael tu mewn i'r rhiniog i bawb sychu eu hesgidiau. Yn sydyn, mi dorrodd yr hen gi wynt dros y lle i gyd, ac yn drewi 'te, yn ddifrifol, roedd e wedi bod yn bwyta corwg yn rhywle a dyma 'nhad yn gweiddi, "Cer allan y ci," a gwneud sŵn gyda'i esgidiau hoelion ar y llawr cerrig, 'run fath a tae e yn rhedeg ar ei ôl, rhag ofn byddai Mr Jones yn meddwl mai un ohonom ni wnaeth.

Roedd Mam yn cadw'r mis yn aml amser hynny, ac os byddech yn cadw mis Awst, byddai'n rhaid cadw'r pregethwr bob penwythnos trwy'r

mis. Dyna pryd fyddai'r Parch. Fred Jones, ein gweinidog, yn cael gwyliau. Roedd dau fath o bregethwr i gael, a byddem ni'r plant fawr o dro yn dod i'w hadnabod. Byddent yn cyrraedd brynhawn dydd Sadwrn a sefyll tan ddydd Llun. Os byddai'r pregethwr yn fodlon dod allan gyda ni ar ôl te ddydd Sadwrn i weld yr ŵyn bach a'r cathod bach, a chymryd diddordeb yn y pethau roeddem ni â diddordeb ynddynt, mi fyddem yn mwynhau ei gwmni yn fawr tros y penwythnos, ond os doi un heb ddim diddordeb ganddo i ddod allan, ac aros yn y tŷ o hyd, ac ofni baeddu ei esgidiau a gadael i Mam ei dendio o hyd, byddai hon yn benwythnos ddiflas iawn.

Dwn i ddim sut roedd Mam yn medru llwyddo i gadw'r mis, roedd hi'n gweithio'n galed, rhwng bod ni yn chwech o blant, a byddai hi yn godro gyda llaw fore a nos, yn golchi i ni gyd ar fore dydd Llun, yn corddi a phobi yn y ffwrn wal, a chario'r dŵr i gyd o'r ffynnon. Nid oedd dŵr yn y tŷ yr amser hynny. Roedd y tŷ bach yng ngwaelod y berllan, a phot dan bob gwely, a hi oedd yn cael gwared ar y cynhwysion, ac yn mynd i'r capel bob nos Sul. Rhaid ei bod yn gweithio'n galed iawn.

Byddai'r pregethwyr yn pregethu ym Methel fore a nos Sul ac yn mynd i Soar, Pensarn yn y prynhawn. Byddai Enoc a fi yn cael mynd ar yn ail i ddangos y ffordd iddynt yn lle mynd i'r Ysgol Sul. Fyny yn syth ar hyd y llwybr o Dynygraig, heibio Pant y Moelyn, taith o dri chwarter milltir. Rwy'n cofio'r Parch. Gwyndaf Evans yn aros gyda ni dros un Sul – bu yn Archdderwydd wedi hynny – a fy nhro i oedd mynd ag e i Bensarn. Roedd diddordeb ganddo ymhob peth, ac roeddwn wrth fy modd yn ei gwmni. Gorfu i ni fynd allan o'r llwybr ar y ffordd fyny, roedd e eisiau gweld warin moch daear, ond roedd rhaid cyrraedd Pensarn erbyn dau o'r gloch.

Anghofia'i byth mo'r gwasanaeth hwnnw, roedd yn yr haf ac yn ddiwrnod poeth iawn, a drws y capel a'r ffenestri ar agor, a rhyw ddwsin ohonom yn y gynulleidfa. Nid oedd un offeryn yn y capel, a Mr Parri, Gwarcwm Bach oedd yn codi canu, ac yn gwneud hynny trwy fwrw picfforch yn erbyn y côr i gael nodyn, ac yna yn dechrau canu, a Gwyndaf yn uno yn y canu, ac O!'r fath lais, roedd e'n i rorian hi ac yn amlwg wrth ei fodd, a Mr Parri yn slyrio o un llinell i'r llall, anghofia'i byth mo'r prynhawn hwnnw.

Roedd daear fyw fyny at ffenestri'r capel un ochr ac roedd y defaid yn mynd heibio bob yn un ac un ac aros ac edrych i mewn drwy'r ffenestr tra roedd yn pregethu. Clywais Eurfyn Pensarn yn dweud fod merlen oedd ganddo ef yn blentyn wedi cerdded i mewn i'r capel ac ymlaen at yr allor un prynhawn Sul yn ystod y bregeth. Gorfu iddo ef godi a'i arwain allan a chau'r llidiart.

* * *

Byddai'r injan ddyrnu yn dod o amgylch y ffermydd amser oeddem ni'n blant ac roedd boilyr mawr trwm yn ei yrru. Ceffylau fyddai yn ei dynnu o un lle i'r llall. Yr arferiad oedd bod y lle oedd wedi dyrnu yn symud y boilyr i'r lle nesaf, a'r lle oedd yn disgwyl yr injan yn mofyn yr injan,

nid oedd yr injan hanner mor drwm â'r boilyr. Pleser o'r mwyaf i ni'r plant oedd pan fyddai Cwmslaid yn dyrnu, a gweld y ceffylau yn tynnu'r boilyr fyny rhiw Rhydfach. Yn aml iawn, wedi nos roedd yn cael ei symud, wedi bod yn dyrnu tan nos yn y lle diwethaf, weithiau yn aros awr neu ddwy i'r lleuad godi. Rhyw dri o geffylau byddai ei eisiau i'w thynnu fyny i waelod rhiw Rhydfach, yna byddent yn bachu pump arall o'u blaenau, un ar ôl y llall. Unwaith y cychwynnent a'r ceffylau yn dechrau rhechen – ceffyl a rech a garith ei bwn – roedd rhaid cyrraedd y top heb sefyll a byddai'r ceffylau blaen yn mynd ymlaen yn syth fyny lôn Tyngraig.

Dyna i chi olygfa bob tro roedd ceffyl yn taro ei droed ar lawr wrth dynnu, roedd gwreichion yn codi – gallech feddwl fod y rhiw ar dân. Unwaith byddai'r boilyr wedi dod fyny ddigon uchel i'w droi am Cwmslaid, byddai Dei bach yr Injan yn gwaeddi, "We-e-ei", yn ddigon uchel i bawb glywed, ac yna bydde fe ac un arall yn rhoi sgotsien â choes iddi tu ôl i ddwy olwyn y boilyr. Ychydig o geffylau oedd ddigon da i'w rhoi yn y siafft, wnai pob un ddim o'r tro, rhaid ei fod yn hollol ddibynadwy a dim castiau yn perthyn iddo o gwbl. Yna, byddent yn dadfachu y ceffylau blaen i gyd. Roedd y cyfan yn dibynnu ar y ceffyl siafft i droi'r boilyr i fynd fyny i gyfeiriad Cwmslaid. Byddai Dei bach yr Injan yn llacio'r sgotsien ochr chwith y boilyr, a'i bartner yn tynhau'r ochr dde ac un ceffyl yn ei droi yn ara bach, ac yna bachu'r ceffylau eraill bob yn un unwaith eto.

Roedd gweision y ffermydd yn cymryd

balchder mawr yn eu ceffylau, byddai dipyn o gystadleuaeth rhwng gweision gwahanol lefydd, pwy rai oedd yn edrych orau a pha rai oedd yn tynnu orau, a pha rai oedd â'r sglein gorau. Ar ôl cyrraedd Cwmslaid, byddai Dei bach yr Injan a'i bartner yn gosod y boilyr a'r injan efo'r lamp stabal yn barod erbyn drannoeth – rhaid oedd eu cael yn berffaith wastad, yna byddai'r ddau yn cysgu yng Nghwmslaid y noson honno.

* * *

Un tro, ar ôl diwedd yn Ysgol Tal-y-bont, cefais fynd fyny efo 'nhad a Huw Jones, Werndeg yn y car i'r Shêt yn Dylife, lle'r oedd bugeiliaid canolbarth Cymru yn mynd â defaid strae, hynny yw, defaid wedi crwydro o'u cynefin, at ei gilydd i'r perchnogion gael gafael ynddynt. Roeddynt yn cwrdd mewn corlannau pwrpasol ger y dafarn yn Dylife. Ŵyn oedd yn crwydro'r rhan amlaf, byddent yn colli eu mamau amser cneifio neu amser dipio, ac os aent un waith, mi aent bob blwyddyn wedyn, doedd dim terfyn ar y mynyddoedd amser hynny. Roedd yn rhaid cael y fam i'w cadw ar ei gynefin trwy gydol yr amser y flwyddyn gyntaf, felly byddai oen wedi crwydro yn cael ei werthu. Roeddem ni yn mynd â chwech oen fyny yn y car, wedi tynnu'r sedd ôl allan a minnau ar fy nhraed yn eu canol. Roedd 'nhad a Huw Jones yn gwybod pwy oedd berchen rhai ohonynt ond ddim yn gwybod pwy oedd berchen y gweddill.

Pan yn dod i olwg Dylife, gwelem y bugeiliaid yn dod o bob cyfeiriad tuag at y dafarn, rhai ag ychydig o ddefaid ganddynt a rhai â fyny i hanner cant – ar gefn merlod byddent yn dod. Ar ôl i'r cyfan gyrraedd y corlannau, yr oedd oddeutu tri chant o ddefaid strae yno. Roedd pawb yn mynd i moyn bwyd yn y dafarn cyn dechrau dethol y defaid. Cefais agoriad llygad y diwrnod hwnnw, roedd rhai bugeiliaid yno rwy'n siŵr heb erioed siafio, ac yn ddynion hyfryd iawn.

Dod â'r defaid bob ychydig mewn i gorlan fach wnaethant, ac yna pob un yn pigo defaid ei ardal. Nid oedd llawer o bobl yno, dim ond un neu ddau o bob ardal, 'run fath â ni a oedd yn cynrychioli gogledd Ceredigion. Wel mi fwynheais fy hun yn fawr y diwrnod hwnnw, roedd bod ynghanol y defaid dieithr yma yn chwilio am nod clust roeddwn i yn ei adnabod yn fendigedig. Roeddwn i, erbyn hyn, yn adnabod llawer o nodau clust defaid oedd yn pori yn Dolrhuddlan a Chamdwr Mawr.

Cafwyd perchennog i bob un o'r defaid oedd yno ond tair, a'r rheswm pam ein bod wedi methu chwilio perchennog i'r tair yma oedd bod y perchennog wedi bod yn esgeulus iawn pan yn torri'r nod clust ac nid oedd yn ddarllenadwy.

Un wers a ddysgais y diwrnod hwnnw, ac a'i cedwais hyd heddiw, oedd bod yn rhaid i bob perchennog dorri ei nod clust yn hollol eglur, ac yna ni fyddai trafferth os aent ar grwydr. Rwy'n siŵr petawn yn y *County School* am flwyddyn, ddysgen nhw ddim i fi beth ddysgais y diwrnod hwnnw. Roedd yr amser i fynd i'r fan hynny yn agosáu yn gyflym iawn.

Roedd dau ddyn yn y "Shêt" y diwrnod

hwnnw oedd yn cofio perchennog pob nod clust oedd yn y gorlan. Os byddai unrhyw amheuaeth ynghylch unrhyw nod clust nhw eu dau fyddai â'r gair olaf, a byddai pawb yn derbyn hynny, a'r cyfan ar eu cof. Enwau'r ddau oedd John Lloyd, Y Gorn, Llanidloes, a Charles Evans, Cwmcemryw. Mi ddylai'r ddau fod wedi cael eu hanrhydeddu, oherwydd roeddynt wedi cyrraedd y brig yn eu maes. Daeth wyth oen yn ôl i Ogledd Ceredigion y diwrnod hwnnw. Roedd un oen i Lletyllwyd, ni chofiaf berchnogion y gweddill – un o ddiwrnodau hapusaf fy mywyd.

* * *

Roedd radio gennym adref, globen fawr, fwy na theledu. Roedd rhaid cael dau fatri iddi – un sych ac un gwlyb. Byddai'r batri sych yn para yn hir, ond wythnos fyddai'r batri gwlyb yn para. Roedd fy nhad yn gwrando bob nos ar y newyddion a golwg bryderus iawn arno. Erbyn diwedd yr wythnos, roedd y radio'n tawelu, a dyna lle byddai 'nhad a'i glust yn dynn yn y radio yn gwrando ar rywun yn y pellter yn dweud y newyddion, a ninnau'r plant yn cadw sŵn – roeddem yn cael ein danfon allan bob un tra byddai'r newyddion ar gered.

Bore trannoeth, byddai raid i un ohonom ni'r plant fynd â'r batri gwlyb lawr at Lewis Morris i'r ffatri, am ei fod ef yn medru "chargo'r" batris yma. Byddai dau fatri gwlyb gan bawb, defnyddio un tra roedd y llall yn "chargo". Roedd degau o fatris yno, ond byddai Lewis Morris neu Wyndham yn gwybod yn iawn p'un oedd un ni. Rhaid oedd

bod yn ofalus iawn wrth gario batri gwlyb, roedd yn llawn o asid, ac roeddem yn cael ein rhybuddio i fod yn ofalus iawn.

Ddiwedd y tridegau cawsom ni'r plant yn Tynygraig i gyd y pas, roedd Non yn fabi ar y pryd. Roeddem i gyd yn peswch yn ddi-stop, ac yn methu cael ein gwynt. Ni aeth Mam â ni at y doctor, ond rhyw ddiwrnod dyma hi yn mofyn y crochan *pitch* oedd 'nhad yn ei ddefnyddio i bitcho'r defaid ar ôl cneifio, a dyma hi yn ei roi ar y tân i doddi. Yna, gwaeddodd arnom ni'r plant i gyd i'r tŷ a chloi'r drws fel nad oeddem yn medru mynd allan, a rhoi cotiau dan y drysau eraill, a gwneud i ni eistedd yn llonydd, a'r crochan *pitch* yn dal ar y tân.

Os poethech y *pitch* ormod, byddai yn mygu yn ofnadwy, a dyma'r pryd y tynnodd Mam y crochan a'i roi ar ganol y llawr a'n siarsio ni i beidio â symud, ac eisteddodd hi lawr gyda ni, a Non yn ei chôl. Buan iawn llanwodd yr ystafell â mwg a ni allem weld ein gilydd. Os oeddem yn peswch cynt, nid oedd tebyg wedyn, bu bron i ni fygu. Nid wy'n cofio'n iawn am ba hyd buom yn y mwg, ond rwy'n siŵr ein bod wedi bod yno o leiaf hanner awr cyn bod Mam wedi codi i agor y drws, a dyna i chi beth oedd rhyddhad, cael anadlu awyr iach unwaith eto – nid wy'n meddwl i'r un ohonom beswch wedyn.

Ni fyddai 'nhad byth yn meddwl moyn milfeddyg at fuwch na dafad, byddai yn ei thrin ei hun. Un o'r pethau gwaethaf yr adeg honno oedd cael un o'r gwartheg yn piso gwaed, roedd yn beth cyffredin iawn a chaent ef trwy fwyta rhedyn. Pan gaent ef, byddai 'nhad yn moyn chwart o laeth enwyn a rhoi digon o halen ynddo, fel bod wy yn nofio arno, ac yna ei roi i'r creadur sâl, ac yr oedd yn gweithio bob tro. Os byddai ceffyl yn sâl, byddai yn gofyn i Mr Edward Francis, Tŷ Mawr, tadcu Beryl, Glanrafon i roi ei farn. Roedd ef yn arbenigwr ar anhwylderau anifeiliaid, a bob amser yn barod i gynorthwyo.

Yr un adeg, ddiwedd y tridegau, daeth sôn i'r ardal fod dynion wedi cael eu dal gan yr heddlu yn camymddwyn mewn toiledau yn y Borth. Nid oedd neb wedi clywed am y fath beth erioed o'r blaen, ac roedd pawb yn siarad am hyn. Nid oeddwn yn deall yn iawn beth oedd wedi digwydd, ni welais yr un anifail erioed yn gwneud y fath beth. Roeddwn un noson yn gwerthu tocynnau at ryw achos neu'i gilydd yng Nghwm Ceulan. (Petawn yn cael ceiniog am bob ceiniog rwyf wedi'i gasglu yn y ddau gwm, byddwn yn bur gyfoethog erbyn hyn. Rwyf wedi bod wrthi yn awr am dros drigain mlynedd, mynd ar gefn y ferlen yn y blynyddoedd cynnar, ac yn cael croeso mawr bob amser ymhob man.) Gelwais yn Tŷ Mawr, lle'r oedd Edward Francis a'i wraig Catrin yn byw, pâr duwiol iawn, ac yn byw yn o agos i'w lle ddwedwn i, ac yn hyddysg iawn yn y Beibl, a Catrin yn dweud wrtha'i am yr helynt yma yn y Borth, ac yn wên o glust i glust, ei fod yn drosedd anfaddeuol, a bod e'n dweud yn hollol eglur yn y Beibl, "na wna o din neb".

Un diwrnod, gorfu i ni i gyd fynd i ffitio *gas mask*, dyna i chi beth anodd i'w gadw tros eich wyneb. Byddai babanod bach yn gorfod cael un, ac yr oeddem yn gorfod ei gario gyda ni i bobman. Nid oeddem ni'r plant yn sylweddoli beth oedd yn mynd ymlaen, ac eto yn synhwyro fod rhywbeth mawr ar ddigwydd, yn enwedig pan fu raid i 'nhad a'r gwas beidio â defnyddio'r lamp stabl. Cawsom ein rhybuddio os defnyddiem olau heb ei

"Gas Mask"

orchuddio y cawsem ein bomio gan y *Germans*. Nid oedd golau i'w weld yn y nos yn unman am flynyddoedd.

Roedd y rhyfel wedi torri allan – nid oeddem ni'r plant yn deall yn iawn beth oedd yn digwydd ond dyma'r tro cyntaf i mi ofni'r nos. Dechreuodd awyrennau fynd wedi nos, ac yn amlach o hyd fel oedd yr amser yn mynd ymlaen. Roedd rhai yn ceisio dweud eu bod yn adnabod awyrennau'r *Germans*, am fod gwahanol sŵn ganddynt.

Un noson roedd 'nhad a mam wedi mynd lawr i Rhydfach Ganol, i wylio modryb Richard Evans a oedd ar ei gwely angau. Roedd yn arferiad yr amser hynny i'r cymdogion fynd yn eu tro i wylio, er mwyn i'r teulu gael gorffwyso. Roeddem ni'r plant fod mynd i'r gwely fel arfer, ac wedi mynd yn y tywyllwch. Roedd Enoc a fi yn cysgu efo'n gilydd, a'r merched yr un fath, bob yn ddwy, ond yn methu cysgu. Roedd yr awyrennau i'w clywed yn mynd yn gyson a ninnau yn gwybod ein bod adref ein hunain, rhywbeth oedd heb ddigwydd o'r blaen.

Roedd ofn mawr arnom, ond, yn sydyn, dyma BANG anferth, ac un arall yn syth ar ei ôl, ysgwydodd y tŷ i'w sail, a'r ffenestri'n ysgwyd am rai eiliadau, ac yna Bang arall, ac un arall yn syth ar ei ôl, a'r tŷ a'r ffenestri yn ysgwyd eto. Chês i erioed y fath ofn na chynt na wedyn, ond diolch byth, dyma Mam yn gwaeddi o waelod y stâr os oeddem i gyd yn iawn. Rhaid ei bod wedi rhedeg adref yr holl ffordd ar ôl clywed y Bang gyntaf. Roeddem yn teimlo'n berffaith ddiogel wedyn.

Bore trannoeth, clywsom fod dwy fom wedi disgyn rhwng Fron Ddêl a Phwll Glas, a dwy arall ar Ddiallt Rhydyronnen, ac felly daethom ni i wybod beth oedd rhyfel – mae'r tyllau i weld yno hyd heddiw.

* * *

Un peth roeddwn yn edrych ymlaen ato oedd cael mynd am wyliau i Kington at Mam-gu a Dad-cu. Roedd Mam-gu yn medru siarad Cymraeg ond y gweddill o'r teulu yn siarad Saesneg ac roeddwn i yn medru siarad Saesneg yn olew amser hynny. Roedd llawer iawn o gefnderwyr a chyfnitherod gennyf yno, a byddem yn cael mynd lawr gyda nhw i'r parc yng ngwaelod y dref ger yr afon i chwarae, lle bendigedig. Ond y peth oeddwn i yn hoffi fwyaf oedd cael mynd efo Yncl Eddie yn y lori, roedd e'n gyrru lori G.W.R. ac yn cario nwyddau i ffermwyr yr ardal o'r stesion. Dyna braf oedd cael mynd yn y lori bob dydd, lori anferth, ac edrych lawr ar bawb.

Roedd Enoc a fi yn gallu bod yn eithaf direidus weithiau, a bob amser yn barod i wneud pethau na ddylem. Mr a Mrs Ifan Lloyd oedd yn byw ym Mhenrhiw, tyddyn bach rhyw dri chan llath yn nes i'r pentref na Tynygraig, ac yn cadw dwy fuwch a hanner cant o ddefaid, ac ychydig o ieir a cheiliog.

Rhyw ddiwrnod aeth yr hen geiliog lawr at ieir Rhydfach a oedd rhyw ganllath nes i lawr. Doedd Ifan ddim yn hoffi ei fod wedi mynd lawr, ac aeth i'w moyn yn ôl. Mi aeth drannoeth wedyn, ac Ifan lawr yn syth i'w moyn yn ôl. Mi aeth i lawr bob dydd wedyn, falle ei fod yn teimlo nad oedd yn cael digon o waith gartref, wn i ddim. Cafodd Ifan

Fy nheulu yn Kington, mam ar y dde, rhes ôl.

ddigon ar hyn, a rhoddodd fwgwd dros ei ben, fel nad oedd yr hen geiliog yn medru gweld.

Safodd adref am rai dyddiau, ond rhyw ddiwrnod roedd y ceiliog allan ar lôn Tynygraig pan 'oen ni'n dau yn mynd i'r ysgol. Roedd yn ddigon hawdd ei ddal â'r mwgwd ar ei ben, felly dalion ni fe, a rhoi côt drosto, yn lle bod Ifan yn ei weld pan fyddem yn mynd heibio'r tŷ, a'i gario lawr i Rhydfach a'i ollwng at yr ieir. Pan oeddem yn mynd adref, dywedodd Ifan fod yr hen gythgam wedi mynd lawr heddi eto. Roedd bai arnom, a Mrs Lloyd yn rhoi bobi frechdan yn groes i'r dorth, a honno wedi ei phobi yn y ffwrn wal, i ni bob nos wrth fynd adref o'r ysgol, a honno wedi ei thorri yn denau. Roeddem bron marw eisiau bwyd. Diolch iddi.

Tro arall pan yn Ysgol Tal-y-bont, cafodd John Morris a finnau fynd lawr i Wersyll Llangrannog i wersylla, dim ond ni'n dau oedd yn ein caban er bod lle i bedwar ynddo. Ar ôl mynd i'r gwely y noson gyntaf cefais bwl o hiraeth, a mi ddaliodd trwy'r nos – chysgais i ddim, roeddwn yn methu peidio â llefain drwy'r nos ac yn ofni cadw sŵn rhag ofn i John fy nghlywed; chymrwn i mo'r byd i John fy ngweld yn llefain. Peth ofnadwy yw hiraeth, bu yn noson hir iawn.

Gwellodd pethau pan godom ni, yr oedd yn ddiwrnod poeth braf, a phob un o'r plant wedi tynnu eu crysau ond fi, nid oeddwn erioed wedi tynnu 'nghrys o'r blaen, ond mentrais ei dynnu y diwrnod hwnnw i gael bod yr un fath â'r plant eraill. Roedd fy nghroen i mor wynned â wal cefn

y tŷ ar ôl i Mam ei wyngalchu. Cawsom hwyl y diwrnod hwnnw yn gwneud pob math o bethau. Gan ei bod yn ddiwrnod mor boeth, cawsom fynd lawr i Ynys Lochtyn i'r môr, wel dyna beth oedd hwyl, mwynheais fy hun yn fawr iawn, ac anghofio am yr hiraeth.

Ond y noson honno, ar ôl cael swper ac wedi mynd i'r caban, dyma fy nghefn a'm mol yn dechrau llosgi. Pan edrychais, gwelais fy mod yn goch fel bitrwt o'm bogel i fyny, fedrwn i ddim gorwedd, a'r llosgi yn mynd yn waeth bob munud, a dyma'r hiraeth yn dod yn ôl, a methu cadw sŵn wrth lefain rhag i John fy nghlywed a dweud wrth y plant ar ôl mynd adref. Mi ddioddefais, ac mi ddioddefais drwy'r nos.

Buasai'n dda gen i fynd adref at Mam, bydde hi yn medru lleddfu'r boen, 'run fath ag oedd hi'n medru pan fyddwn i'n llosgi 'nhrwyn, ar ôl bod wrth y gwair, trwy roi tipyn bach o hufen arno pan yn separeto'r llaeth ar ôl godro. Does neb yn gwybod faint ddioddefais i'r wythnos honno. Nid wy'n gwybod p'run ai'r hiraeth yntau'r llosgi oedd waethaf, mae un ar y tro yn annioddefol, ond mae'r ddau efo'i gilydd tu hwnt. Ni chysgais o gwbl trwy'r wythnos, ac roeddwn yn edrych fel ffowlyn wedi hanner ei bluo erbyn diwedd yr wythnos. A dyna'r wers gyntaf a ddysgais mewn ysgol brofiad. Ni thynnais fy nghrys byth wedyn hyd heddiw. Mae ysgol brofiad yn medru bod yn ysgol ddrud iawn, fel dysgais lawer tro ar hyd fy mywyd.

Ysgol Ardwyn

Roedd yr amser i fynd i Ardwyn yn prysur agosáu, ac nid oeddwn yn edrych ymlaen o gwbl. Wedi cael gwyliau hir yn yr haf, ac wedi cael blas eithriadol ar weithio ar y fferm, yn ddeg oed yn awr ac yn medru gwneud bron pob peth ar y fferm erbyn hyn – yn cael arwain y gaseg flaen pan yn cario dom i'r banc, a dod yn ôl ar ei chefn a helpu i lwytho'r gert â phicwarch. Enoc a fi yn cael mynd â buwch at y tarw ar ben ein hunain, un tu ôl a un tu blaen, a chael chwe cheiniog gan fy nhad i roi i was Lletylwydin am ollwng y tarw allan i neidio'r fuwch.

Medrem hofio'r tatw a'r swej a'r mangls a'u teneuo. Os medre Enoc wneud rhywbeth roedd yn rhaid i fi fedru ei wneud, heb sylweddoli fod Enoc flwydd a naw mis yn hŷn na fi. Medrem droi gwair amser cynhaeaf cystal â neb efo rhaca bach. Roedd hyn yn medru bod yn waith diflas iawn os mai dim ond dau neu dri oedd wrthi, ond roeddem ni yn Tynygraig yn naw neu ddeg – fy nhad a'r gwas, Arthur, mam, un neu ddau o'r pentref, ni'n dau a byddai Margaret ac Edna yn medru gwneud erbyn hyn. Pan fyddem wedi

mynd o amgylch y cae ddwywaith byddai yn darfod yn o fuan wedyn. Roedd yn bleser bod wrth y gwair ar dywydd braf, ond dim cystal os byddai'r tywydd yn fratiog.

Weithiau, pan oeddem wedi gorffen troi'r cae byddai'n dechrau bwrw glaw, yna byddai rhaid gwneud yr un gwaith drannoeth, ac weithiau bob dydd am wythnos. Clywais Yncl John Glanyrafon yn dweud stori am Seymor Davies pan oedd e'n ffermio Glanyrafon ei fod wedi bod yn troi a chwalu Cae Gwyn am bythefnos ac yn dod yn law bob dydd, ond rhyw ddiwrnod roedd wedi bod yn chwalu ers y bore, ac erbyn amser te roedd y gwair yn barod i'w gario. Roedd pompren i gerdded dros yr afon o Cae Gwyn i'r ydlan a phan oedd yn paratoi i'w gario, dyma gawod o law trane yn dod, nes bod y lle'n morio, a Seymor yn cydio mewn cowled o'r gwair ac yn gwaeddi, "Mi a i a hwn o dy waetha Di" a rhedeg am y bompren, a phan oedd ar y bompren mi lithrodd, a mi gwympodd e a'r gwair i'r dŵr.

Roeddem yn medru godro'r buwchod â llaw, Mam yn rhoi y rhai oedd yn rhoi eu llaeth i lawr yn hwylus i ni i'w godro tra byddai hi yn godro y rhai gwydn ac yna medrem roi llaeth i'r lloi a'u hadnabod bob un.

Erbyn hyn, roedd gyda ni bobi gi defaid ac yn medru hel defaid ar y mynydd cystal â neb. Roeddem yn cael mynd i helpu Yncl Defi i hel defaid yn Camdwrmawr, ac wedi dechrau cneifio. Roedd Enoc yn medru cneifio yn dda a minnau yn dysgu. Roedd fy nghoesau yn rhy fyr i gneifio ar fainc gneifio felly cefais gneifio ar gafan yr injan chaffio. Mwynheais y gwaith yma o'r dechrau. Rhyw ddiwrnod, cafodd Enoc fynd i Sioe Amaethyddol Cymru yn Abergele efo 'nhad ac Arthur Penbanc yn y car, a phrynodd Arthur wellau newydd sbon iddo yn anrheg.

Yn ystod y gwyliau cyn dechrau yn Ardwyn, cafodd Enoc a fi fynd fyny efo 'nhad i helpu Arthur i gneifio'r defaid yn Ffosfudr. Roedd defaid Penbanc yn pori yn Ffosfudur yn yr haf yr adeg hynny, ar y Waun. Anghofiaf i byth mo'r diwrnod hwnnw, cael mynd i le na fûm i erioed o'r blaen yn y gambo, â'r cafn injan chaffo, i gneifio, heibio Bwlchglas, a Rhywgam a thros Fwlch yr Adwy i Ffosfudr. Roedd fy nhad yn dewis y defaid hawddaf i ni'n dau, y rhai oedd wedi colli'r gwlân bol ac wedi llaco dipyn ar y gwddwg a thipyn o sofl arnynt ac Arthur yn helpu i glymu eu traed. Ni chneifiais i ryw lawer, ond roedd pob un a gneifiais yn un yn llai i nhad ei chneifio. Dyna beth oedd diwrnod bythgofiadwy, ond roedd y gwyliau ar ben. Rhoeswn unrhyw beth am gael peidio mynd i'r *County School* fel roedd yn cael ei galw.

* * *

Cefais fynd rhyw ddiwrnod i'r dre gyda Mam i brynu dillad yn barod i fynd i'r ysgol. Cap a thei, welsoch chi erioed fath gap plentynnaidd, cap gwyrdd â streipen wen a thei a streips gwyrdd a gwyn. Daeth **y** diwrnod i fi gychwyn, cerddais lawr i gwrdd y bws ugain munud wedi wyth i Benlôn. Roedd tŷ Tomi Annwyl heb ei ddymchwel amser hynny. Nid oedd bws ar wahân i'w gael i'r plant ysgol, rhaid oedd mynd gyda bws y gweithwyr. Hoffais i ddim o'r lle o'r funud gyntaf y cyrhaeddais yno. Be chi'n feddwl oedd y peth cynta ges i? – y gosfa fwyaf melltigedig a ges i erioed, a finne heb wneud dim. Cydiodd ryw bump neu chwech o fechgyn mawr ynof i a'm llusgo at ryw beipen a'm rhoi i orwedd ar fy mol arni ac un ohonynt a strap fawr yn fy nharo yn groes i'r pen-ôl o leiaf hanner dwsin o weithiau.

Bu 'mhen-ôl yn ddolurus am wythnos – roeddynt yn dweud bod rhaid i bob un oedd yn dechrau y diwrnod hwnnw fynd drwy'r un broses. Os oeddynt yn meddwl y buaswn i'n llefain, mi wnaethant gamgymeriad. Cefais ofn y lle, roedd rhai o'r plant fel dynion canol oed a mwstash ganddynt. Y peth cyntaf gawsom ei wneud ar ôl cael ein galw i mewn oedd dewis p'un ai *French* neu *Latin* oeddem eisiau.

Wel dyna i chi beth oedd dewis, doeddwn i ddim eisiau un o'r ddau, ond roedd yn rhaid dewis a dyma fi yn mynd am y *French*, falle isen i draw i Ffrainc rywbryd. A dyma fi yn dilyn y rhai *French* i ystafell arall. Pwy oedd yn sefyll o flaen y dosbarth ond Dr Ethel Jones, merch Richard Jones y siop. Roedd yn aelod ym Methel ac yn fy adnabod i yn iawn a finnau hithau. Mor gynted gwelodd hi fi mi ddaeth draw a dweud y bydde'n well i fi gymryd *Latin*. Roedd hi'n gwybod na fyddwn i yn gwneud llawer o ymdrech i ddysgu *French* ganddi. Doedd dim gwahaniaeth gen i, yr un ymdrech wnawn i i ddysgu *Latin*. Yr unig beth, collais fy ffrindiau.

Mi es i chwilio am y plant *Latin* a dim syniad ble i fynd, ond gwelodd rhywun fi toc a gweld fy mod i ar goll a dywedodd wrthyf ble i fynd. Pan gyrhaeddais i, roedd y plant i gyd yn eistedd a dwy neu dair sedd wag yn y tu blaen. Ond trwy gornel fy llygaid gwelais fod un sedd wag yn y cefn ac un bachgen yn eistedd yn y cornel. Rwy'n meddwl fod rhagluniaeth wedi cadw'r sedd yna yn wag nes down i. Miss Williams oedd ein *form teacher* ni, merch ifanc annwyl iawn heb fod yn rhy *strict*, doedd gen i dim syniad beth ddywedodd Miss Williams tan ginio, doedd hi ddim yn medru siarad Cymraeg. Ond buon ni'n dau yn siarad â'n gilydd trwy'r bore. Deallais yn o fuan pwy oedd y bachgen wrth fy ochr. Glyn Williams oedd ei enw, o Goginan, real bachgen o'r wlad. Doedd dim gwahaniaeth pa bwnc fyddem yn ei drafod, roeddem ein dau â'r un diddordebau, o geffylau i dyrchod daear.

Dau Sais oedd yn eistedd tu blaen i ni, a dyma un ohonynt yn troi atom ni toc, yr un mwyaf o'r ddau, ac yn dweud "*Be quiet*". Os wnaeth e te, dyma Glyn yn codi ei ddwrn a'i rwbio dan ei drwyn a dweud wrtho "Ca dy geg". Mi droiodd

yn ôl yn reit sydyn, a chawsom ni ddim trafferth efo fe wedyn. Bu Glyn a fi yn gyfeillion mawr tra buom yn yr ysgol ac yn dal i fod hyd heddiw.

Un go fach oeddwn i ac yn dal i fod. Roedd llawer o hen fwlis yn yr ysgol, ac os gwelai Glyn un ohonynt yn gwneud rhywbeth i fi mi gawsai gosfa yn y man a'r lle. Ni chlywais air o Gymraeg drwy'r dydd. Cawsom beth oedden nhw yn ei alw yn *time table* ar ôl cinio. Mwynheais fy nghinio yn fawr iawn. Cawsom restr o'r pynciau roeddem i'w astudio, pynciau na chlywais i erioed sôn amdanynt. Es adre'n reit ddigalon a'm pen-ôl i'n reit ddolurus, ac yn fwy digalon fyth pan ddeallais fod Enoc adre awr a hanner o mlaen i.

*   *   *

Gorfu i fi fynd yn ôl drannoeth, a'r unig gysur oedd gen i oedd cael gweld Glyn, a roeddwn wedi dod i adnabod amryw o fechgyn eraill o'r wlad. Cawsom wers o *Hygiene*. Nid oeddwn wedi clywed y gair o'r blaen a dim syniad beth oedd o'n blaenau.

Roeddem yn wyth neu naw o fechgyn o'r wlad a phob un yn edrych mor amddifad â fi. Cael mynd fyny i'r balconi fel y gelwid ef, rwy'n meddwl, i'r ystafell fanlle roeddynt yn dysgu coginio. Pan gyrhaeddom yr ystafell roedd dwsin o fyrddau pren, a meinciau i blant eistedd bob ochr, lle i ryw chwech bob ochr. Roedd y byrddau a'r meinciau wedi eu sgrwbio 'run fath a'r bwrdd oedd gan Mam-gu yn y Winllan, a dyma ni blant y wlad yn anelu at y bwrdd oedd yn y cefn.

"*No, no*" meddai'r athrawes, Miss Violet Jones, a chawsom wers ganddi wedyn ar sut i ddod mewn. Nid oedd neb fod i godi ei goes dros y fainc, roedd rhaid mynd i ben y fainc ac aros eich tro a llithro mewn rhwng y fainc a'r bwrdd, ryw ffordd ddigon anodd wedwn i, roedd yn gynt o lawer i godi'ch coes dros y fainc. Allan a ni i gael cynnig arall. "*No, no, no*" gwaeddodd Miss Jones, roedd y rhai dwetha wedi codi eu coesau dros y fainc. Allan a ni eto, dim ond bwrdd ni y tro yma, doedd y gweddill heb godi eu coesau.

"*No, no, no*" gwaeddodd wedyn, roeddem wedi rhoi'r bagiau llyfrau lledr ar y bwrdd, doedden ddim fod i wneud hynny, bagie ar y llawr bob amser. Allan a ni eto, doedd y wers *Hygiene* yma ddim cynddrwg ag yr oeddwn i yn ofni a fewn a ni eto. "*No, no, no*" gwaeddodd eto, roedd un mwy mentrus na fi wedi rhoi ei fag ar y bwrdd, ac felly bu hi ar ddechrau pob gwers *Hygiene* hyd ddiwedd y tymor.

Cawsom wers *History* un diwrnod, roeddwn wedi edrych ymlaen yn arw at hon. Roedd John James, Nant-y-moch wedi creu rhyw ddiddordeb mawr ynof yn y pwnc, roedd wedi dangos i mi ble oedd Garn Hyddgen tra'n hel defaid ar Drosgol Fawr a Camdwr Mawr, ac wedi dweud bod llawer iawn o hanes Cymru yn yr ardal yma, bod Owain Glyndŵr wedi bod yn ymladd i amddiffyn Cymru. Roedd wedi creu rhyw edmygedd mawr ynof i tuag at Owain Glyndŵr.

Ond O!'r fath siom a gefais, soniodd neb tra bûm i yn yr ysgol unrhyw beth am hanes Cymru dim ond sôn am hanes Lloegr, rhyw bethau oedd wedi digwydd tua *Hastings* a *Waterloo*. Doedd gen i ddim diddordeb yn y pethau roedd yr athro yn dweud, ac felly penderfynu peidio gwrando. Diwrnod arall cawsom wers *Geography*. Nid oeddwn yn gwybod yn iawn beth i'w ddisgwyl. Roedd ystafell arbennig i bob pwnc a phan gyrhaeddom yr ystafell *Geography* roedd map mawr o'r byd yn groes i'r wal flaen a dysgu o hwnnw buom tra bues yn yr ysgol. Roedd yr athrawes, nid wy'n cofio ei henw, yn tynnu ein sylw at y lliwiau oedd ar y map a cheisiai i ni ganolbwyntio ar y lliw coch. Roedd hanner y map yn goch. Dysgodd ni mai'r *British Empire* oedd y lliw coch i gyd – roeddwn yn methu deall pam oedd ryw smotyn bach coch ar y map yn berchen hanner y byd.

A dyna pryd y sylweddolais i am y tro cyntaf erioed bod Cymru yn goch. Ysgwn i ba liw fyddai arni petai Owain Glyndŵr wedi ennill. Teimlais yn ddig at y British Empire, pwy bynnag oedd y rheini. Roedd hanner fy nheulu yn Saeson, ond roedd y rheiny yn bobl ardderchog, felly cefais ddim awydd dysgu chwaneg am y British Empire. Penderfynais beidio lladd fy hun wrth astudio'r pwnc.

* * *

Roeddwn wedi arbrofi ar smocio yn ysgol Tal-y-bont, fel llawer un arall, ac wedi dechrau cael blas arni. Ond ar ôl bod yn y *County School* am ychydig ddiwrnodau, daeth yr awydd am smôc yn fwy bob dydd. Byddwn yn galw yn siop Edwin, Penlôn, fanlle mae Penlon-Las heddiw i gael ffag i fynd i'r ysgol. Byddai Edwin a fi yn deall ein gilydd yn iawn. Byddwn i yn rhoi dimau i Edwin, a chael ffag allan o baced pump o *Woodbine*, ac yna byddai yn cadw'r pedair arall nes galwn eto ac yn eu rhoi mewn lle arbennig.

Ar ôl bod yn y *County School* am rai wythnosau, cydiodd yr ysfa ynof, roedd rhaid i mi gael ffag bob bore i fynd i'r ysgol, roedd yn le mor ddiflas. Bob amser chwarae byddwn yn rhedeg yn syth i'r toiled i gael smôc, a'i stwmpo hanner ffordd, er mwyn cael smôc amser chwarae y prynhawn. Ni ches fy nal un waith. Ond roedd y rhai oedd yn smocio ar ddiwedd yr amser chwarae yn cael eu dal gan y *prefects*, a'r rheini yn eu danfon ato yr *head*, a chael y gansen ganddo. Deallais yn o fuan os oeddem yn gwneud drygioni, mai'r peth gorau i wneud oedd ceisio peidio cael ein dal. Byddwn yn cael aml i geiniog gan hwn a'r llall am wneud cymwynas ac yn cael ambell geiniog gan Mam am helpu ac yn cael chwe cheiniog ganddi os chwiliwn i nyth newydd a deg neu fwy o wyau ynddi. Llai os byddai o dan ddeg wy. Byddwn yn aros ychydig o ddiwrnodau weithiau er mwyn i'r wyau gynyddu ond roedd yna berygl yn hynny, falle gwelai Enoc hi!

Cefais lawer iawn o'r pynciau yn ofnadwy o ddiflas, ac yn methu gweld pa bwrpas fyddent i fi ar ôl mynd adre, oherwydd doedd dim amheuaeth wedi croesi fy meddwl mai adref roeddwn am fynd. Bûm yn astudio *Latin* am dair blynedd, a dyna i chi wastraff, cefais arholiad bob blwyddyn, a methu rhoi dim byd ond fy enw a'r dyddiad ar y papur, ac yn rhyfedd iawn doedd dim gwahaniaeth

gennyf. Roeddwn yn cael prynhawn bach hyfryd iawn yn meddwl beth oeddynt yn ei wneud adref a tybed os byddai ryw ddafad arbennig wedi dod ag oen bach erbyn isen i adre.

Ond mewn un arholiad rhois fy enw a'r dyddiad yn daclus iawn ar y papur, ac un cwestiwn oedd, beth oedd y gair *Latin* am *river*, ac roeddwn yn meddwl fy mod yn gwybod yr ateb, a dyma fi yn ei roi i lawr yr un mor daclus, dan fy enw *river* – *flumen,* a dyna lle bues i weddill y prynhawn yn hel meddyliau. Pan ddaeth y *results*, roedd pawb yn siarad Saesneg a doedd neb yn meddwl dweud canlyniadau a phan ddaeth e at fy mhapur fe wenodd yr athro a ngalw i Y Parchedig Flumen Jenkins a dyma be galwodd fi tra bûm yn yr ysgol. Un peth, fe'm galwodd i yn Gymraeg. Mr Rowlands oedd ei enw, roedd e gystal â dim un ohono nhw, am wn ni.

Peth pwysig iawn yn Ardwyn amser hynny oedd *Cadet Training*. Dwi'n meddwl bod yr *head* wedi bod yn y rhyfel cynta ac yn meddwl bod rhywbeth fel hyn yn bwysig iawn. Un diwrnod byddai cadets y fyddin yn traino, a'r diwrnod wedyn cadets yr awyrlu, a chadets y morwyr diwrnod wedyn, trwy'r prynhawn. Bûm yn meddwl uno â'r tri, byddai yn ffordd dda i golli llawer o wersi. Doedd neb o feibion fferm yn ymuno. Os oeddent yn gallu gwneud hyn yn amser ysgol pam na allen nhw roi *farm training* i ni oedd eisiau ffermio.

Gwnes yn reit dda yn y gwersi Cymraeg, a dyna'r unig amser oeddem yn clywed gair o Gymraeg . Gwnes yn reit dda mewn *Arithmetic* ac

English ond O!'r fath gwestiynau plentynnaidd gawsom, roeddwn wedi gwneud y gwersi yma ers blynyddoedd gyda Miss Edwards a chael rhyw symiau bach hwylus hwylus i'w gwneud a dim o'r problemau anodd oeddem yn cael efo Mr Harri Evans yn Nhal-y-bont. Byddai yn well o lawer petawn wedi cael aros yn ysgol Tal-y-bont, byddwn i wedi dysgu mwy na wnes yn y *County School*.

Un peth oedd dysgu Saesneg, peth arall oedd cael eich dysgu i fod yn Sais. Meddyliwch o ddifri bod na bobl yn y pentref 'ma heddiw ac yn y dre a'r pentrefi o amgylch yn methu siarad Cymraeg ar ôl bod yno am flynyddoedd lawer, am fod y *County School* ddim wedi eu dysgu. Mae pobl heddiw yn cael iawndal am bethau llawer llai. Roedd llawer o blant o'r wlad yn yr ysgol a dim diddordeb mewn llawer o'r gwersi, 'run fath a fi, a beth oedd yn digwydd wedyn oedd gwneud pethau yn anodd i'r athro ddysgu'r lleill. Roedd dau fath o athrawon i gael yno, ni fuom yn hir yn dod i'w hadnabod. Roedd rhai feiddiech chi ddim gwneud sŵn er nad oeddynt wedi bod yn gas wrthym, ond roedd rhai fel tase'n nhw ddim yn medru trafod plant, roeddem yn gwneud pob ffŵl ohonynt.

Roedd un ohonynt yn dysgu *trigonometry* i ni. Does gen i ddim syniad be mae'r gair yn feddwl hyd heddi. Pan fyddai yn ysgrifennu rhywbeth ar y bwrdd du byddai rhywun ar ein bwrdd ni wedi torri gwynt dros y lle i gyd heb geisio gwneud yn dawel, mwya'n byd y twrw mwya'n byd yr hwyl. Mi droie'n syth a gweiddi *"Who's that"* a dod nôl

at ein bwrdd ni i arogli, a rhoi cwpwl o glowts i un ohonom ni nes ein bod yn gweld sêr, a falle mai dim y sawl wnaeth gise'r gosb, dyna oedd yr hwyl. Mi ddyrnodd un ohonom bob dydd, ond ni wnaeth ddim lles, yr oedd fel dŵr ar gefn hwyaden.

* * *

Y peth gorau yn yr ysgol oedd y cinio oeddem yn ei gael, mae'n rhaid i fi ei ganmol, roedd yn ardderchog yn enwedig ar ddydd Mawrth pryd oeddem yn cael *chips*. Mrs Burns oedd enw'r gogyddes, dynes fach, ond yr orau welais i yno. Roeddem yn cael bwyd yn y Neuadd a gosod byrddau dros dro, rhyw wyth i ddeg bob ochr a rhyw ugain o blant ar bob bwrdd a throli yn cario'r bwyd allan o'r gegin a'r *prefects* oedd yng ngofal y troli. Roeddynt yn gwneud *prefects* newydd bob blwyddyn, fel roedd y rhai hynaf yn gadael.

Annwyl Dad, roedd e'n mynd i ben rhai ohono nhw, cael ychydig bach o awdurdod ac roeddent yn meddwl eu bod yn gwybod y cyfan. Roedd hawl ganddynt i roi cosb ar y plant eraill, rhoi P.D. i ni, hynny yw *prefects' detention*, aros ar ôl yn yr ysgol am gwarter awr. Roedd hyn yn gosb fawr yn enwedig i blant y wlad, os cusech chi un mi gollech y bws pedwar, ac aros i fws pump, ac egluro ar ôl mynd adre pam, a chael row arall. A nhw oedd yng ngofal rhannu'r cinio a'r pwdin.

Un o'r bechgyn mawr oedd yr *head of table* a fi agosaf ato ac wedi dod i ddeall ein gilydd yn berffaith sut i bincho pwdin. Doedden ni ddim yn dweud dwyn pwdin ond dyna beth oedd e. Byddai'r *head of table* yn cydio mewn platiaid o bwdin efo'i fraich dde o'r silff uchaf a'i estyn o un i'r llall, yr un pryd yn cydio mewn un pwdin efo'i fraich chwith o'r silff isaf ac estyn dan y bwrdd, a finne yn barod amdano a'i roi tu ôl i'r tresl a 'nhroed ar y styllen ganol a gwasgu'r plât efo'm pen-glin yn dynn i'r bwrdd. Roeddynt yn mynd yn wallgof pan ddeallent fod un yn brin a chwilio ble roedd y pwdin. Ni chawsom ein dal unwaith. Roedd rhywbeth fel hyn yn rhoi pleser mawr i fi yr adeg hynny, cael torri crib ambell i *prefect* ffroenuchel a'i weld yn gorfod mynd yn ôl i'r gegin yn un swydd i mofyn un pwdin.

Un tro pan yn mynd adref ar y bws, roedden wedi bod yn pryfocio Buddug Bryngwyn Canol. Cafodd afael yn fy nghap a mi daflodd e i ben blaen y bws, a lle disgynnodd e oedd yng nghôl Dr Ethel Jones. Medre fe ddim wedi disgyn mewn gwaeth lle, roedd fy enw arno hefyd. Aeth hi allan ar ganol y pentref a'm cap yn ei llaw. Roedd hyn ddechrau'r wythnos, a bûm heb gap trwy'r wythnos, ac yn ofni sylwai Mam a gofyn ble roedd. Roedd gennyf atebiad yn barod rhag ofn.

Prynhawn dydd Gwener gwelais ryw ferch yn dod mewn i'r ystafell lle rown i ac ymlaen at y *form teacher* a dweud rhywbeth wrthi. Dyma hi'n galw arna i a dweud bod Dr Ethel Jones eisiau fy ngweld. Es lawr ati a gwelais y cap ar y bwrdd o'i blaen. Roeddwn wedi gobeithio cawswn y gansen ganddi. Na, nid dyna ei ffordd hi o gosbi, roedd ganddi hi ddull mwy creulon o gosbi.

Dywedodd wrthyf fy mod yn warth ar y capel ac yn warth ar y Parch. Fred Jones ac yn warth ar yr Ysgol Sul. Mi awn ni i lefain ar ychydig pan gawn row fel hyn, a dywedodd wrthyf y byddai yn dweud wrth fy nhad a mam os na fyddwn yn bihafio yn well ar y bws, a rhoddodd fy nghap yn ôl i mi, ac es allan yn ddigalon iawn, ac yn teimlo fy mod wedi cael cerydd a oedd wedi cyrraedd yr asgwrn.

Roeddem yn cael dipyn o hwyl wrth fynd adref ar y bws, yn enwedig os na fyddai Dr Ethel Jones arno. Yn ystod y flwyddyn ola bûm i yn yr ysgol, cafodd Deric Maesmawr ei wneud yn *prefect*. Ffordd gafodd e ei wneud yn *prefect* wn i ddim, roedd e'n un o'r rhai mwyaf drygionus oedd ar y bws, ond unwaith gawsech eich gwneud yn *brefect*, roedd hawl gennych i roi cosb ar y plant eraill. A dyna lle buodd e gweddill y flwyddyn yn bygwth P.D. i fi, a finnau yn gwneud dim sylw ohono a meddwl nad oedd o ddifrif, ond rhyw noson ychydig cyn i fi adael yr ysgol, mae'n debyg mod i wedi gwneud rhywbeth i godi' i wrychyn e. Dyma fe'n rhoi P.D. i fi, yn llawer iawn mwy awdurdodol tro yma nag arfer ac yn dweud os na fydden i'n mynd byddai yn dweud wrth yr *head*. Dyma'r tro cyntaf iddo fe fygwth yr *head* arna i. Doeddwn i ddim eisiau mynd yn agos at hwnnw, roeddwn wedi cadw yn glir oddi wrtho hyd yn hyn a dyma fe a Nest (ei chwaer) yn mynd allan o'r bws wrth Maesmawr ac yn dweud wrtha i "Gofala bod ti yn mynd nos yfory", a golwg gas iawn arno.

Yr oedd yn amlwg bod tipyn bach o awdurdod wedi mynd i'w ben e hefyd. Wyddwn ni ddim

Hela defaid i gneifio tua 1945

beth i wneud a methu penderfynu p'un ai oedd o ddifrif ai peidio. Fel rheol roedd e'n gallu bod yn o ddireidus, ond edrychai mor gas ac wedi bygwth yr *head*. Ac yn waeth na hynny roedd 'nhad wedi dweud y byddem yn golchi defaid yn barod i gneifio pan ddeuem adre nos drannoeth.

Bûm yn meddwl a meddwl be ddylen wneud, p'run ai mynd ai peidio. Penderfynais byddai yn well i fi fynd, yn hytrach na chael fy ngorfodi i weld yr *head*. Felly arhosais ar ôl am gwarter awr a cholli'r bws pedwar, a cholli golchi'r defaid. Roedd yn gosb drom, yn enwedig pan welais e wedyn yn chwerthin ar fy mhen am fod mor ddwl â mynd, roedd wedi fy nhwyllo i yn iawn. Nid wy'n credu y byddai wedi dweud wrth yr *head*.

Rwyf wedi maddau iddo ond anghofia'i byth mo'r noson honno, fy mod wedi colli golchi'r defaid. Mae Deric wedi cyrraedd y brig eleni a dod yn llywydd Undeb Yr Annibynwyr Cymraeg, a does neb yn falchach na fi, ac yn dymuno pob bendith iddo. Mae Deric y pumed o blant Bethel i'w godi'r gadair. William Evans Aberaeron oedd y cyntaf (1877) a David Adams Lerpwl yr ail (1913), E J Owen Allt-goch (1950), John Watkin (1996) a F M Jones (1998).

* * *

Wedi i mi fod yn Ardwyn am flwyddyn a hanner, daeth yn amser i Enoc adael Ysgol Tal-y-bont. Bûm bron â thorri fy nghalon amser hynny, roedd yn ddigon drwg ei fod yn cyrraedd adre awr a hanner o mlaen i bob nos, ond roedd cael aros adre am byth yn anodd iawn i fi ei ddioddef. Es i deimlo yn ddigalon iawn fy mod yn gorfod mynd i'r ysgol bob dydd, yr oeddwn wedi ceisio cael aros adref ambell i ddiwrnod, pan fyddai rhywbeth arbennig ymlaen. Ond na, roedd fy rhieni yn gwrthod bob tro. Pan ddywedai fy nhad "Na", nid oedd newid i fod, ond pan fyddai Mam yn dweud "na" mi allwn newid ei meddwl ychydig.

Yr ail ddydd Mercher ym mis Gorffennaf oedd ein diwrnod cneifio ni ar y mynydd yn Dolrhuddlan ond yn dechrau cneifio'r defaid cadw dydd Llun, defaid Penrhiw, Rhydfach, Panteg, Pantglas, Frongoch a Phwllpridd.

Roedd meddwl am fynd i'r ysgol tra bod Enoc yn cael mynd i gneifio yn ormod i mi i'w ddioddef. Penderfynais ddechrau llefain nos Sul ar y *landing* ar ôl 'nhad a mam fynd i'r gwely. Dim llefain yn uchel iawn, dim ond digon i gadw pawb ar ddihun, a 'nhad yn gwaeddi, "Cer i'r gwely" bob yn awr ac yn y man. Ond roeddwn wedi penderfynu y byddwn yn llefain hyd y bore os byddai raid, yn hytrach na mod i'n gorfod mynd i'r fath uffern o le ac Enoc yn cael mynd i fath nefoedd o le. Bûm yn llefain am oriau, cyn i Mam waeddi "Cer i'r gwely, cawn ni weld pa fath o ddiwrnod fydd hi", a dyna yn union beth oeddwn am glywed. Rwy'n siŵr fod Mam wedi rhoi gair bach drosof i, a hi waeddodd yn hytrach na bod fy nhad wedi gorfod rhoi mewn.

A dyna'r fuddugoliaeth gyntaf, ni fu raid i mi lefain mor hired wedyn, roeddynt yn mynd yn llai a llai bob tro. Ond beth ddigwyddodd wedyn, roeddynt yn trefnu i fynd i'r mynydd heb roi gwybod i fi, ond weithiodd hynny ddim. Roedd John James, Pantglas, Tre'rddol yn cadw defaid yn Dolrhuddlan ac yn dod lawr ar y bws oeddwn i yn mynd i'r ysgol arno. Os gwelwn John yn dod allan yn Penlôn byddwn yn gofyn iddo "Ble dech chi yn mynd John?" Os dywedai, "I'r mynydd", awn yn ôl gyda fe yn syth.

Byddem yn mynd fyny yn y gambo a dau geffyl er mwyn dod â'r gwlân i lawr. Byddai pobl y Winllan yn dod yn y gambo a dau geffyl hefyd, a rhai yn dod ar gefn merlod. Ar ôl cyrraedd byddai'r ceffylau yn cael eu gollwng yn rhydd i bori ar y mynydd nes byddem wedi gorffen cneifio dydd Iau, ac weithiau os byddai yn wlyb, ar ddydd Sadwrn y byddem yn gorffen.

Un tro ar ôl gorffen cneifio aeth gwas Tynygraig a gwas y Winllan i chwilio am y ceffylau i'w dal, i gael mynd â'r gwlân gartref. Rhaid oedd mynd â phadell a cheirch ynddi i'w twyllo, i gael eu dal. Ond, wir i chi, dechreuodd un redeg i ffwrdd, a dyma'r lleill i gyd yn carlamu ar ei ôl, a gwrthod yn lân cael eu dal. Gorfu i hanner dwsin ohonom fynd i'w dal. Roeddem yn ceisio eu cornelu dan lidiart rhwng Dolrhuddlan a'r Oerfa Ddu a Llyn Nant-y-cagal. Yn hytrach na chael eu dal mi gymerodd y cyfan y llyn. Dyna i chi beth oedd golygfa, gweld wyth o geffylau yn nofio allan i ganol y llyn, dim ond eu pennau yn y golwg. Ar ôl nofio allan i ganol y llyn, mi droiodd yr arweinydd i'r dde ac anelu am y lan. Cafwyd gafael ar un wrth ei fod yn dod allan o'r dŵr a rhoi cebyst ar ei ben. Ar ôl dal un byddai'r gweddill yn dilyn.

Byddai Mam yn danfon gwely plu a dillad gwely fyny i'r mynydd gyda ni, a Mam-gu yn danfon un arall fyny er mwyn i gymaint allai aros dros nos. Gwelais gymaint ag unarddeg yn cysgu mewn dau wely. Byddai'r ddau wely plu yn cael eu tannu yn eu hyd o flaen y tân, ar y llawr a phawb yn gorwedd yn groes i'r gwely a'u traed tuag at y tân.

Yncl John Glanyrafon fyddai â'r gofal – fe fyddai yn gofalu nad oeddem yn llanw'r siediau yn rhy dynn o ddefaid yn barod i'w cneifio, rhag ofn y byddent yn mygu. Er mwyn eu cadw yn sych erbyn drannoeth, fe fyddai yn codi i roi coed a mawn ar y tân yn ystod y nos. Roeddem yn cael hwyl fawr ac ychydig o gwsg. Yn y parlwr byddai'r cŵn yn cael eu clymu a dyma lle byddent trwy'r nos yn cosi eu hunain ac yn lladd llau.

* * *

Bûm yn ysgol Ardwyn am dair blynedd, blwyddyn yn *form two* a dwy yn *form three*. Gadewais yr ysgol dymor cyn fy mod yn bedair ar ddeg oed. Ni ddywedodd unrhyw un ddim, roedd yn amlwg eu bod yn falch o'm gweld yn mynd a minnau yn falch cael mynd. Dyna beth oedd gwastraff o dair blynedd i mi a'r athrawon. Byddwn wedi dysgu mwy petawn wedi aros yn ysgol Tal-y-bont. Doedd Ardwyn ddim help i ddysgu rhywun i fod yn ffermwr, nid wy'n meddwl bod yr athrawon yn gwybod beth oedd amaethyddiaeth. Daeth meddwl gwneud swydd arall erioed i fy meddwl. Cael aros adref a gwneud y gwaith roeddwn i'n caru ei wneud, dyna'r cyfan oeddwn ni eisiau. Feddyliais erioed cael cyflog am y gwaith. Nid oeddwn yn meddwl amser hynny pa mor galed oedd hi ar fy rhieni, roeddynt yn dioddef yn dawel, ond ni welom ni'r plant erioed eisiau dim byd.

Rwyf wedi meddwl llawer wedi hynny pa mor galed oedd pethau yn y tridegau. Un o'r pethau cyntaf rwy'n ei gofio oedd helpu fy nhad i lwytho lori Jac Ynys Tudur ar hanner rhiw Rhydfach, am bedwar o'r gloch yn y bore efo lampau stabal, efo'r ŵyn tew a'r llydnod i fynd i arwerthiant yn Wrecsam, a 'nhad yn mynd yn y lori efo Jac i'w gwerthu. Nid oedd marchnad iddynt yn lleol, a byddai yn rhaid eu gwerthu am ychydig iawn. Roedd yn rhaid eu cadw tan fis Chwefror, neu byddai neb eu heisiau. Gwnaed hyn trwy eu bwydo efo gwair a cheirch a swej. Bûm yn helpu fy nhad lawer gwaith, ar bob math o dywydd, i symud y ffens er mwyn rhoi darn newydd o swej bob wythnos iddynt. Ychydig iawn fyddai gwerth y gwlân amser hynny. Gwrthodai rai ffermwyr ei werthu, gan obeithio y cawsent well pris y flwyddyn ganlynol, ond na, byddai'r pris yn is, ac yn gorfod ei werthu am lai.

Yr unig ffordd roeddent yn llwyddo i gadw'r ddau ben llinyn ynghyd oedd cynhyrchu bron bob peth ar y fferm, a pheidio prynu dim os nad oedd yn hollol angenrheidiol. Ni fûm i erioed yn troi gyda cheffylau, ond bûm yn llyfnu a rowlio llawer, a hel gwair ar y dandi a gorfod sefyll ar ben mainc i'w gwisgo yn barod i fynd allan. Cadwai fy nhad ryw bump neu chwech o geffylau, a cheisio magu oddi wrth un bob blwyddyn, fel ei fod yn gallu gwerthu un bob blwyddyn oherwydd roedd prisiau da iawn am geffyl yr adeg hynny yn enwedig ar ôl i'r rhyfel dorri allan.

Dyna'r unig amser gwelais i'r llywodraeth yn gweld gwerth yn y ffermwyr. Mae'n beth ofnadwy i ddweud bod yn rhaid cael rhyfel cyn eu bod yn sylweddoli hyn. Rhoddwyd cwota i bob fferm, faint o lafur (ŷd) oedd rhaid hau, a faint o datw i'w plannu. Roeddem ni yn gorfod hau deg cyfer ar hugain o lafur, gwenith, barlys a cheirch a phum

cyfer o datw. Cyflogent swyddog i ofalu bod pawb yn gwneud ei ran. Mr Thomas, Llys Etna oedd swyddog ardal gogledd Ceredigion a 'Tomos y troi' fu e hyd ei farw, gan bawb.

Roedd ffermwyr yn bobl bwysig iawn adeg y rhyfel, nid oedd yn bosibl i fewnforio dim bwyd, roedd rhaid cynhyrchu'r cyfan yn y wlad hon. Ni fu raid i feibion ffermwyr na gweision fynd i'r rhyfel, roedd rhaid aros gartref i gynhyrchu bwyd. Cafwyd byddin i gynorthwyo hefyd, sef byddin o ferched o bob cwr o'r wlad i gael y cynhaeaf a'r tatw i mewn ac i gynorthwyo gyda'r hau a gwneud pob math o waith a llawer iawn yn gweithio yn y coed. Torrwyd gelltydd derw i gyd i lawr amser rhyfel i fynd lawr i'r pyllau glo, nid oedd modd mewnforio unrhyw beth. Y mae rhai o'r merched yn dal yn yr ardal yma o hyd.

Tomos y Troi

Bywyd a Gwaith Adeg Rhyfel

Roedd bwyd yn brin iawn adeg y rhyfel, a dogni caeth iawn ar bob peth. Roeddem yn cael llyfrau dogni â phwyntiau arnynt. Roedd rhaid rhoi pwyntiau am bob peth, dau bwynt am dorth, dim ond dwy owns o fenyn a dwy owns o gaws, a chwe owns o siwgwr gâi bob un am wythnos – nid oedd yn ddigon. Roedd eisiau llawer iawn o bwyntiau i gael sached o fflŵr i bobi a doedd sached o fflŵr ddim yn mynd yn bell iawn fan lle'r oedd plant ar eu prifiant, ond beth oedd fy nhad yn ei wneud oedd malu ambell i sached o wenith oeddem ni wedi tyfu gartref, a'i gymysgu â sached o fflŵr roeddem yn prynu. Roeddem yn bwyta'r bran a'r cyfan, nid oedd hi'n bosibl ei wahanu ar yr injan falu oedd gennym ni adref.

Dyna i chi beth oedd bara bendigedig. Mam wedi ei bobi yn y ffwrn wal, sôn am fwyta'n iach, doedd dim gwell i'w gael. Petai fy nhad yn cael ei ddal mi gâi garchar yn syth, roedd yr heddlu o gwmpas y lle ymhobman yn edrych allan am bethau fel hyn. Emrys Davies, Stryd Pantycalch oedd y gwas yn Tynygraig amser hynny, ac yn cael ei wylio a'i archwilio yn aml gan yr heddlu, rhag ofn ei fod yn cael ambell i hanner pwys o fenyn gan Mam, roedd rhaid i'r cyfan fynd i'r llywodraeth.

Un peth oedd yn dda roedd digon o datw i'w gael, chlemiai neb os oedd yn barod i fyw ar datw. Byddai pawb o bobl y pentref yn mynd allan i blannu tatw ar y ffermydd adeg y rhyfel. Tatw dyletswydd neu tatw *duty* oeddent yn cael eu galw. Arferai bobl y pentref fynd allan i helpu'r gwahanol ffermydd gyda'r cynaeafau adeg hynny, ac yna cael plannu tatw yn y cae fel tâl am hyn – dwy, tair neu bedair rhes, ychwaneg os byddent yn deulu mawr. Cadwai bob un fochyn yn nhop yr ardd, felly roedd e'n cael y tatw mân – nid oedd unrhyw un yn gwastraffu dim.

Cariem ddom am ddiwrnodau yn barod erbyn diwrnod hau tatw. Roedd llawer iawn o waith i gael y tir tatw yn barod, byddai rhaid ei droi ddwy waith a hel carth bob tro a'i losgi a'i lyfnu yn dda cyn ei fod yn barod i'w rhesio. Golygai hyn amser maith i wneud pum erw yn barod, a'r cyfan yn cael ei wneud efo ceffylau. Un ceffyl byddai eisiau i gario dom ar le gwastad ond dau os byddai yna lechwedd a dwy gert yn cario, un yn llwytho tra bod y llall yn dadlwytho, a'r cyfan yn cael ei lwytho efo picwarch bedair pig. Dyma i chwi waith oedd yn hel archwaeth bwyd ar rywun.

Yr arferiad oedd tynnu'r dom i lawr yn dyrrau bob chwe llath, un rhes o dyrrau yn ddigon o ddom i bedair rhes o datw. Os byddai'r cae ar lechwedd, ac roedd bron bob un ar lechwedd, byddem yn tynnu'r dom i lawr wrth fynd i fyny'r rhiw oherwydd roedd yn haws tynnu'r dom i lawr fel hynny. Gwnaed hynny efo crwc, math o bicwarch bedair pig, ond bod y pigau wedi eu plygu. Ar ôl gorffen cario dom roedd rhaid ei chwalu. Byddai pobl y pentref yn dod noson cynt i chwalu'r dom, y gŵr fyddai yn dod i chwalu'r dom, ond y gwragedd fyddai yn dod trannoeth i blannu. Ni welais erioed ffordd well i ddod i adnabod y natur ddynol na'r amser pan fyddai pobl y pentref yn dod i chwalu dom yn barod i hau. Byddai un yn dod eisiau dwy res a mi chwalai'r dom yn hollol deg gan adael hanner y dom i'r ddwy res nesaf. Un arall yn dod ac yn mofyn llawer mwy na'i siâr ac yn gadael ychydig iawn i'w gymydog yn y ddwy res nesaf. Un arall yn dod eisiau dwy res a mi chwalai'r rhes dom yn gyfartal ar y pedair rhes gan ddweud falle byddai rhyw weddw yn plannu drannoeth a neb ganddi i chwalu dom. Un arall yn dod a chwalu'r dom yn gyfartal rhwng y pedair, ac yna mi ddoi draw i'n helpu ni i chwalu tan nos. Ychydig oedd y rhain. Gwaith pleserus iawn i ni oedd cario'r tatw adref i bobl y pentref, roeddem yn cael ambell i swllt. Pob diwrnod gwlyb trwy'r gaeaf byddem yn pigo tatw a phwyso'r tatw bwyta mewn cannoedd a'u cario lawr i Landre i gwrdd â'r trên. Byddai pob fferm yn yr ardal yn gwneud yr un fath. Os oedd y tâl amdanynt yn fach roedd digon o alw amdanynt.

*   *   *

Yn y flwyddyn 1942 cefais fy nerbyn yn gyflawn aelod ym Methel gan ein gweinidog Y Parch. Fred Jones B.A. B.D. Yr oeddwn wedi bod yn mynychu pob peth oedd yn cael ei gynnal ym Methel ar hyd y blynyddoedd yn ffyddlon, ac yn teimlo erbyn hyn ei bod yn fraint cael mynd. Bu Mr Jones yn cwrdd â ni am wythnosau i'n paratoi, a gwneud yn siŵr ein bod yn sylweddoli yn iawn beth oedd dod yn aelod o Eglwys Iesu Grist yn ei olygu, cyn ein bod yn mynd ar lw i gredu ac i bara yn ffyddlon i Iesu Grist tra byddem ar y ddaear, ac i hyrwyddo ei waith hyd eithaf ein gallu. Eglurodd i ni bod dewis gyda ni i ddod yn aelod ai peidio, ac un waith y byddem yn mynd ar lw o flaen Gorsedd Gras, byddai raid i ni wneud ein gorau i gyflawni hyn. Eglurodd i ni bod bob unigolyn yn ddau ran, corff ac enaid ac mai'r enaid oedd y pwysicaf o ddigon, a dyma'r rhan fyddai yn parhau ymlaen.

Rhybuddiodd ni i beidio â phryderu gormod am ein corff – beth i'w fwyta neu beth i'w yfed neu beth i wisgo, dywedodd bod ein Tad Nefol yn gwybod fod arnom angen y rhain i gyd, ond i ni yn gyntaf geisio deyrnas Dduw a'i gyfiawnder Ef, a rhoir y pethau hyn i gyd i ni yn ychwaneg.

Eglurodd i ni ymhellach ei bod yn berygl i ni roi gormod o sylw i'r corff ac esgeuluso'r enaid. Dywedodd mai unig bwrpas y corff oedd lle i gario'r enaid tra byddem ar y ddaear, ac unwaith y byddem yn marw, roedd y corff wedi gorffen ei bwrpas, a byddai yn rhaid ei gladdu yn o fuan neu mi âi i ddrewi. Ond gall neb gladdu enaid, dyma'r rhan sy'n goroesi, dyma'r rhan ddaeth Iesu Grist i'r byd i'w achub. Eiddo Duw yw enaid pob un ohonom. A pheidied neb â meddwl, p'run ai yden ni yn credu yn Iesu Grist ai pheidio, y bydd hawl gyda ni ar yr enaid ar ôl iddo adael y corff. Byddwn wedi cael ein cyfle. Roedd Mr Jones yn ŵr argyhoeddedig iawn a'i ffydd yn gadarn fel craig yn ei Dduw a gofynnodd i ni ddysgu ychydig adnodau allan o'r drydedd bennod o Ioan.

Do, carodd Duw y byd gymaint nes iddo roi ei unig anedig Fab, er mwyn i bob un sy'n credu ynddo ef beidio â mynd i ddistryw ond cael bywyd tragwyddol.

Oherwydd nid i gondemnio'r byd yr anfonodd Duw ei fab i'r byd, ond er mwyn i'r byd gael ei achub drwyddo ef.

Nid yw neb sy'n credu ynddo yn cael ei gondemnio, ond y mae'r hwn nad yw'n credu wedi ei gondemnio eisoes oherwydd ei fod heb gredu yn enw unig fab Duw.

A dyma'r condemniad, i'r goleuni ddod i'r byd ond i ddynion garu'r tywyllwch yn hytrach na'r goleuni am fod eu gweithredodd yn ddrwg.

* * *

Ar ôl gadael yr ysgol roeddwn yn mwynhau fy hun yn fawr iawn a dim eisiau gofidio byddai raid mynd yn ôl, ond roedd un gofid mawr tros yr ardal, roedd y rhyfel yn dal o hyd, a newyddion drwg yn dod bob dydd. Nid oedd golau i'w weld yn unman, pob ffenestr wedi ei gorchuddio â llenni du a dim golau o gwbl ar stryd y pentref, ond byddai Enoc a fi yn hoffi mynd lawr i'r pentref i'r Neuadd Goffa i chwarae snwcer gyda'r nos.

Roedd y bwrdd snwcer yn cael ei ddefnyddio yn gyson yr adeg hynny o chwech o'r gloch tan ddeg, byddem yn gorffen am ddeg. Yn yr ystafell tan y llwyfan byddai'r bwrdd yr adeg hynny ac angen ciw bach pan yn chwarae ger y tân. Tân mewn grât oedd yna yr adeg hynny a Henri Richards yr Office (Glanceulan) yn gofalu am ei wneud bob nos. Bu Henri farw yn ieuanc iawn, colled aruthrol i'r pentref. Roedd yn ddiddanwr penigamp, mi gadwai rhywun i chwerthin trwy'r nos ac yn gymwynaswr i bawb, a medrai chwibanu yn fendigedig.

Roedd yna griw digon direidus a drygionus yn cwrdd yno yr adeg hynny, a phawb yn mwynhau yn fawr iawn, ond ni fyddai neb yn meddwl gwneud unrhyw ddifrod i'r Neuadd. Roedd llawer o'n ffrindiau oedd wedi bod yn cyd-chwarae â ni wedi cael eu galw i'r rhyfel a sylweddolem mai Neuadd Goffa oedd hi. Dim ond gweision ffermydd a meibion ffermydd a rhai oedd yn rhy ifanc i fynd i'r rhyfel oedd ar ôl. Pedair ceiniog, yr hen geiniogau, oedd y tâl am hanner awr o chwarae snwcer. Fel rheol os byddai amryw yn disgwyl gêm byddem yn chwarae dau yn erbyn dau, pob un yn rhoi ceiniog ar y silff ben tân cyn dechrau'r gêm. Nid oedd neb yn gofalu amdanom, ond byddai Mr Morgan Tanyrallt, fe oedd Trysorydd y Neuadd ar y pryd, yn dod am ddeg o'r gloch i mofyn yr arian. Byddai dau swllt a wyth geiniog yn ei ddisgwyl bob nos yn ddi-ffael, nid oedd neb yn meddwl peidio talu.

Pan na fyddwn yn chwarae snwcer neu filiards byddem yn chwarae dartiau – roedd bwrdd dartiau da yno. Mae fy nyled i'n fawr i'r cyfnod hwnnw, ac i bob un arall oedd yno, i fod wedi meistroli'r gamp o ychwanegu yn eich pen. Medrem weiddi beth oedd y sgôr terfynol eiliad ar ôl i'r ddarten ddiwethaf gael ei thaflu, ynghynt o lawer na mae'r tacle felltith sydd gan ein plant heddiw i'w atal rhag meddwl.

Os na fyddem yn chwarae, byddai Henri yn ein diddori. Dim ond un rwyf wedi ei weld ar S4C allai gael ei gymharu ag ef, roedd ganddo ryw dalent arbennig i wneud i bawb chwerthin, a hynny yn hollol naturiol. Cerddem adref ar ôl deg, yn y tywyllwch. Byddem yn teimlo'n gynnes erbyn cyrraedd Tynygraig dim gwahaniaeth pa mor oer fyddai'r tywydd, a neidiem i'r gwely yn gynnes reit, nid oedd eisiau potel dŵr poeth na gwres canolog ar ôl cerdded adref.

* * *

Cafodd fy nhad dractor ac aradr newydd sbon dechrau'r rhyfel, un o'r tractors cyntaf ddaeth i'r ardal, Forden fach ac olwynion haearn arno, roedd

rwber yn brin iawn. Ni fuom yn hir yn dysgu sut oedd ei yrru i wneud gwaith fferm, roedd yn medru gwneud gwaith y ceffylau gymaint ynghynt. Medrai fynd â llwyth tri cheffyl o ddom i'r banc ei hun. Newidiodd pethau dros nos, nid oedd raid bwydo'r ceffylau ddwy awr cyn dal, hynny yw cyn dechrau yn y bore a dwy awr i'w bwydo ar ôl gollwng yn yr hwyr. Roedd hanner gwaith y fferm yn mynd i hel cynhaeaf i gadw'r ceffylau, y nhw fyddai yn cael y bwyd gorau, y nhw fyddai'n bwyta'r brig a'r gwair gorau, a'r gwartheg yn cael y gwellt a'r gwair salaf.

O'r holl newidiadau a welais i yn digwydd i amaethyddiaeth, dyma'r newid mwyaf. Nid peth hawdd oedd dilyn y ceffylau yma am wythnosau bob dydd yn aredig, llyfnu, rowlio'r llafur a gwneud y tir tatw yn barod. Bûm yn gwneud y gwaith yma i gyd ond aredig – nid oeddwn ddigon cryf i ddal yr aradr, roedd angen dyn cryf i droi. Ar ôl gorffen troi byddem yn hau y llafur gyda llaw, roedd yn dipyn o grefft i hau llafur gyda llaw, nid pawb oedd yn medru hau yn wastad. Os byddai'r cae wedi cael ei hau yn anwastad a strôcs ynddo, byddent i'w gweld trwy'r haf, a byddai'r sawl heuodd y cae yn cael ei bryfocio yn ddidrugaredd. Ar ôl hau byddai'n rhaid mynd â'r oged dros y cae o leiaf bedair gwaith.

Yr oedd yn waith pleserus iawn yn y dechrau, ond yn flinedig iawn erbyn diwedd y tymor. Os nad oedd traed da gan rywun, ni fedrent bara hyd diwedd. Rwy'n siŵr ein bod yn cerdded rai degau o filltiroedd bob dydd, ar dywydd poeth iawn weithiau. Mewn tair wythnos i fis byddem yn mynd â rowl drosto ar ôl i'r egin ddod allan. Un ceffyl fyddai eisiau yn y rowl a dim ond unwaith oedd angen mynd drosto. Dyna i chi wahaniaeth ar ôl cael tractor.

Ni bu Enoc yn hir yn meistroli'r grefft o droi efo'r tractor a'r aradr lusgo. Pan fyddai Enoc yn mynd adref i mofyn bwyd, byddwn i yn mynd i roi cynnig arni, a buan iawn y deuthum i aredig. Un peth oedd yn dda gyda'r olwynion haearn, roedd *lugs* arnynt ac yn suddo tua chwe modfedd i'r ddaear pan yn aredig, ac yn teimlo'r cerrig daear, cerrig llwyd y rhych oeddynt yn cael eu galw, o'r golwg ac yn rhybuddio'r gyrrwr eu bod yno. Ond i chwi fod yn ofalus medrech arbed torri swch. Nid yw cystal ar yr olwynion rwber. Nid oedd raid newid dim ar yr oged i lyfnu ar y tractor, dim ond bachu cadwyn yn syth o'r tractor i'r oged a gwneud i ffwrdd â'r cambrenni i gyd. Cambrenni allan o bren onnen oedd fy nhad wedi eu gwneud ar hyd y blynyddoedd, a'r gof wedi rhoi bachion arnynt i'w cysylltu â'r ceffylau. Daeth eu hoes i ben dros nos, ac yn werth dim ond coed tân wedyn.

Wel, roedd yn bleser cael llyfnu ar y tractor yn enwedig os byddai yn ddiwrnod braf. Newidiodd pawb o ddweud "Gwnaiff pedwar stric y tro" i "Gwell rhoi pump rhag ofn". Llifiwyd siafft y rowl i'w gwneud yn fyrrach a chael y gof i roi darn o haearn ar y blaen a thwll ynddo i gysylltu'r tractor. Roedd cael rowlio trwy'r dydd yn bleser. Rwyf wedi meddwl llawer wedi hynny p'run ai gor-gerdded neu gor-eistedd sydd wedi gwneud mwyaf o ddrwg i ddynoliaeth. Mae mwy wedi

marw wrth eistedd gormod nag sydd wrth gerdded gormod rwy'n siŵr. Llifiwyd siafftau'r certi a'r gambo a'r dandi oedd yn hel gwair yn yr un modd. Llifiwyd y polyn oedd ar y peiriant torri gwair, polyn hir i roi ceffyl bob ochr iddo – ei dorri bron yn y bôn a rhoi haearn i'w gysylltu â'r tractor. Cafodd taclau'r ceffylau eu hesgeuluso, y strodur, y tresi ar gyfer y ceffyl blaen, y coleri a'r hôms a'r ffrwyni, y batsien oedd yn mynd dros y ceffyl i ddal y gert fyny pan yn y siafft, a'r tyniadau – eu taflu i'r twr sgrap.

Gwerthwyd y ceffylau o un i un, a chadw un rhag ofn. Fel cynyddodd y tractorau trwy'r wlad aeth pris y ceffylau i lawr ac i lawr. Nid wyf yn meddwl bod neb wedi hiraethu llawer ar eu holau. Ond yn sicr i chwi mi ddioddefodd y gymdeithas yn arw a dyna sy'n digwydd bob tro y daw dyfais newydd i'r fro. Collwyd llawer o weision a morwynion o'r ardal, nid oedd eu hangen mwyach. Nid oedd angen y ceffylau i symud y boilyr amser dyrnu, nid oedd angen y boilyr, roedd tractor yn medru tynnu'r injan ddyrnu i bob man ac yn ei gyrru. Do, daeth oes y ceffyl i ben yn sydyn, ar ôl bod yn unig bŵer ar y ffermydd ar hyd y canrifoedd. Mae pob tractor sydd i'w cael heddiw, yn cael ei gymharu â sawl pŵer ceffyl sydd ynddynt. Meddyliwch fod yna dractorau i'w cael heddiw â phŵer o gant a mwy o geffylau ynddynt a dim eisiau eu bwydo, a dim ond eisiau eu diffodd ar derfyn dydd.

* * *

Torrwyd coedwigoedd derw yr ardal hon i gyd i lawr adeg y rhyfel a'u cario i lawr i'r pyllau glo. Torrwyd coed Tynygraig i gyd, dau gyfer ar hugain. Nid oedd dewis gan fy nhad i wrthod. Mynnai'r llywodraeth eu cael am bris bach iawn. Daeth llawer iawn o bobl i wneud y gwaith a dim ond bwyall a llif oedd ganddynt. Y gwŷr mwyaf profiadol oedd yn cwympo a thocio'r coed. Richard Jones Pencae a'i frawd Bob oedd yn llusgo'r coed â cheffylau i lawr i'r gwaelod. Roedd Richard Jones, Dic y lein fel oedd pawb yn ei adnabod yn yr ardal, yn gymeriad. Medrai droi ei law at unrhyw orchwyl ar y fferm heb gael fawr o addysg erioed, dim ond ysgol brofiad. Byddai galw mawr arno i gwympo ceffylau a'u sbaddu. Nid pawb oedd yn medru cwympo ceffyl a chlymu ei draed yn ddigon diogel i'w sbaddu. Yr oedd yn was yn Allt-goch pan oedd y ddau fab yn y coleg yn astudio i fynd i'r weinidogaeth. Dywedodd E J Owen fod mwy o allu gan Dic na dim un o nhw'u dau. Yr oedd yn hyddysg iawn yn ei Feibl ac yn ffraeth iawn ei dafod. Dywedodd pan oedd y Saeson yn dechrau dod i Gymru a phrynu tyddynnod a ffermydd 'nôl yn y chwedegau, "Weli di ddim carreg fedd un ohonynt".

Mewn rhai blynyddoedd ar ôl i fi adael yr ysgol cefais fynd draw i Pantglas i aredig cae i John, a phan yn cael cinio ym môn y clawdd ryw ddiwrnod, pwy ddaeth heibio ond Dic y lein, ac yn gofyn i fi "Pa newydd sy tua Tal-y-bont?" ac fel oedd hi'n digwydd roedd Mr David Thomas Morgan, Heulwen wedi marw y bore hynny. Fe oedd arweinydd y gân ym Methel, a minnau yn

dweud wrtho, a'i ateb yn syth oedd "Trwy ysbeilio'r ddaear mae'r nefoedd yn cyfoethogi ei hun".

Merched byddin y tir fyddai yn llifio'r coed ar y gwaelod gyda thrawslif, i wahanol hydie. Roeddynt yn ferched hwyliog iawn ac yn mwynhau eu hunain wrth y gwaith. Roedd radio yn beth pwysig iawn yr adeg hynny, a phawb yn gwrando ar y newyddion am y rhyfel. Un o'r merched yn gofyn i un o'r cwympwyr, beth oedd mêc ei radio, a fynte yn methu cofio beth oedd i mêc hi, ac yn dweud mai "rhywbeth yn debyg i darten oedd hi", *Pye* oedd hi!! Bu Edgar Humphries Penlon yn cario'r coed allan i Tynygraig i gwrdd a'r lori, efo'r tractor.

Yn syth ar ôl y rhyfel daeth gorchymyn oddi wrth y llywodraeth bod yn rhaid ail blannu'r coed gafodd eu cwympo adeg y rhyfel. Os na fyddai perchennog yn barod i wneud, byddai'r llywodraeth yn mynd â'r tir a phlannu eu hunain. A dyna beth ddigwyddodd i Coed Erglodd, Lletylwydin, Pantglas, Cwmere a Choed Llus Duon a llawer lle arall. Ond dywedodd fy nhad bod rhaid i ni blannu coed Tynygraig ein hunain yn hytrach na'i golli.

Aed ati yn syth i wneud polion i'w ffenso. Plannwyd trydedd ran, y rhan bellaf y flwyddyn gyntaf. Fy nhad, John Pantglas, Enoc a fi gyda phobi gaib, gwaith nad oeddem erioed wedi ei wneud o'r blaen. Plannwyd miloedd y flwyddyn gyntaf. Plannwyd y darn canol y flwyddyn ganlynol a daeth gweithwyr *Dovey Woodlands* i'w plannu. Dim ond y darn agosaf at y tŷ oedd ar ôl a meddwl plannu hwnnw y flwyddyn ganlynol. Aeth Enoc a fi draw rhyw ddiwrnod i ddechrau ffenso. Roedd y darn ola wedi cael amser i dyfu yn wyllt braidd a phob math o anialwch yn tyfu arno, yn rhedyn, drysni ac eithin a'r coed derw wedi dechrau impio o'r bôn yn gymysg â'r hen frigau coed. Meddylion mai peth da fyddai rhoi matsien ynddo cyn dechrau ffenso, a dyna wnaed.

Os do fe 'te, mi gawsom ofn, nid oeddem wedi sylweddoli pa mor sych oedd hi, a chododd awel tu ôl i'r tân. Chymerodd hi ddim munud i gyrraedd y top, a dyna lle buom ein dau, yn y gwres a'r mwg, bron lladd ein hunain yn ceisio atal y tân rhag mynd i'r darn oeddem wedi ei blannu y ddwy flynedd cynt. Mae'n dda mai pisyn cul ydoedd a bod craig yn rhedeg lawr trwy ganol y coed i rwystro'r tân rhag mynd yn groes. Peth ofnadwy yw tân pan aiff yn drech na rhywun, nid yw neb yn sylweddoli faint o ymdrech mae e'n i wneud i ddiffodd y tân. Cafwyd y tân o dan reolaeth toc, a dyna ryddhad oedd cael eistedd i lawr a'i weld yn diffodd. Diolchais i'r Brenin Mawr yn ddistaw bach ein bod wedi medru atal y tân rhag lledu, a rwy'n siŵr bod Enoc wedi gwneud yr un peth.

Roedd y tân wedi gwneud ei waith yn fendigedig – wedi llosgi pob peth i'r llawr a lle hyfryd i blannu coed. Sylwom fod rhai twmpathau duon annaturiol braidd, yn rhan uchaf y coed ac aed fyny i weld. Pedair dafad wedi'u llosgi yn golsyn. Mi lefon ein dau, a theimlo yn ddigalon iawn ein bod wedi bod mor ddiofal. Pam na fasen wedi meddwl danfon y defaid allan yn gyntaf?

Ond feddylion ni ddim y byddai'r tân wedi trafaeli mor gynddeiriog o gyflym â'r gwynt tu ôl iddo. Nid oedd gobaith gan y defaid gilio o flaen y fath dân. Ni allem ond diolch bod y pedair yn farw, wn i ddim be wnaem petaent yn hanner byw. Cawsom wers y diwrnod hwnnw, fod ysgol brofiad yn medru bod yn ysgol ddrud iawn. Buom ein dau yn ofalus iawn byth wedyn a meddwl ddwy waith cyn tanio 'run fatsien.

Daeth bechgyn lleol oedd yn gweithio i'r Comisiwn Coedwigaeth i'n helpu i blannu'r darn olaf, gyda'r nos, a Isaac Owen yn galw efo Mam bob nos cyn mynd draw i'r coed i gael llond botel dun o laeth enwyn. Bu llawer o waith i edrych ar eu hôl am y blynyddoedd cyntaf, i gadw'r rhedyn, eithin a'r drysni i lawr nes iddynt ddod yn ddigon o faint i edrych ar ôl eu hunain. Buan iawn y daethant yn ddigon o faint i ni ddechrau eu teneuo i wneud polion. Maent oddeutu hanner cant oed eleni ac yn goed gwerth eu gweld.

Plannodd fy nhad hwy gyda chryn gost iddo, gan wybod na welai ef ddim llawer o elw allan ohonynt ond rwyf i wedi gwneud dwy fil o bolion bob blwyddyn ac yn dal i wneud trwy eu teneuo a gadael y coed gorau ar ôl. Nid wyf wedi prynu polyn erioed. Ni fydd raid i'r bechgyn na'r wyrion ofidio ble i gael polion chwaith. Rwy'n siŵr bod yna wers i ni yma, ar i ni geisio gadael y fuchedd hon ychydig yn well nag y cawsom hi er mwyn y cenedlaethau sy'n dod ar ein holau.

*   *   *

Yr oeddwn wrth fy modd ar ôl gadael yr ysgol, cael mynd gyda 'nhad a Enoc bob dydd, yn enwedig os byddent yn gwneud rhywbeth efo'r defaid. Y gwaith cyntaf yn y gwanwyn, cyn mynd â'r defaid i'r mynydd fyddai marcio'r ŵyn oedd wedi'u magu ar y mynydd. Byddai rhai o'r defaid cryfaf yn cael eu gadael fyny tros y gaeaf i fagu. Ychydig iawn o lwynogod oedd yno yr amser hynny yn wahanol iawn i heddi, nid oedd un coeden yn unman. Os y byddai wedi bod yn flwyddyn dda ac yn agored, byddai bron bob dafad wedi magu oen. Ond os byddai wedi bod yn aeaf caled a llawer o eira ac wedi lluwchio, ychydig iawn o ŵyn fyddai a llawer o'r defaid wedi trigo o dan yr eira, a'r golled yn fawr. Byddai'r ŵyn yma yn wyllt iawn, fel cwningod, ni fyddent wedi gweld dyn na chi o'r blaen. Unwaith collent eu mamau wrth eu cael i'r corlannau, byddent yn ceisio dianc yn ôl, ugain neu fwy efo'i gilydd, a'r arferiad oedd ceisio cael cymaint ohonynt i mewn ag allem y cynnig cyntaf ac yna gollwng dipyn o ddefaid yn unig allan at yr ŵyn oedd wedi dianc, a cheisio eto, falle bydde rhaid gwneud hyn ddwywaith neu dair cyn cael yr olaf i mewn.

Roedd yn bwysig iawn cael y cyfan i mewn oherwydd roedd llawer o ddefaid dieithr i mewn heblaw defaid y Winllan a Glanyrafon a ni. Roedd rhaid chwilio ŵyn y defaid dieithr yn gyntaf cyn gwneud dim, a rhoi nod gwlân ar yr ŵyn run fath a'u mamau, a gadael i'r perchennog i roi nod clust arnynt, a'u gollwng allan i wneud yn berffaith siŵr bod y ddau yn perthyn. Aed i gryn drafferth i beidio gwneud camgymeriad, a cholli enw da.

Yna byddem yn marcio ŵyn Tynygraig, rhoi nod clust arnynt. Gwennol yn y chwith a thwll a bwlch plyg o dan y dde a rhoi *pitch* ar yr ŵyn. Llythyren L oedd *pitch* Tynygraig, L am Lewis, mae hon yn hen iawn eto. Rwyf yn gwybod ei bod yn mynd yn ôl gant a hanner o flynyddoedd, cans faint mwy.

Roedd rhaid toddi'r *pitch* yn gyntaf a'i roi arnynt yn boeth, un efo bwceded o ddŵr oer a slaten a'i tharo ar y *pitch* yn syth ar ôl i 'nhad bitcho'r oen rhag ofn iddo losgi, a roedd yn help i gadw'r marc yn hirach. Rhoi L ar ochr chwith yr ŵyn menyw, ac ar ochr dde yr ŵyn gwryw, roedd hyn yn help diwrnod sbaddu. Byddent yn barod i fynd i'r mynydd wedyn. Dethol y defaid diwrnod cynt a'u cadw mewn cae caeedig, yn barod erbyn drannoeth. Byddai'r ŵyn menyw a'r gwryw yn cael mynd fyny, ond cadw'r ŵyn ieuengaf adref nes byddent wedi prifio dipyn. Nid oedd dim yn cael eu cadw adref dros yr haf. Byddai rhaid cadw'r borfa i'r gwartheg a'r ceffylau a chael porthiant erbyn y gaeaf. Cant i chwe ugain o gyplau byddem yn mynd ar y tro. Os byddai mwy, roedd yn lladdfa i'r cŵn a'r defaid. Byddem ein tri yn mynd mor bell â Glanyrafon. Byddai'r defaid wedi mynd allan o'u cynefin a'r ŵyn wedi dofi peth erbyn hyn.

Cefais fynd â'r helfa gyntaf fyny fy hun yn bymtheg oed ar gefn y ferlen a thocyn ar fy nghefn. Roeddwn wrth fy modd, dim ond dau gi ac un ci ifanc oedd gennym yr adeg hynny a'r tri yn gweithio efo 'nhad, Enoc a fi. Roedd y daith o bum milltir i Dolrhuddlan gyda chwech llidiart i fynd trwyddynt ac yn bedair i bum awr o siwrne cyn cyrraedd. Byddai'r ŵyn tu ôl i gyd ac yn ceisio dianc yn ôl eu gorau. Ond y gyfrinach oedd cymryd digon o bwyll yn y dechrau er mwyn i'r defaid ddod yn ôl i chwilio am eu ŵyn, ac unwaith cai rhai eu ŵyn byddent yn mynd â nhw yn syth i'r tu blaen ac yn arwain y lleill ymlaen.

Byddai y rhai cyntaf wrth lidiart Carreg-cadwgan ymhell o flaen y rhai olaf. Peth rhyfedd yw greddf natur, roedd y defaid yn gwybod yn iawn ble'r oeddent yn mynd. Petai'r defaid cyntaf yn cael y llidiardau i gyd ar agor, a bod eu hŵyn yn eu dilyn mi aent i'w cynefin ar y Fainc Fawr mewn ychydig iawn. Clywais Byron Hopkins, Melindwr yn dweud ei fod ef yn gyrru defaid o Gelli Angharad i Nant-y-moch unwaith a bod dwy ddafad wedi methu cerdded ar ôl dod mewn i Dinas, ac er ei fod wedi gorfod eu gadael ac wedi methu cael eu hŵyn, roeddent wrth lidiart ffald Nant-y-moch bore drannoeth.

Byddai'r cŵn yn gweithio'n galed a'r hen gŵn yn gwybod yn iawn beth i wneud pan fyddai'r ŵyn yn tasgu nôl, ond byddai'r ci ifanc yn ceisio gwneud y cyfan, ond yn gwneud dim byd ond cowlio. Ni fyddai yn hir cyn dofi. Nid oedd yn broblem dysgu ci yr adeg hynny. Dim ond mynd â'r defaid i'r mynydd unwaith a gadael iddo redeg adref, ni fyddai yr un un ci drannoeth. Ni fyddai yn rhedeg ond beth oedd raid wedyn, byddai ei draed yn o dender erbyn cyrraedd Blaenceulan ac yn barod i orwedd ar ôl cyrraedd Dolrhuddlan.

Byddai bron pob fferm yn yr ardal yn danfon defaid i'r mynydd yr adeg hynny. Nid oedd yn

beth anarferol i weld pedair helfa, o wahanol lefydd, yn mynd i'r mynydd rhwng llidiart gwaelod Rhydyronnen a llidiart Bwlchygarreg. Os nad y fi oedd y cyntaf i fynd fyny y diwrnod hwnnw, roedd y ffordd yn glir, a'r unig beth oedd raid gwneud oedd danfon un o'r cŵn ymlaen i droi y defaid cyntaf yn ôl rhag ofn iddynt gowlio efo'r helfa oedd tu blaen i ni. Ond os mai fi fyddai'r cyntaf i fynd fyny roedd rhaid cwrsio'r defaid tir i ffwrdd i wneud lle i fi fynd â'r defaid ymlaen. Roedd y cŵn yn gwybod yn iawn beth i wneud, byddwn yn danfon un ci ymlaen ac mi gyfarthe a rhedeg ar eu holau nes bod digon o le i fynd heibio. Cŵn Cymreig oedd gan bawb yr adeg hynny, roeddynt yn gŵn neilltuol o dda, mi aent i ffwrdd ymhell a mi symudent gannoedd o ddefaid yn ddidaro. Roedd mynd â cant o gyplau i'r mynydd yn ddim iddynt, mi gyfarthent yn awr ac yn y man fel fyddai angen, a mi rhoent binshad ym mhen-ôl ambell un oedd yn styfnig i fynd yn ei blaen heb i fi ddweud dim wrthynt. Nid wy'n meddwl gallai neb fynd â defaid i'r mynydd gan y teganau sydd i gael heddi. A diolch bod yna rai yn dechrau ffurfio'r Gymdeithas i'r Cŵn Cymreig cyn iddynt ddarfod o'r wlad.

Dyna hyfryd oedd cyrraedd Dolrhuddlan a'u gadael yn llonydd am ychydig iddynt gael seibiant. Gadael y ferlen yn rhydd i bori, ond gofalu bod yr awen dan ei thraed rhag ofn iddi fynd adre o mlaen i, a bwyta'n nhocyn. Roedd yn sych fel tost, nid oedd plastic i gael amser hynny. Roedd yn fendigedig, a rhoi ambell grwstyn i'r cŵn, a chael smôc fach cyn mynd ati i ollwng y defaid i fynd i'w cynefin. Roedd raid bod yn ofalus iawn bod pob dafad yn mynd â'i hoen i'w chanlyn, agor y llidiart a gadael iddynt fynd yn ara bach, a gwneud yn berffaith siŵr bod pob un yn iawn. Nid oedd y rhai cyntaf yn anodd, roedd rheiny wedi dilyn ei gilydd yr holl ffordd, ond roedd rhai heb weld eu mamau ers cychwyn o Tynygraig yn y bore, ac wedi blino, ac yn gorwedd, a'u mamau eisiau pori. Gallai fod yn broses hir weithiau i chwilio p'run oedd yn perthyn i'r rhai diwethaf. A dyna ryddhad oedd gweld bod y cyfan yn iawn. (Bûm yn nôl Dewi, un o'm wyrion o'r ysgol ryw ddiwrnod, a gwnaeth yr olygfa welais i yno fy atgoffa i o'r amser pan oeddwn i yn ceisio cael y defaid i dynnu ei hŵyn ar y mynydd hanner can mlynedd yn ôl. Yr unig wahaniaeth oedd, mai brefu oedd y defaid ar eu hŵyn, a'r mamau yn gweiddi ar eu plant.) Adref wedyn ar drot, a'r cŵn yn gorfod rhedeg ar fy ôl, ac yn teimlo yn bur falch fy mod wedi llwyddo i fynd â'r defaid i'r mynydd fy hun. Cyrraedd adref erbyn te a dweud hanes y daith i gyd, faint o ffwdan ges i, pwy arall oedd yn mynd â defaid fyny a phwy welais i. Mynd allan wedyn ar ôl tê i wneud helfa arall yn barod erbyn trannoeth. Gweithiai'r cŵn drwy'r dydd, a phob dydd, bob amser yn barod i waith. Caent orffwys ar ddydd Sul run fath â ni.

* * *

Wyth buwch oedd gennym yn Tynygraig yr adeg hynny, ac yn cael eu godro gyda llaw - cymerai dipyn o amser i un person odro'r wyth. Godrai

Godro â llaw

Mam hwy yn aml iawn ei hun adeg y cynhaeaf, ond roeddem ni'r plant yn dechrau godro yn ifanc iawn. Gwnaed hyn drwy eistedd i lawr ar stôl odro, stôl deir troed rhyw bymtheg modfedd o uchder, bob amser yn eistedd yr ochr dde i'r fuwch. Ni fyddem yn hir os byddai ryw bedwar yn godro. Ar ôl gorffen godro byddem yn mynd eilwaith i gael y tincial, hynny yw roedd ambell i fuwch yn dueddol i godi ei llaeth tro cyntaf, ac yn ei roi lawr yr eilwaith. Roedd yn bwysig iawn eu godro yn llwyr.

Y "separator"

Mynd â'r llaeth i'r tŷ wedyn a'i separeto, i wahanu'r hufen oddi wrth y llaeth sgim. Cadwem ddigon o laeth at y tŷ cyn dechrau, roeddem ni'r plant yn yfed llawer iawn o laeth, ac wedi cael ein magu ar laeth yn syth o'r fuwch. Byddai'r hufen yn cael ei arllwys i gynog fawr bridd i suro, ac yn cael ei gorddi i wneud menyn unwaith bob wythnos.

Ond ar fore dydd Sul byddai Mam yn dal jwg bach o dan y sbowt lle oedd yr hufen yn dod allan i ni ei gael amser te efo tarten riwbob o'r ardd. Mae'r hufen yr ydym yn cael heddiw allan o'r bocsys plastic, fel llaeth sgim i'w gymharu â hufen y fuwch ddu slawer dydd. Ni allaf ei ddisgrifio, dim ond y rhai sydd wedi ei brofi sy'n gwybod pa mor ffeind oedd, er nad oedd llond jwg bach ddim yn mynd ymhell rhwng wyth.

Mynd â'r llaeth sgim yn ôl i'r lloi ieuengaf wedyn. Mam oedd yng ngofal magu'r lloi. Roeddynt werth ei gweld yn mynd allan dechrau mis Mai bob blwyddyn wedi colli eu cotiau gaeaf, a rhyw gaglyn wedi aros ar flaen cynffon bob un. Byddai Mam yn stwytho blawd barlys noson cynt mewn dŵr berwedig yn barod erbyn y bore. Potes y lloi roedd hi yn ei alw, a ni yn cael mynd ag e i'r lloi cyn mynd i'r ysgol. Roedd yn rhaid cydio yn dynn yn y bwced, roedd rhai lloi yn rhoi ambell i bwt i'r bwced yn slei iawn weithiau. Roedd gweld y lloi yn chwarae eu cynffonnau yn ôl ac ymlaen yn bleser llwyr i fi.

Diwrnod mawr oedd diwrnod gollwng y lloi allan am y tro cyntaf, gwnaed hyn ar ddiwrnod cynnes ddechrau mis Mai. Roeddynt wedi bod mewn cit tywyll ar hyd y gaeaf, a Enoc a fi wedi cael llawer o hwyl yn mynd ar eu cefnau pan nad oedd fy rhieni gartref. Roedd rhaid gwthio pob un allan, nid oeddynt yn gweld dim ar ôl dod allan i'r haul. Ond pan ddeuent yn gyfarwydd â'r goleuni mi ddechreuent redeg a rhedeg, a thowlu eu tine, a'r caglyn oedd ar flaen eu cynffonnau yn eu bwrw bob tro oeddent yn gwneud hynny.

Roedd y buwchod a'r lloi yn cael amser braf yn y gaeaf yr adeg hynny. Gofalem eu bod yn gynnes, a chael dim drafft, yn wahanol iawn i heddi. Pan fyddai yn rhewi byddem yn rhoi dom dan y drysau a rhoi sachau yn y lownsiedi i gyd. Cai'r buwchod a'r ceffylau eu brecwast i gyd cyn ni, ac am ddeg o'r gloch byddent yn cael eu ailbryd, ac ar ôl i ni gael cinio, byddem yn troi y buwchod allan i'r nant i gael dŵr a byddem yn carthu'r beudy yn lân, a rhoi bwyd o'u blaenau yn barod erbyn deuent yn ôl ar ôl cael boliad o ddŵr. Deuent yn ôl eu hunain, a phob un yn gwybod lle i fynd yn hollol dawel. Ond pan fyddai'r gwanwyn yn nesau a'r tywydd yn dechrau cynhesu byddent yn aros allan am ryw awr a blewina yr ychydig borfa oedd i gael. Fel roedd diwrnodau yn mynd ymlaen arhosent allan ychydig yn fwy bob dydd a mynd ymhellach i ffwrdd i bori a dod yn ôl erbyn godro. Ond erbyn dechrau mis Mai byddent wedi cyrraedd top y banc, a byddai raid eu mofyn i odro. Roeddech yn gwybod wedyn yr hoffent gael bod allan y nos ac wedi cael digon ar fod fewn.

Rhyfeddais yn ifanc iawn fel oedd byd natur yn gweithio efo pob peth, a phenderfynais y dylwn geisio gyd weithio gyda hi yn hytrach nag ymladd yn ei herbyn. Nid oeddem yn cadw tarw, felly roedd rhaid mynd â'r buwchod at y tarw. Eu cerdded, a mynd ag un arall yn gwmni iddi. Roedd y buwchod yn gwybod yn iawn lle i fynd a pham. Roedd rhaid mynd gyda nhw i agor y llidiardau. Byddai fy nhad yn talu perchennog y tarw ar ddiwedd y flwyddyn. Roedd cryn amser yn mynd i fwydo'r gwartheg yn y gaeaf.

Y ceffylau fyddai yn cael y bwyd gorau sef y *chaff* ysgubau a'r brig. Roedd rhaid dyrnu i gael *chaff* gwellt i'r buchod. Roedd *oil engine* gan fy nhad cyn y rhyfel a injan ddyrnu fach. Pan ddaeth

y rhyfel roedd dogni llym iawn ar betrol, ni chaech fawr ddim *coupons* petrol i'r car, ond roedd digon i'w gael i'r *oil engine*. Unrhyw beth i gynhyrchu bwyd. Roeddem yn dyrnu bob wythnos ac yn nithio'r grawn i gael yr us ohono a'i falu i'r lloi a chaffio'r gwellt ddwywaith yr wythnos i'r buwchod, a phylpo mangls i roi ar ei ben a'i gymysgu. A phan orffena'r mangls, pylpo swej wedyn. Pan fyddai'r buchod yn cael pulp swej byddai Mam yn rhoi *saltpeter* yng ngwaelod y gynog i atal arogl swej ar y menyn. Credai fy rhieni os gadawent fuwch i fynd yn hesb ar ddydd Sul y doi â llo yng ngolau dydd, nid wy'n gwybod a oedd yn gweithio. Byddai Mam yn rhoi plisg tatw i'r buchod oedd wedi sefyll i'r tarw ond nid i'r rhai oedd heb gael tarw, byddai yn erbyn iddynt sefyll.

Roedd dydd Sadwrn yn ddiwrnod prysur iawn, roedd rhaid gwneud popeth yn barod erbyn dydd Sul. Nid oedd dim gwaith, ond beth oedd wirioneddol rhaid ei wneud yn cael ei wneud ar ddydd Sul. Roedd rhaid chaffo a phylpo a chymysgu digon i bara tan ddydd Llun, a llanw'r sachau o *chaff* yn barod, a gofalu bod digon o wair yn y bing. Byddai eisiau pedair clencen o wair yn fwy na unrhyw ddiwrnod arall. Gwaith caled oedd torri'r wana i gael clencen go lew. Roeddem yn cario digon o ddŵr o'r ffynnon i'r tŷ dros ddydd Sul a digon o goed tân. Nid y ni yn unig, ond pawb yn yr ardal. Roedd pawb yn parchu Dydd yr Arglwydd.

Yn y flwyddyn 1938 pan oeddwn i yn ddeg oed ces fy ngwers gyntaf o weld fy nhad yn gwerthu anifail. Daeth rhyw ddyn i Tynygraig i geisio brynu bustach, nid wyf yn cofio pwy oedd, ond roedd yn galw fy nhad yn Jinkins. Rwy'n cofio ni'n pedwar yn mynd lawr i Cae Goeden, lle'r oedd y gwartheg yn pori ar y pryd, a dangos y bustach oedd ar werth. Bustach du braf, oddeutu dwyflwydd oed. "Faint yw'r pris i fod Jinkins" meddai'r porthmon, a 'nhad yn aros dipyn cyn ateb. "Mae e werth o leiaf pedair punt ar ddeg", "O na, na" meddai'r porthmon, "dech chi'n gofyn gormod lawer amdano, mi roi i chi ddeuddeg punt a dim mwy" ac yn dweud bod y trêd yn wael iawn ar y pryd. Dyna lle buon nhw wedyn am o leia hanner awr, yn siarad am bobeth ond prynu'r bustach. Yn sydyn dyma'r porthmon yn cydio yng ngarddwn llaw dde fy nhad, efo'i llaw chwith, a chodi'i law dde yn uwch nai ben, ac yn dweud, "Gwrandwch Jinkins, mi goda'i chweigen", a dod â'i law dde i lawr yn gyflym i daro llaw fy nhad, i daro'r fargen. Ond tynnodd fy nhad ei law yn ôl cyn iddynt gwrdd, fel arwydd nad oedd yn fodlon ar y pris. Dyna lle buont wedyn yn siarad am bopeth eto. Dyma fy nhad y tro yma yn cydio yng ngarddwrn y porthmon, a chodi ei law dde i fyny yn uchel, a dweud y byddai yn fodlon gwerthu am dair punt ar ddeg a chweigen, er ei fod yn teimlo ei fod yn werth pedair punt ar ddeg. Tynnodd y porthmon ei law yn ôl yr un mor sydyn. Siarad am amser eto. Ymhen ychydig dyma gynnig arall arni a'r porthmon yn dweud ei fod ar frys eisiau bod yn rhywle arall mewn awr, "Gan mod i'n arfer cael y gwartheg mi goda'i goron, a dim dime mwy". "Na", dywedodd fy nhad, "fedrai ddim", ac ar yr un pryd yn dweud ei fod yn fodlon dod lawr goron. Ysgwydodd y porthmon ei ben, a dweud "Na, rwyf wedi cynnig gormod yn barod, fedre fe ddim rhoi chwaneg", ac yn cychwyn adref ar frys, er mwyn i 'nhad feddwl ei fod o ddifrif. Adref a ni a siarad am bopeth eto, run fath a tae nhw wedi anghofio am y bustach. Ar ôl cyrraedd y ffald, dyma fy nhad yn cydio yng ngarddwrn y porthmon a chodi ei law dde i fyny, a dweud "Weda i chi be wnawn ni, mi ranwn" a dod â'i law i lawr ar frys. Ni thynnodd y porthmon ei law yn ôl y tro yma, a dyma slap yn iawn. Roedd y fargen wedi ei tharo, a'r bustach wedi ei werthu.

Nid oedd eisiau unrhyw gytundeb, roedd y slap yn ddigon, ni fyddai neb yn meddwl tynnu 'nôl wedyn. Mynd i'r tŷ wedyn i gael te a'r porthmon yn talu am y bustach, a 'nhad yn rhoi swllt o lwc iddo, a'r porthmon yn poeri arno. Roedd rhoi lwc yn beth pwysig iawn. Os byddai'r porthmon eisiau'r bustach lawr yn Llandre, byddai rhaid i ni ei gerdded i lawr iddo ar ddiwrnod arbennig. Byddai rhaid mynd â dau arall yn gwmni iddo. Ond fel rheol, byddai'r porthmon wedi prynu mewn sawl lle yn yr ardal a byddai'r cyfan yn mynd efo'i gilydd. Cefais i y fraint unwaith pan yn blentyn o gael gyrru gwartheg o'r Winllan i fferm y Garreg, Glandyfi. Byddai Huw Hughes, Aberffrydlan yn dod bob gwanwyn i brynu gwartheg yn yr ardal o Bontgoch i Fachynlleth. Byddai gwartheg Bontgoch a Chwm Eleri yn dod heibio'r Winllan, a byddai gwartheg y Winllan yn y ffald yn barod i'w troi atynt pan ddoent. Ymlaen dros banc y Winllan wedyn i Gwm Ceulan.

Roedd ffermwyr Bontgoch yn mynd yn ôl ar ôl cyrraedd y Winllan. Roedd tri yn ddigon i'w gyrru. Un tu blaen a dau tu ôl. Ymunai gwartheg Cwm Ceulan arnynt. Fyny dros rhiw Blaennant i Gwm Clettwr a'r gyr yn mynd yn fwy ac yn fwy wrth gyrraedd bob cwm. Byddai llawer o wartheg yn disgwyl yn Gwarcwm Uchaf i ni ddod, wedi dod fyny o ardal Tal-y-bont. Ymlaen heibio Bryntirion a Llwyngwyn a'r gwartheg yn dal i ddod mewn wrth fynd heibio pob fferm. Byddai hanner cant i drigain o wartheg erbyn i ni gyrraedd y Garreg. Nid oedd yn broblem eu gyrru amser hynny, roedd cŵn da i'w cael ac yn deall eu gwaith i'r dim. Pan yn dod at groesffordd mi aent heibio'r gwartheg ar y gorchymyn lleiaf, i'w troi i'r ffordd iawn, ac os byddai un yn styfnig ac yn peidio troi yn ôl mi gydient yn ei drwyn, a phan droiau yn ôl byddent yn cydio yn isel yn y sowdwl – roeddynt yn gwybod yn iawn sut i osgoi cic. Ni cheisiai hwnnw fod yn styfnig wedyn. Allan i'r ffordd fawr yn Ffwrnais ac ymalen i'r Garreg. Ychydig iawn, iawn o gerbydau oedd ar y ffordd amser hynny. Ar ôl cyrraedd y Garreg byddem yn dod adref, a ffermwyr ardal Machynlleth yn cymryd atynt, a gwneud yr un fath nes cyrraedd Aberffrydlan.

*   *   *

Hoffais gael mynd i gneifio yn fawr iawn. Yr oeddwn wedi dysgu cneifio erbyn hyn, bron cystal ag Enoc. Roedd ffermwyr yr ardal yn helpu ei gilydd i gneifio amser hynny. Roedd pump ar hugain yn cneifio yn Dolrhuddlan heblaw y rhai oedd yn tendio. Byddai eisiau o leiaf bymtheg o ddynion i dendio, i ddal a chario allan, lapio gwlân a chau sachau gwlân, rhannu llinynnon a gollwng traed, pitcho a rhoi eli ar y clwyfau. Plant fyddai yn rhannu llinynnon ond ni fûm i erioed yn rhannu llinynnon nac yn tendio, roeddwn wedi dysgu cneifio yn o ifanc. Doedd dim prinder rhywun i ddysgu i chwi i gneifio. Roedd fy nhad a'm yncls i gyd yn bencampwyr cneifio, wedi ennill y dosbarth agored yn Sioe Tal-y-bont i gyd yn eu tro, a hefyd Hugh Jones Wernddeg, na wrthododd erioed i hogi fy ngwellau, pan ofynnwn iddo, cyn i fi allu hogi.

Roedd diwrnod arbennig i bob lle, wedi bod ers cenedlaethau. Os methech â chneifio ar eich diwrnod chwi oherwydd bod y defaid yn wlyb, byddai rhaid aros tan y diwedd, roedd rhywun yn cneifio bob dydd. Nid oedd neb yn meddwl cneifio ar ddydd Sul, neb yn meddwl hel defaid ar nos Sul yn barod erbyn dydd Llun. O na, codi cyn ei bod yn goleuo dydd Llun i gael bod ar ben pella'r mynydd i ddisgwyl y wawr i dorri. Anaml iawn byddai rhywun yn methu cneifio ar ei ddiwrnod. Byddai yn siŵr o godi i sychu ryw ben o'r dydd. Os deuent yn sych erbyn pump neu chwech yn yr hwyr, cneifiai'r hen fugeiliaid hwy i gyd erbyn deg, roeddynt yn medru cneifio'n gyflym iawn pan oedd rhaid, cneifient dair neu bedair am un i fi, a neb yn siarad dim.

Ond ar ddiwrnod arferol roedd popeth yn hollol wahanol, roedd y gwaith yn cael ei wneud yn hollol hamddenol, mi glebre'r hen fugeiliaid

Cneifio, Dolrhuddlan tua 1948

O'r chwith, rhes ôl: Yncl John, Erddig Y Winllan, Yncl Defi, ? , 'Nhad, Lewis Rhydyronnen ac Enoc y tu ôl iddo, fi, Ieu Berthlwyd

4edd rhes: John Bwlchyddwyallt, John Pwllpridd, Huw Werndeg, Elisabeth y Winllan, Yncl James, Edna, Williams y Post

3ydd rhes: Enoc Pwllpridd, Emrys Howard, Islwyn Cwmslaid, Evan Owen Berthlwyd, Wmffre Erglodd, John y Trapwr

2il res: Tudor Rhosfarch, Yncl Enoc, John Pantglas, Hywel Cerrigmawr, Dei Tynrhelig, Ieuan Maesglas, Harri Bwlchyddwyallt, Reg Eurgfan,

Rhes flaen: Gwilym Maesglas, Mam, Dei Canwr

drwy'r dydd. Medrai Enoc a fi droi dafad a hanner i ddwy allan am bob un iddynt hwy, nid oedd dim brys arnynt. Nid 'wyn meddwl bod y perchennog eisiau iddynt orffen yn rhy gynnar, neu byddai'i gymdogion yn meddwl mai ychydig o ddefaid oedd ganddo. Ar ôl cael te byddai'r hen fugeiliaid yn mynd i weld faint o ddefaid oedd ar ôl, os mai ychydig oeddynt, popeth yn iawn, ond os byddai mwy nag oeddent wedi meddwl, byddai yna gneifio wedyn a phawb yn agor allan, ac yn gwaeddi "llwdwn", "llinyn", *"carrier out"*, a neb yn clebran dim na thynnu coes.

Byddent wedi gorffen mewn ryw awr. Petaem wedi cneifio fel'ny trwy'r dydd byddem ar ben erbyn cinio. Ond na, roedd y diwrnod i fod i'r lle arbennig hwnnw, neb yn cael ei dalu wrth yr awr, nac wrth y ddafad. Dim ond disgwyl help yn ôl, llafur cariad oedd y cyfan. Byddem wrthi am fis. Deg diwrnod olaf ym Mehefin tan y trydydd dydd Iau ym mis Gorffennaf, pryd oedd John Nant-y-moch yn cneifo defaid y Drosgol. Roeddem yn cael bwyd da ymhob man, pob lle ar ei orau. Nid peth hawdd oedd cario'r holl fwyd i'r holl bobl i'r mynydd, yn enwedig os byddai'r tywydd yn fratiog, a methu bwrw ymlaen. Roedd yn arferiad i rannu baco a sigaréts amser hynny, byddai perchennog y fferm yn rhoi sigarét neu gatied o faco i bob un ar ôl cinio ac ar ôl te i gael smôc. Byddwn i yn edrych ymlaen i gael sigarét, ond gofalwn na fyddai fy nhad yn fy ngweld. Nid oedd e'n ysmygu, a ddim yn gwybod fy mod i'n gwneud, ni ysmygais erioed yn ei ŵydd, er bod Mam yn dod ag ambell i baced o *Woodbine* adre i

fi pan âi i'r dre, heb yn wybod i 'nhad. Caem baced deg o *Players* neu hanner owns o *shag* gan Richard Jones, Bwlchyddwyallt, pan yn cneifio yn Blaenceulan. Byddai rhai yn cnoi baco yn hytrach na'i ysmygu mewn pibell. Gofynnais i un pam – atebodd yn syth nad oedd yn credu mewn llosgi rhywbeth oedd yn dda i'w fwyta.

Byddai rhaid golchi'r defaid i gyd cyn eu cneifio, i gael y saim allan o'r gwlân. Cneifient llawer yn haws wedyn. Os byddai wedi bod yn aeaf caled, a'r defaid wedi bod yn wan, ac wedi gwella'n sydyn ar ôl i'r borfa ddod yn y gwanwyn byddent wedi colli llawer iawn o'u gwlân ar hyd y caeau a'r mynydd. Roedd fy nhad yn dweud bob tro welai tusw o wlân ar y llawr, "Cwyd y blewyn gwlân ac fe gwyd y blewyn gwlân dithau." Gyda'r nos byddai'r defaid yn cael eu golchi. Os byddai yn ddiwrnod poeth roedd yn amhosibl eu hel, byddent yn llechu yn y ceulannau a'r creigiau.

Roedd yr olchfa yn cael ei chronni yn barod. Gwaith anodd oedd hyn os byddai'r dŵr yn fach yn yr afon. Pum diwrnod cyn cneifio roedd y defaid yn cael eu golchi, os caent eu gwneud ynghynt, byddai'r saim yn dod yn ôl, ac os golchwyd hwy yn nes i'r diwrnod cneifio byddai'n berygl iddynt beidio sychu ym môn y gwlân. Roedd yn rhaid cael y gwlân yn berffaith sych i gneifio. Gweithiem yn galed, codi'n fore i mofyn y buchod i odro a godro cyn mynd i gneifio. Anelai pawb i fod yn barod i ddechrau cneifio am wyth. Nid pawb oedd yn cael cneifio, os gwelai'r perchennog fod rhywun yn torri gormod o gytiau, mi âi ato a gofyn iddo fynd i dendio a châi hwnnw ddim cael ei ofyn i ddod y flwyddyn ganlynol. Roedd yn dipyn o anrhydedd i gael eich gofyn i fynd i gneifio i rywle newydd.

Roedd fy nhad yn cyfnewid dau gneifiwr gyda Chyneiniog. Byddai 'nhad a Enoc yn mynd i Gyneiniog dydd Mercher cyntaf ym mis Gorffennaf a Morris Jones a Evan yn dod 'nôl i Dolrhuddlan yr ail ddydd Mercher. Yr ail flwyddyn wedi i fi adael yr ysgol gofynnodd Morris Jones i fi os awn i Gyneiniog i gneifio y flwyddyn honno. Teimlais fy mod wedi llwyddo mewn un o arholiadau mwyaf fy mywyd. Morris Jones o bawb, un o gneifwyr gorau'r ardal yn meddwl mod i'n ddigon da i fynd i Gyneiniog i gneifio, petai wedi cynnig B.A. a B.D. i mi ni fyddwn mor falched.

Yr ail ddydd Mawrth ym mis Gorffennaf oedd yr Hen Barc yn cneifio, ac yn hel y defaid dydd Llun. Nid oedd terfyn rhwng y lluestau felly roedd y defaid yn crwydro, a llawer o ddefaid Dolrhuddlan yno. Cefais fynd i'r Hen Barc lawer gwaith i'w cael yn ôl. Mynd fyny gyda Hugh Jones Werndeg, cwrdd ag e yn fore iawn, ger Carreg-cadwgan, y fi ar gefn y ferlen a Hugh yn cerdded. Fyny dros fynydd Rhydyronnen, trwy fwlch Safn yr Ast, lawr heibio Llwyngwinau a dechrau hel ar fynydd Blaeneinion. Unwaith byddem yn dechrau cadw sŵn, rhedai defaid yr Hen Barc yn eu holau, a defaid Blaeneinion yn troi 'nôl am adre a mynd â defaid Waun Bwll ymlaen gyda ni i Blas y Mynydd. Byddai pawb wedi cyrraedd erbyn hyn a phob un yn hel ei ddarn i'r llociau.

Y tro cyntaf i fi fynd yno, ni welais erioed gymaint o ddefaid, a ni welais gymaint o gŵn gyda'i gilydd. Rwy'n siŵr bod o leiaf hanner cant yno, rhai yn cael eu clymu, ar lleill yn rhydd a phob un yn cyfarth nerth ei ben. Rhwng bod y defaid a'r ŵyn yn brefu a'r cŵn yn cyfarth roedd yn anodd clywed rhywun yn siarad. Porai o leiaf ddwsin o ffermydd ddefaid ar yr Hen Barc yr adeg honno, heblaw y defaid dieithr, felly roedd cryn waith i ddethol y defaid yn barod i fynd adref i gael eu cneifio. Dod â'r defaid mewn i loc cymharol fechan a phob un yn dal ei ddefaid i'w loc ef ei hun. Byddwn i yn dal y defaid dieithr oedd wedi crwydro o'r De i gyd, defaid Dolrhuddlan, Ffosfudur, Cyneiniog, Bwlchstyllen, Bwlchglas ac ardal Ponterwyd a llawer lle arall. Roeddwn yn adnabod nod clust y defaid am ardal go eang erbyn hyn, ond os methwn un, byddai'r hen fugeiliaid bob amser yn fy nghynorthwyo.

Roedd pawb yn dal ei ddefaid ond Arthur Morgan Pwll Glas, gydag ef oedd y ddiadell fwyaf, roedd yn pori Parc Newydd a Llechwedd Mawr hefyd ac yn eu gyrru lawr i Glanfred i gyd i gael eu cneifio, roedd ganddo rai miloedd. Ar ôl gorffen dethol, y fi fyddai yn cael gollwng allan gyntaf, byddai tua chant a hanner o ddefaid heblaw yr ŵyn gennyf i fynd i Dolrhuddlan. Doi pedwar neu bump o'r bugeiliaid mwyaf profiadol i'm helpu i gychwyn ac i gadw'u cŵn yn ôl er mwyn i mi gael chwarae teg. Roeddynt yn bobl hyfryd iawn, bob amser yn gwneud eu gorau i helpu rhywun ifanc. Un peth na fedrent ddioddef, i rywun drin eu cŵn, roeddynt yn meddwl y byd ohonynt. Medrech dynnu eu coes am bob beth ond eu cŵn.

Unwaith gollyngem y defaid allan, byddent yn mynd i ffwrdd yn gyflym a chryn waith eu cadw efo'i gilydd. Bob amser roedd un neu ddwy yn fwy parod na'r leill i geisio dianc, ond gofalem hel un o'r cŵn o'u blaen cyn ise hi yn rhy bell, a mi gise hi binsiad yn ei phen-ôl ar ôl iddo ei blaenu – ni wnâi honno geisio mynd wedyn. Bûm yn ffodus erioed i gael cŵn da, er bod pawb yn dweud mai gan ddyn diog mae'r cŵn gorau bob amser. Nid wyf wedi prynu ci erioed, wedi eu magu a'u dysgu fy hun. Dim ond rhyw ddeg o gŵn sydd wedi bod gyda fi erioed.

Roeddwn yn gwybod fod pawb oedd wrth y llociau, a oedd yn bwyta'u tocyn cyn cychwyn adref, yn fy ngwylio yn mynd fyny rhiw Plas, ac yn disgwyl gweld ambell un yn dianc, ond gwnawn fy ngorau glas i beidio gadael i hynny ddigwydd. Os collwn un ar y ffordd byddent yn gwybod yn iawn y tro nesaf byddent yn hel, byddai'r ddafad heb ei chneifio, a ni fyddai diwedd ar y tynnu coes. Bron yr un defaid fyddwn yn mynd yn ôl bob blwyddyn, roeddynt wedi gwneud eu cynefin ar ryw fan ar yr Hen Barc ar ôl crwydro yno pan yn oen, ac yn mynd â'u hŵyn yn ôl yno bob blwyddyn.

* * *

Un diwrnod ym mis Mai, daeth 'nhad yn ôl, wedi bod yn bugeilio ar y banc a dweud bod llwynog wedi mynd ag oen yn ystod y nos. Roedd yn ddigon hawdd i rywun profiadol wybod mai llwynog fyddai wedi mynd ag e. Ni fyddai'r ddafad yn brefu llawer, dim ond rhoi ambell fref dawel ddigalon, 'run fath â phetai yn gwybod na welai e byth eto. Ond os byddai ci wedi mynd ag ef, byddai'r ddafad yn rhedeg yn wyllt ar ôl ein cŵn ni gan frefu'n uchel. Nid oedd fy nhad yn gofidio gormod pan oedd yn colli oen yn awr ac yn y man i'r llwynog, nid oedd llawer allai wneud ynghylch y peth. Ond os byddai yn colli oen bob nos, mi fyddai yna bryder mawr, byddai yn gwybod bod yna lwynoges yn magu yn rhywle a byddai eisiau oen bob nos arni am amser hir.

Aeth i fyny yn fore iawn drannoeth i weld – roedd un arall wedi mynd. Gorfu i ni adael gwaith y fferm i gyd i fynd i chwilio amdanynt. Ar amser prysuraf o'r flwyddyn roedd y mangls a'r swej yn galw am eu teneuo, y tatw eisiau cael eu hofio, eisiau marcio'r ŵyn i gael mynd â'r defaid a'r ŵyn i'r mynydd. Dechrau yng ngwaelod Cwm Ceulan a chwilio pob twll yn fanwl, trwy goed Tynygraig er bod fy nhad yn dweud na fyddai llwynog byth yn lladd gartref, roedd y llwynog yn greadur cyfrwys iawn. Yn ochr rhyw nant oedd fy nhad yn meddwl y caem afael arnynt. Byddai raid iddynt gael dŵr erbyn hyn. Byddent ddau fis oed, ac wedi cael eu tynnu o laeth y fam ac wedi dechrau bwyta cig. Chwiliom trwy'r dydd, ac wedi blino'n lan, a heb weld arwydd ohonynt. Aeth fy nhad fyny fore trannoeth eto. Roedd un arall wedi mynd, yn yr un un cae â'r lleill. Buom yn chwilio trwy'r dydd yng nghwm Clettwr, a'n cymdogion yn ein helpu. Os byddai rhywun yn colli ŵyn i'r llwynog yr adeg hynny byddai'r gymdogaeth i gyd yn cynorthwyo i chwilio, ni fedrai neb fforddio colli ŵyn ar y raddfa yma i'r llwynog.

Ni welwyd arwydd ohonynt, awd adref yn ddigalon iawn, a neb â'r un syniad ble i fynd i chwilio trannoeth. Aeth fy nhad i fyny yn fore trannoeth eto, oedd roedd un arall wedi mynd. Roedd golwg ofidus iawn ar fy nhad, a Mam yn ddigalon iawn. Am bob oen oeddent yn ei golli, byddai un yn llai i'w werthu, er mor isel oedd eu pris. Bu slwmp mawr ym mhrisiau'r anifeiliaid ddechrau'r tridegau.

Sylwodd fy nhad pan oedd i fyny yn y bore, bod y ddafad oedd wedi colli ei hoen y bore hwnnw yn agos i'r ffens derfyn rhyngom ni a Chwmslaid. Sylwodd ei bod yn edrych i gyfeiriad cwm Clettwr, a rhoi cam neu ddau yn nes at y ffens, ac yn brefu'n ddigalon. Meddyliodd bod y llwynoges wedi dal yr oen 'run man â'r lleill, a bod y ddafad wedi dilyn ei hoen, a oedd yng ngheg y llwynog, mor belled ag y gallai at y ffens.

Meddyliodd ei fod yn arwydd sicr mai rhywle yng nghwm Clettwr oeddynt yn cael eu magu. Penderfynwyd mynd i chwilio eto i'r un man â'r diwrnod cynt, er fod y chwyn yn dechrau mynd yn drech na'r tatw a'r swej. Buom yn chwilio trwy'r dydd, a heb weld dim. Aed lawr yn nes at yr afon a dal i chwilio. Toc, dyma'r cŵn defaid yn dechrau arogli rhywbeth, ac yn rhedeg ymlaen at ryw graig yn ymyl yr afon a dechrau cyfarth. Cododd calon bob un ohonom, a gobeithio eu bod wedi dod o hyd iddynt. Ar ôl cyrraedd roedd yn ddigon hawdd gweld eu bod yno, roedd y

mathar lle oeddynt wedi bod yn chwarae i'w weld yn blaen. Roeddynt wedi chwilio lle delfrydol i fagu, lle nad oedd neb yn mynd, dan gerrig mawr, a lle anodd iawn i gael gafael arnynt. Roedd pedwar corpws oen, wedi hanner eu bwyta tu allan i'r twll. Nid oeddem yn cadw daeargi amser hynny, ac yn amlwg byddai rhaid cael un cyn y gallem eu cael allan.

Yr unig un yn yr ardal oedd yn cadw daeargi oedd John Jenkins, Cefngweiriog a oedd bob amser yn barod i gynorthwyo os byddai llwynog mewn twll. Rhedodd un draw i Gefngweiriog i ofyn i John ddod draw, a dod ag arfau. Roedd hi gryn bellter o'r fan oeddem ni, a dyna lle buom ni i gyd yn eistedd ar geg y tyllau, wedi blino'n lan, ar ôl bod yn cerdded yn ddi-stop am dri diwrnod cyfan trwy lefydd anial iawn. Mewn rhyw awr clywsem hwy yn dod ar dop y coed a dyma'r daeargi yn cyrraedd y twll ymhell cyn i John ddod, roedd yn gwybod ei waith yn iawn. Mewn ag e'n syth, ac ar amrantiad dyma dri wolpyn yn boltio allan efo'i gilydd. Roedd y cŵn defaid yn barod amdanynt, cydient yn ei gwarrau ac un ysgydwad iddynt, roeddynt yn hollol gelain. Daliai'r daeargi i farcio o hyd yn y cerrig, roeddem yn gwybod bod chwaneg ar ôl.

Gorfu i ni weithio'n galed iawn i gael y gweddill, a ninnau eisiau bwyd yn arw erbyn hyn, dim ond ychydig frechdanau sych a thamed o gaws oeddem wedi'i gael ers y bore. Symud carreg anferth o'r ffordd, dim ond i weld bod un arall 'run fath o tani a'r daeargi yn marcio o tani. Symud honno eto ddigon pell i weld y daeargi.

Roedd wedi tagu dau a'r rheini o dan ei draed yn hollol farw ond yn dal i farcio o hyd, ond yn sydyn dyma fe yn neidio 'mlaen a chydio yng ngwddf y llwynog bach a rhoi un ysgydwad sydyn, roedd yn hollol farw. Er i ni geisio ei gael yn ôl i chwilio am ychwaneg ni wnâi unrhyw sylw, roedd 'run fath a 'tai yn gwybod mai dyna oedd, chwech cenna bach maint cath. Roedd yn dechrau tywyllu erbyn hyn, a ffwrdd â ni am adre, roedd yn gryn siwrnai. Ond arhosodd un ar ôl gyda gwn yn dawel a chilo'n ôl i fan cyfleus, rhag ofn doi'r llwynoges yn ôl yn weddol fuan. Cyn ein bod wedi cyrraedd pen ucha'r coed, dyma ergyd, a gwaedd, "Wedi chael hi". Cysgodd 'nhad a Mam yn dawel y noson honno, a chaed llonydd y gwanwyn hwnnw wedyn.

* * *

Pob hydref byddai Douglas y gwlân, Machynlleth a dyn arall o Bradford yn dod o amgylch ffermydd y fro i bwyso'r gwlân a rhoi labeli ar y sachau, gydag enw a chyfeiriad pob perchennog arnynt. Roedd Douglas y gwlân yn ŵr hwyliog iawn, a byddem yn cael llawer o hwyl ganddo. Ar ddiwrnod penodedig byddai rhaid mynd â'r gwlân i lawr i Landre a'i roi mewn wagenni i fynd i ffwrdd i Bradford. Llwytho'r gambo yn ofalus a rhaffo'r llwyth yn ddiogel, a dau geffyl yn tynnu'r gambo. Byddai'n rhaid cael dau i fynd fyny rhiwiau.

Un o bleserau mwya'r flwyddyn i Enoc a fi oedd cael mynd lawr i Landre ar ben llwyth o wlân. Roeddem yn uchel iawn, yn edrych i lawr ar bopeth, a'r reid yn hollol esmwyth. Efallai y byddai hanner dwsin o lwythi yn disgwyl o'n blaen. Byddai pawb yn helpu ei gilydd i ddadlwytho, felly ni fyddem yn hir nes dôi ein tro ni. Ar ôl dadlwytho byddai pob un yn mynd adref i wneud lle i rai eraill oedd yn dod. Cyflogai'r G.W.R. ddyn i ofalu bod y wagenni yn cael eu llenwi yn iawn. Nid oedd yn fodlon os oedd unrhyw fan gwag yn y wagen, dim ots pa mor fach oedd, mi chwiliai am sach fach o wlân tocio neu wlân mân i lenwi'r twll, ac yn dweud nad oedd yn talu i gario aer. Ar ôl cael tractor, byddem yn medru mynd lawr ynghynt, ond y peth gwaethaf oedd ni chaech fynd â'r tractor i'r ffordd fawr gyda'r *lygs* haearn arno, felly roedd rhaid bolltio coed rhwng y *lygs* i'w codi oddi ar y ffordd. Erbyn i ni wneud hynny, nid oeddem fawr cynt. Ond rhyw flwyddyn ar ôl i'r rhyfel orffen, nid 'wyn cofio pa flwyddyn oedd hi, cafodd y rheilffyrdd eu gwladoli. Aed â'r gwlân i lawr yr hydref canlynol 'run fath ag arfer, ond y syndod gawsom, nid oedd un llwyth yn disgwyl, roedd pawb wedi mynd adref. Deallom yn syth beth oedd wedi digwydd, nid oedd unrhywun yno i ofalu bod y wagenni yn cael eu llenwi yn iawn. Roedd pob un wedi taflu ei wlân i mewn rhywlun, rhywsut i'r wagen, a'r un nesaf wedi ei gwthio ymlaen a mofyn wagen wag yn ei lle. Pan gyrraeddon ni roedd y wagen yn hanner llawn o wlân wedi'i daflu mewn yn anniben. Yn hytrach nag ail osod y sachau oedd ynddi, gwthion hi ymlaen o'r ffordd a mofyn wagen wag ymlaen. Dadlwython ein llwyth yn weddol gryno, o ran arferiad am wn i, ac adref â ni. Nid oedd unrhyw un yn yr orsaf yn becso beth oedd yn mynd ymlaen, roedd y wagenni i gyd yn llai na hanner llawn. Aeth y gwlân i ffwrdd y flwyddyn honno a mwy na dwbwl y wagenni arferol. Roeddem yn meddwl na ddaliai peth fel hyn yn hir iawn. Mor wir hynny.

Weithiau byddai'r tractor yn pallu cychwyn. Byddai yn rhaid mynd lawr i ofyn i Wyndham Morris ddod i'w weld. Roedd golau trydan yn Nhal-y-bont yn gynnar iawn yn y ganrif a Wyndham oedd yn gofalu fod popeth yn gweithio yn iawn a rhoi trydan yn y tai fel oedd galw – medrai droi ei law at unrhyw beth mecanyddol. Ni fyddai yn hir cyn cael y tractor i gychwyn, baw yn y petrol neu eisiau newid plyg neu rywbeth. Byddai'n rhaid cael petrol i'w gychwyn ac yna ar ôl iddo gynhesu mi âi ar T.V.O. Ond digwyddodd rhywbeth erchyll i'r tractor rhyw ddiwrnod. Daeth un o'r *pistons* allan trwy ei ochr a thwll mawr digon o faint i ddyn roi ei ddwrn trwyddo. Daeth Wyndham a Dewi Cwmere fyny i'w weld. Ffermwr oedd Dewi â diddordeb mawr mewn peiriannau a llawer iawn o wybodaeth ganddo ar sut oeddent yn gweithio, ond heb gael diwrnod o hyfforddiant gan neb a ddim wedi gweld llawer o dractorau erioed, heb sôn am weld beth oedd yn ei berfedd. Penderfynom geisio ei drwsio a thynnu'r tractor yn ddau ddarn i gael rhoi y *piston* yn ôl yn ei lle, ac yna rhoi darn o haearn, un tu mewn ac un tu allan i'r twll oedd yn y tractor, a rhoi darn o ledr rhwng y ddau ddarn i atal yr olew rhag dod allan, a gwneud tyllau yn agos at ei gilydd i roi

bolltiau trwyddynt i'w dal at ei gilydd, a'u tynhau yn dynn. Bu'r tractor yn gweithio am flynyddoedd a dim diferyn o olew yn colli ohono. Fe'i gwerthwyd yn y diwedd i'w newid am un arall a'r darn haearn yn dal arno.

* * *

Ar ôl i fi orffen yn yr ysgol bûm yn helpu Mam-gu ac Yncl Enoc yn y Winllan. Roedd Mam-gu mewn dipyn o oedran erbyn hyn ac angen i rywun fod gyda hi o hyd. Roedd yn gaeth iawn ar Yncl Enoc, nid oedd wedi priodi amser hynny, felly roeddwn i gyda Mam-gu pan oedd raid i Yncl Enoc fynd i rywle. Byddem yn cerdded fyny ar ôl y cwrdd nos Sul ym Methel. Bûm yn ffodus iawn amser hynny, roedd Billie Tre'ddôl yn caru gyda Janet Cwmere, ac yn mynd i garu 'run adeg oeddwn i'n cerdded fyny. Roedd bob amser yn sefyll i fi ddod mewn i'r car a chael fy nghario at y Fronallt. Galw yn y Fronallt gyda Trefor a Rhoda cyn cerdded fyny trwy goed y Winllan. Roedd siop yn y Fronallt amser hynny yn gwerthu ychydig bethau oedd yn angenrheidiol ar y fferm fel burum, siwgr, te, canhwyllau a matsis, baco a sigaréts. Byddai ffermwyr o ardal eang yn dod yno i mofyn burum.

Roedd Yncl Enoc wedi cael car newydd sbon amser y rhyfel, Austin 12, EJ 3820. Dysgais ei yrru'n ifanc iawn, ond y peth rhyfedd yw, dysgais fynd tuag yn ôl cyn dysgu mynd ymlaen. Pob tro oedd Yncl Enoc yn mynd i rywle, byddwn yn mofyn y car allan yn barod iddo. Roedd y car yn cael ei gadw yn yr hen dŷ, gryn bellter o'r tŷ newydd, ac roedd yn rhaid ei gael allan ar i 'nôl.

Roedd cloc haul ar y llawr yn ffald yr hen dŷ, cloc unigryw wedi ei wneud yn gelfydd allan o gerrig, roedd yn hen iawn. Cerrig llwyd o'r afon oedd y cerrig a rhes o gerrig gwynion i ddynodi pob awr, a thwll yn y canol i roi polyn main ynddo. Pan fyddai yn ddiwrnod heulog byddai'r polyn yn taflu cysgod ar y cloc a medrech ddweud yr amser yn agos iawn. Mwynheais fy hun yn fawr iawn yng nghwmni Mam-gu. Roedd yn ddynes arbennig iawn, wedi gweithio'n galed ar hyd ei hoes yn corddi a phobi bron hyd y diwedd, bu fy mam yn ei helpu rhai o'r blynyddoedd olaf. Roedd wedi colli dad-cu pan oedd yn 49 oed yn y flwyddyn 1918 a hefyd ei hunig ferch yn 21 oed yn yr un flwyddyn, ergyd drom iddi pan oedd gweddill y teulu yn bur ieuanc. Ni chwerwodd, daliodd ei ffydd yn gadarn yn ei Gwaredwr hyd y diwedd, a cheisiodd ei gorau i esbonio i fi beth sydd yn bwysig yn y byd yma, a beth sydd ddim.

Mam-gu oedd yn medru gwneud y grefi gorau flases i erioed. Er cystal oedd Mam ac Ann (fy ngwraig) am goginio, nid wyf wedi cael ei debyg byth wedyn. Bob man oeddem yn mynd i gneifio neu i ddyrnu, yn y Winllan oedd y grefi gorau bob amser, roedd rhyw flas melys arbennig arno. Gofynnais iddi ryw ddiwrnod pam, nid oedd yn gwybod, dim ond dweud ei bod yn defnyddio dŵr swej i wneud grefi bob amser.

Gofynnodd i fi rhyw ddiwrnod, awn i lawr i Neuadd y Winllan i mofyn rhai o ganghennau o'r pren melyn oedd yn tyfu yno, roedd hi eisiau lliwio'r llenni. Lawr a fi i nôl baich ar fy nghefn, ac ar ôl dod yn ôl eu torri yn ddigon mân i fynd mewn i grochan mawr, ac yna ei lenwi â dŵr a'i ferwi am rai oriau. Dyna lle buom wedyn yn rhoi y llenni yn yr hylif a'u berwi wedyn a'u rhoi i sychu ar y lein. Newidiodd y llenni eu lliw i liw melyn bendigedig 'run fath â'r melyn sydd ar flodau'r eithin yn y gwanwyn.

* * *

Cyn i stad Maes-y-deri gael ei chodi, dau gae glân oedd yno, un mawr ac un llai. Roedd coeden dderw anferth yn tyfu heb fod ymhell o Gae Bach, 'run fath â'r un sydd ar ymyl y ffordd ger Cae Bach heddiw. Roedd llyn ar ganol yr un mwyaf os byddai yn wlyb, a hwnnw yn rhewi bob gaeaf, lle bendigedig i blant sglefrio. Yn yr haf nid oedd diferyn o ddŵr arno. Ond yr oeddynt wedi torri ffos agored i droi y nant oedd yn dod lawr o gyfeiriad Cwmslaid ger y fynedfa i'r mart, ger plas Penpompren. Rhedai'r dŵr ymlaen tu cefn lle mae Llety'r Bugail a Brynywawr yn awr gan wneud y cae tu ôl i'r eglwys yn ddau ddarn, a chroesi'r ffordd fawr ger y gyfnewidfa ffôn ym Mhenlon i mewn i'r cae i roi dŵr i'r anifeiliaid, ac yna allan i gae mawr Tanyrallt fel bod dŵr yn y cae hwnnw hefyd, cyn rhedeg i Nant y Dyrnen.

Rhan o ystad Tomi Anwyl oedd y tir i'r gogledd o Dalybont, yn Anwylfa y trigai. Tynnwyd y tŷ i lawr pan yn gwneud mynedfa newydd ym Mhenlôn. Mrs Rosie Davies gadwai dŷ iddo. Dafydd Jones y bwtsiwr oedd tenant y ddau gae yma ers cyn cof gen i hyd nes eu gwerthu i godi tai arnynt. Cadwai ddefaid mynydd Cymreig, a magu ŵyn Cymreig pur ohonynt, ar gyfer eu lladd i'r farchnad leol. Byddai yn hel gwair ar y cae lleiaf er mwyn pesgi'r ŵyn yn y gaeaf. Tu ôl i dŷ Haydn Ebenezer oedd y tŷ gwair. Roedd ganddo ladd-dy bach taclus ar ochr y ffordd, yn union ochr draw i Tŷ Twt. Morgan Evans oedd yn byw yn Tŷ Twt amser hynny, un o gymeriadau mwya'r ardal. Roeddem ni'r plant wrth ein bodd yn helpu Dafydd Jones y bwtsiwr. Cadwai lond poced o gandis, i'w rhannu i'r rhai oedd yn ei helpu, weithiau roeddem yn cael ambell i *Craven A*, ganddo. Roeddem yn help mawr iddo amser ŵyna, yn enwedig os oedd eisiau dal dafad yn methu dod ag oen. Dysgom lawer iawn ganddo, ar sut i ddewis ŵyn yn barod i'w lladd, ar sut i ladd oen a'i flingo a'i dorri fyny yn barod i'w werthu. Roedd ganddo siop yn gwerthu cig ar hanner rhiw Emporium, ochr isaf i'r Bryn. Pan fyddai ei ŵyn wedi gorffen byddai yn prynu yn y ffermydd lleol, a'r ffermydd i gyd yn prynu darn o gig ganddo erbyn dydd Sul. Dim ond dydd Sul byddem yn cael cig oen amser hynny. Cig mochyn neu gwningen ac ambell i ysgyfarnog byddem yn ei gael ar hyd yr wythnos. Rwy'n methu'n lân â deall pam oedd raid i Ewrop roi stop ar hyn efo'i rheolau caeth dianghenrhaid, rhywbeth oedd yn gweithio mor hwylus er lles dyn ac anifail.

Un o Aberllefenni oedd Dafydd Jones y bwtsiwr, ac wedi priodi un o ferched Tal-y-bont, Blodwen, ac yn byw yn Tegfan. Roeddynt yn aelodau ffyddlon ym Methel. Pan oeddem ni yn blant roedd canu da ym Methel, roedd 'na bedair gwraig ar ben eu hunain ac ar eu gorau bob amser, Blodwen Jones, Tegfan, Gwladys Morris, Glennydd, Miss Morgan, Heulwen a Miss Adela Morgan, siop y crydd. Roedd yn bleser eu clywed yn canu.

Ar y cae lleiaf codwyd y tai cyntaf ym Maes-y-deri. Torrwyd mynedfa fawr yn y clawdd i ddechrau, fanlle mae'r fynedfa heddiw a gofynnon i fi a wnawn i aredig y darn syth sydd yn mynd lawr i'r gwaelod yn ddwfn er mwyn iddynt gael ei godi cyn gwneud y ffordd. Mr Devlin oedd yng ngofal adeiladu'r tai cyntaf.

* * *

Cyn y rhyfel, pan oeddem yn blant, ceffyl fyddai yn tynnu yr hers ar ddiwrnod angladd. Byddai 'nhad yn cael ei ofyn i fynd â'r gaseg yn aml iawn pan fyddai angladd yn y cyffiniau. Roeddem ni'r plant yn gweld hi'n beth od iawn pan fyddai 'nhad yn mynd â'r gaseg lawr y lôn yn ei ddillad gorau a'i esgidiau gorau. Cedwid yr hers lawr yn y Wern ochr draw i'r Emporium mewn adeilad arbennig. Byddem yn glanhau'r gaseg yn lanach nag arfer os byddai yn mynd â'r hers gan ei brwsio a brwsio nes byddai yn berffaith lân, ac os mai carnau duon fyddai ganddi, byddai Mam yn rhoi blac-led arnynt a'u brwsio nes byddent yn sgleinio, ond os mai carnau gwynion oedd ganddi, golchai a sgrwbiai hwy nes oeddynt yn berffaith wyn.

Yr amser hynny, yr unig ffordd i roi gwybod i'r

holl gymdogaeth am unrhyw beth oedd yn digwydd yn ystod yr wythnos oedd trwy gyhoeddi yn y capel a'r eglwys. Byddai cyhoeddiad yn mynd i Fethel, Tabernacl, Nasareth ac i Eglwys Dewi Sant. Os na fyddai'r teulu i gyd yno, byddai cynrychiolaeth o bob aelwyd yno. Dyna'r unig ffordd amser hynny oedd bobl yn dod i wybod beth oedd yn mynd ymlaen yn yr ardal. Cai'r angladdau i gyd eu cyhoeddi, pa amser oedd yn codi allan o'r tŷ, a pha amser i'w disgwyl yn y fynwent. Roedd bron pawb yn marw adref amser hynny. Parchai pawb y meirw, ni châi'r un corff ei symud o'i gartref nes diwrnod ei angladd, câi orffwys yn y parlwr fel rheol. Cyhoeddus fyddai angladd bob amser. Byddai'r cymdogion dros ardal eang wedi bod yn cynorthwyo'r teulu i wylio pan oedd rhywun ar ei wely angau, ddydd a nos, ni chai neb farw ar ben ei hun. Os byddai'r angladd ymhell o'r pentref byddai rhaid i 'nhad gychwyn yn weddol fore, erbyn iddo fynd lawr i'r Wern i nôl yr hers a mynd fyny i ben uchaf un o'r tri cwm erbyn hanner dydd. Byddai'r gymdogaeth i gyd yno wedi cerdded o bell, a'r gweinidog wedi cerdded yr holl ffordd o'r pentref i gynnal gwasanaeth cyn codi allan. Yna byddai'r cludwyr yn rhoi y corff yn yr hers, allan trwy'r ffenestr fel rheol. Yna byddai'r orymdaith yn cychwyn, cerdded i gyd, lawr trwy'r cwm i'r fynwent. Byddai neb byth yn mynd â chorff i'r capel 'radeg hynny. Credent mai lle i'r byw oedd y capel. Byddai'r torrwr beddau wedi dod â'r elor i ymyl y ffordd yn barod i'r cludwyr gario'r arch i lan y bedd. Pren oedd yr elor a phedair coes hir iddi, a phedair braich hirach, er mwyn i'r cludwyr roi ei ysgwyddau tanynt. Câi pawb de wedyn cyn cerdded adref, ac âi fy nhad â'r hers yn ôl i'r Wern.

Clywais Edgar Humphries, Penlon yn dweud pan oedd yn byw yn Bwlchstyllen, ei fod wedi cychwyn yn fore rhyw ddiwrnod i gladdu un o'r Gruffysiaid oedd yn byw yn Llechweddmawr, cerdded yr holl ffordd o Bwlchstyllen i Llechweddmawr erbyn oeddent yn codi allan ac yna lawr i gladdu ym mynwent Nasareth, Tal-y-bont. Roedd y daith yn agos i ugain milltir un ffordd. Clywais John James, Nant-y-moch hefyd yn dweud ei fod yn cofio claddu hen ŵr oedd yn byw yn y Drosgol, ar storm fawr o eira ac yn methu mynd â dim i gario'r arch oddi yno. Gorfu iddynt fwrw stapal yn nhalcen yr arch a'i llusgo efo ceffyl yr holl ffordd i'r fynwent yn Nant-y-moch.

* * *

Amser rhyfel byddai'r injan ddyrnu yn dod o amgylch, ddwy waith y flwyddyn i ambell i le, sef calan gaeaf i gael bwyd i'r anifeiliaid, ac yn y gwanwyn i gael llafur hau. Roedd y gwaith hyn yn gallu bod yn waith diflas iawn petai'r cynhafiaeth yn wael. Fel rheol digwyddai hyn yn yr un ffermydd bob blwyddyn, roedd ambell i le yn well am sychu na'i gilydd. Os byddai'r cynhafiaeth yn wael byddech mewn llwch drwy'r dydd, a neb yn medru gweld ei gilydd. Byddem yn peswch fflemsen fyny bore drannoeth, byddai yn ddu bitch, doedd dim rhyfedd bod gymaint yn cnoi baco amser hynny.

Byddai angen deunaw i ugain o ddynion i ddyrnu, yn dibynnu pa mor gyfleus oedd yr ydlan i'r ysgubor i gario'r *chaff*, a'r storws i gario'r brig. Cefais fynd o amgylch y ffermydd y flwyddyn gyntaf ar ôl gadael yr ysgol yn lle 'nhad, roeddwn yn teimlo fy hun yn dipyn o ddyn, fy mod yn ddigon da i lenwi lle 'nhad. Byddai Enoc a fi yn mynd er mwyn cael help yn ôl. Torri'r cortyn ar yr ysgubau oedd fy ngwaith i y flwyddyn gyntaf, yn un o ddau. Dyna braf oedd cael mynd i ben yr injan, nid pawb oedd yn cael mynd i'r fan honno. Dim ond y torrwyr ysgubau a ffidiwr yr injan.

Byddai'r ffidiwr yn ddyn cyfrifol iawn, bob amser yn gofalu bod yr ysgubau'n mynd i mewn yn iawn a'u hysgwyd bob un. Ond os fyddai'n gynhafiaeth wael roedd yn amhosib ei chwalu, byddai'r ysgubau'n fflat fel poncacs a'r gowlas yn araf iawn yn mynd lawr. Byddai pwff o lwch yn dod i'w wyneb bob tro yr âi'r ysgub i lawr i fol yr injan. Roeddem yn torri ysgub bob yn ail â'i rhoi yn daclus i'r ffidiwr, a gofalu torri'r cortyn yn ymyl y cwlwm a'i gadw yn daclus yn eich llaw chwith a'i rhoi i'r ffarmwr. Erbyn y diwedd byddai ganddo ddwy ysgub fawr o gortyn beindar. Byddai yn defnyddio'r rhain trwy'r flwyddyn i glymu gwahanol bethau. Roedd pob ffarmwr gwerth ei halen yn cadw tri peth yn ei boced bob amser: cyllell, swllt a chortyn beindar.

Byddai angen dau ar ben y wisgon★ i daflu'r ysgubau i ben yr injan, roedd hyn yn waith gweddol hawdd tra byddech yn taflu ar i lawr, ond unwaith byddai'r wisgon yn mynd lawr, roedd yn waith caled i daflu'r ysgubau ar i fyny o'r gwaelod.

Gofalai'r ddau oedd ar ben y wisgon eu bod wedi clymu gwaelod eu trowsus yn dynn yn y bore rhag ofn y rhedai llygoden ffyrnig fyny. Os âi un, dyna i chi beth oedd perfformans i'w chael hi lawr!

Roedd llygod ffyrnig yn bla ar bob fferm yr adeg hynny. Yn yr hydref byddech yn cario'r llafur i'r ydlan a rhoi digon o goed o tano i'w godi o'r ddaear i'w gadw yn sych. Wrth gwrs dyma ble fyddai'r llygod yn hoffi bod. Roedd yn ofynnol i bawb agor bwndel o netin man cyn dechrau dyrnu i atal dim un ddianc. Cŵn defaid a daeargwn fyddai yn dal a lladd y llygod. Roedd rhai arbennig o dda i'w cael, a thorrwyd llawer i goes picwarch ddwybig wrth geisio bwrw'r llygod.

I drafod y gwellt a ffidio'r injan chaffo byddai angen tri pherson. Dyma'r gwaith mwyaf llychlyd oedd i gael pan yn dyrnu. Os byddai'r ysgubor ymhell o'r ydlan byddai angen pump i gario *chaff*, ac un efo'r corlac★ i grafu'r *chaff* allan. Roedd y sachau *chaff* wedi cael eu gwneud trwy agor un ochr i ddwy sach cyffredin gweddol fawr, a gwnïo'r ddwy yn ôl fel un. Byddai'r dyn â'r corlac yn eich helpu i godi'r sach ar eich cefn, ac os na fedrech gael y sach ddigon uchel ar eich cefn yn y dechrau, ni chyrhaeddech ben eich taith, oherwydd byddai rhaid dringo ysgol pen arall, fel âi'r gowlas★ *chaff* yn uwch ac yn uwch erbyn diwedd. Os digwyddai rhywun orfod rhoi y sachaid i lawr ar y ffordd a gofyn i rywun am help i'w ail godi mi gâi ei bryfocio trwy'r dydd am bob math o bethau.

Byddai dau neu dri o'r cymdogion yn dod â dwy sach *chaff* ganddynt yn y bore, byddent yn

---

★**wisgon** – tas o ŷd   ★**corlac** – teclyn i grafu neu gasglu   ★**cowlas** – llond un golau yn y tŷ gwair

rhoi eu ynyden* arnynt er mwyn cael eu
hadnabod ar ôl gorffen. Roeddem ni'r plant yn
meddwl bod sachau Edward Francis Tŷ Mawr yn
sachau arbennig iawn. Roeddem yn meddwl mai
ei sachau EF oeddynt.

Roedd tynnu'r *chaff* allan a chario *chaff* yn
medru bod yn waith diflas iawn, yn enwedig os
byddai yn ddiwrnod gwyntog. Byddai angen dau i
dderbyn y *chaff* yn yr ysgubor, gwaith y rheini
fyddai cadw'r gowlas yn wastad a'i ddamsgen yn
galed fel bod lle i'r cyfan fynd i mewn. Os byddai'r
llafur yn ildio'n dda, byddai angen tri i'w gario i'r
storws, a'r rheini yn ddynion cryf oherwydd
byddai dros gan pwys ymhob sach. Rhaid oedd
dod yn ôl ar hanner trot neu fyddai'r sach nesaf
wedi gor-lenwi.

Bachgen ifanc newydd adael yr ysgol fyddai'n
cael cario'r us. Ces i'r swydd yma lawer gwaith yn
y dechrau. Rhaid oedd cario us y ceirch i ben y
chaff i'w roi i'r gwartheg ond mynd ag us y barlys
ymhell o'r ydlan a'i losgi. Canfas fawr oedd
gennym i gario us, a rhaca i'w grafu i mewn iddi,
ac yna cydio yn y pedwar cornel a'i thaflu ar eich
cefn. Roedd yn rhaid bod yn ofalus iawn wrth
wneud hyn. Os ise cola* barlys lawr eich cefn,
roedd yn annioddefol a byddai'n rhaid ei ddioddef
trwy'r dydd. Roedd yn rhaid ysgubo'r injan yn lân
bob tro roedd y llafur yn newid o farlys i geirch
neu o geirch gwyn i geirch llwyd. Byddai peth o'r
llafur yma yn cael ei ddefnyddio fel llafur hau ac
felly roedd rhaid ei gadw yn bur. Ychydig iawn o
newid had oedd yr amser hynny.

Welais i erioed 'nhad yn prynu llafur hau,

defnyddio yr un un bob blwyddyn. Bob tri
chwarter awr i awr byddai rhaid aros am gwarter
awr i hogi'r injan chaffo. Bob tro byddem yn aros
i hogi byddem yn mynd i chwarae *pitch and toss* efo
dimeiau. Gosod peg ar ei ben rhyw ddeg llath i
ffwrdd a phob un yn taflu dimai mor agos ato ag y
gallem, ac yna ar ôl i'r un olaf daflu, byddai'r sawl
daflodd y ddimai agosaf at y peg yn eu casglu i
gyd, a'u taflu i'r awyr, a phob un ddise lawr â'r
pen i fyny byddai yn eu cadw ac yna byddai'r ail
agosaf at y peg yn casglu'r rhai oedd â'r gynffon i
fyny ac yn gwneud yr un fath eto, ac felly ymlaen
tan y diwedd. Pan fyddai fy nimeiau wedi diwedd
byddai rhaid newid ceiniog am ddwy ddimai gyda
rhai oedd yn ennill, i gael chwarae. Ni fuaswn yn
hoffi gweld unrhywun yn mynd yn ôl i ddilyn yr
injan ddyrnu byth eto, roedd yn waith afiach iawn
i fod yn y llwch yn hir iawn. Roedd Huwi,
Tynrhelyg wedi cyfansoddi cwpled, ac wedi'i
ysgrifennu ar ochr yr injan ddyrnu:

'Asma a ddaw i'r hwsmon,
Wrth ddilyn llwch 'rhen hwch hon.'

Nodi Defaid

Diwrnod pwysig iawn yng nghalendr bugeiliaid
llethrau Pumlumon cyn ddiwedd y 50au oedd
diwrnod nodi defaid, ond mae hyn bron â darfod
yn llwyr erbyn hyn.

Pan brynodd y Comisiwn Coedwigaeth ran o
Ystad Gogerddan ddechrau'r 60au i blannu coed
cafodd llawer iawn o'r lluestai ar y mynydd eu
ffensio i mewn a daeth grantiau gan y llywodraeth
i fugeiliaid ffensio eu terfynau hwythau, a daeth yr

---

*ynyden – initials   ***cola** – *y darnau pigog sydd ar flaen hadau barlys* arferiad o nodi'r defaid i ben yn sydyn. Cyn hynny, roedd y mynydd yn agored a'r defaid yn medru crwydro o Dalybont i Lanidloes. Felly, roedd y bugeiliaid yn ofalus iawn i farcio'r defaid. Y prif farc fyddai nod clust y fferm, a hwnnw fyddai'n cyfrif. Roedd pawb yn adnabod nodau clust cymdogion, eraill yn adnabod cylch ymhellach, ond roedd rhai yn cario'r llyfr nod clustiau *Cydymaith y Bugail* yn eu pennau ac yn adnabod defaid pawb oedd yn pori ar lethrau Pumlumon; pobl fel Charles Evans, Cwmcemriw, Glaspwll, John Lloyd, Y Gorn, Llanidloes; a John Jones, Y Byrdir dim ond i enwi rhai.

Ar ddiwrnod cneifio byddai pob dafad yn cael ei marcio'n ofalus gyda llythyren bitch y fferm, ac mae rhai o'r llythrennau *pitch* hynny yn hen iawn erbyn hyn. Yn yr hydref ar ôl tynnu'r mamogiaid gwerthu a chyn gollwng yr hyrddod, byddai'r defaid i gyd yn cael eu nodi gyda nod gwlân y fferm.

Roedd nod gwlân arbennig gan bob fferm a ddefnyddiwyd ers cenedlaethau ynghynt, a byddai pawb yn gwybod pwy oedd berchen y ddafad am gylch eang iawn oddi wrth y nod gwlân. Roedd llawer iawn o ddefaid yn magu ŵyn ar y mynyddoedd yn y 30au a'r 40au, felly roedd y nod gwlân yn hanfodol er mwyn i'r bugeiliaid adnabod unrhyw ddafad ddieithr o bell wrth hel i dorri clustiau'r ŵyn ym mis Mai. Roedd rhaid rhoi sylw arbennig o oen y ddafad honno, edrych am unrhyw farc fel smotyn du neu frown naturiol ar gnu yr oen wrth hel, er mwyn gallu ei adnabod yn y lloc a pheidio torri ei glustiau. Byddent yn ofalus

iawn i osgoi unrhyw gamgymeriad.

Roedd fy nhad a Yncl John, Glanrafon a Yncl Enoc, Y Winllan yn cyd-bori defaid yn Nolrhuddlan ynghyd â llawer o ddefaid cadw yn dod fyny dros yr haf. Yn yr hydref ar ôl hel y defaid byddem yn eu gyrru, bob yn ychydig, i loc gymharol fach a dal bob un ddafad yn ei thro a'i rhoi ar ei bol ar y fainc lle byddai dau ddyn i bob mainc a bobi bric nod yn barod i'w nodi. Byddai digon o waith i un dyn gymysgu nod drwy'r dydd. Byddai hyn yn cael ei wneud trwy gymysgu powdwr coch neu las, gydag olew injan glân.

Roedd cafan arbennig i ddal y nod, un hanner i ddal y nod coch a'r llall i ddal y nod glas, wedi naddu'n arbennig allan o un darn o bren a handlen yn y canol i'w glymu ar y llidiart.

Cafn nôd

Byddai un dyn yn dal pen y ddafad ar y fainc a rhoi nod ar y gwar os byddai eisiau, a hwnnw fyddai'n gyfrifol am edrych ar y nod clust a gofalu bod y nod gwlân cywir yn mynd arni. Eithriad mawr iawn fyddai i unrhyw un roi y nod anghywir ar ddafad, ond os gwnâi rhywun hynny, câi ei bryfocio a thynnu ei goes am flynyddoedd a doedd neb eisiau hynny. Gallai defaid yn perthyn i gymaint ag ugain o wahanol berchnogion fod yn y lloc y diwrnod hwnnw.

Fel rheol, byddem ni yn dechrau efo'n defaid ni – defaid Tynygraig – y sawl oedd yn dal pen y ddafad yn rhoi gwar las arni a'r llall yn rhoi hir gefen goch a thingoch arni, yna'n ei throi allan rhag ofn iddynt rwbio yn ei gilydd.

Nodi dafad Tynygraig

Yna defaid Yncl Enoc y Winllan, un yn rhoi stric glas yn groes yr ysgwydd, a'r llall yn rhoi stric coch yn groes yr ysgwydd ychydig yn nes yn ôl. Yna, defaid Yncl John, Glanyrafon gwar goch a stric coch yn groes i'r ysgwydd. Yna'r defaid cadw:

Frongoch, Henllys – stric coch yn groes i'r ysgwydd a thenewyn coch.

Pant-teg – dau stric coch yn groes i'r ysgwydd a stric coch o'r meingefn i'r gar ochr chwith i'r gynffon.

Pwllpridd, Lledrod – yr un fath â Glanrafon, ond gyda thenewyn glas.

Ar ôl nodi defaid Dolrhuddlan i gyd, byddai'r gweddill, sef defaid y cymdogion yn cael eu troi i loc arall i'w cadw fel bod y cymdogion yn cael gafael arnynt i'w nodi. Byddai rhai yn mynd i'r De, a'r lleill i'r Gogledd a'r Dwyrain.

Eithriad mawr fydde cael dafad wen, hynny yw, dafad heb ei nodi amser cneifio, os doi un, byddech yn gwybod ei bod wedi bod yn crwydro ymhell ac wedi osgoi dod i'r gafael gan unrhyw un.

Nod gwlân rhai o ffermydd a lluestai Pumlumon;

Aberceiro – stric goch dros yr arennau a stric coch o'r ysgwydd i'r goes flaen

Aberpeithnant – coler goch a thin las

Banc y bont – dau ddot coch – ysgwydd ac arennau

Blaenpeithiant – Dau ddot goch – ysgwydd ag arennau

Brynglas – stric coch o'r arennau i waelod y gar

Bwlch Hyddgen – ysgwydd goch a chengl coch

dros y grwper

Camdwr mawr – Crwper glas a chynffon goch

Craignant mawr – gwar goch ac ysgwydd goch

Cwmcemriw – Palfais goch ar yr ochr dde a sbotyn coch yn y tenewyn chwith

Cwmergir – stric coch main ar y cefn

Eisteddfa Gurig – gwar goch drom

Fagwyr fawr – dau pistolwyn coch

Fferm y Bont – coler goch

Fferm Cwmerfyn – Cwmerfyn – sbotyn coch o war y gynffon

Fuches Gau – Gwar goch gul

Gelli Isaf – dot coch ar yr arennau a chynffon goch

Gelli Uchaf – ysgwydd goch

Glanrafon, Penrhyncoch – ysgwydd las

Hen Hafod – Gwar las a stric coch dros yr arennau

Hengwmmannedd – ysgwydd goch

Hirnant – coler goch a chynffon goch

Hyddgen – sbotyn coch ar yr ysgwydd a chengl las tu ôl iddo

Llechweddmawr – bys goch yr ochr dde i fôn y gynffon

Llerneuaddau – stric coch dros yr arennau

Lluest fach, Capel Madog – streipen goch o'r ysgwydd flaen i fôn y goes ôl

Lluestnewydd – gwegil goch ac ysgwydd goch

Lluest-y-rhos – gwar goch a stric glas lawr y goes ôl chwith

Nantcaerhedyn – stric coch dros ganol y cefn

Nantllyn – Tingoch

Nant-y-moch – Hirgefen coch

Pantdrain, Penrhyn-coch – sbotyn glas at du blaen a thu ôl y cefn

Rhosgoch, Capel Madog – gwar goch a sbotyn glas ar ganol y cefn

Rhosygarreg – sbotyn glas ar yr ysgwydd ac un coch ar y crwper

Tyngwndwn, Cwmerfyn – gwar goch a streipen goch ar y cefn o un ochr i'r llall

Trawsnant, Chwmwerfyn – streipen las a streipen goch o war y gynffon

Tal-y-bont Drain – Cengl goch dros ganol y cefn

Esbonio rhai geiriau;

Pistolwyn – dwy linell, un o bob tu i'r asgwrn cefn o war bôn y gynffon

Stric – llinell yn groes i'r cefn

Palfais – ochr yr ysgwydd

Tenewyn – ochr, ystlys

Crwper – o war bôn y gynffon

Cengl – rhwymyn, bandyn

Gwegil – gwar.

* * *

Codai Mam yn fore ar ddiwrnod pobi, byddai yn pobi unwaith bob wythnos. Roedd ganddi badell fawr sinc i wlychu'r blawd. Badell bobi galwai hi, a oedd byth yn cael ei defnyddio i ddim arall ond pobi. Ar ôl gwlychu'r blawd a rhoi burum ynddo a'i wneud yn does, byddai yn ei adael am ychydig mewn lle cynnes o flaen y tân, i'r burum cael amser i wneud ei waith. Yna byddai yn cynnau tân yn y ffwrn wal – byddai'r coed yn y ffwrn wal yn barod ers y tro cynt, wedi eu rhoi mewn pan oedd y ffwrn wal yn dal yn gynnes. Ein gwaith ni fyddai torri coed yn barod iddi roi mewn ar ôl gorffen pobi yn barod erbyn tro nesaf, coed derw neu onnen oedd hi eisiau bob amser, dwy goeled yn hollol 'run faint bob amser neu byddai yn berygl llosgi'r bara. Cymerai'r tân ryw ddwy awr i losgi allan.

Tân yn y ffwrn wal

Tra byddai'r tân yn llosgi byddai Mam yn torri darn o'r toes a'i rowlio ar y bwrdd am amser a'i roi mewn tuniau pobi, wyth ohonynt. Roedd y torthau gymaint dair gwaith â'r torthau mawr rydym yn prynu heddiw. Yna byddai yn taro'r gyllell dair gwaith yn y toes yn y tun. Byddent yn

barod i fynd mewn i'r ffwrn. Byddai'r tân wedi llosgi'n llwyr erbyn hyn a'r ffwrn yn eirias wyn. Tynnai'r lludw allan efo corlac a rhoi'r toes i mewn yn syth a chau'r drws yn dynn am ryw ddwy awr. Yna byddai yn eu tynnu allan a'u troi wyneb i waered ar y bwrdd a rhoi ysgwydfa fach iddynt i gael y dorth allan o'r tun. Byddai rhai wedi codi gymaint nes oedd y toes wedi gorlifo dros ymyl y tun ac wedi ffurfio'n dorth fach wrth ymyl y llall. Roedd Mam yn hoffi gweld y rhain ac yn ei galw yn lloi bach a dyna'r rhan mwyaf blasus o'r dorth. Dyna i chi beth oedd arogl hyfryd pan oedd y bara yn dod allan o'r ffwrn wal.

Bara newydd ddod allan o'r ffwrn wal

Yn syth ar ôl i'r bara ddod allan byddai yn rhoi darn o gig ffres a tuned mawr o bwdin reis i mewn i goginio erbyn dydd Sul – byddai'r ffwrn yn dal yn ddigon poeth o hyd. Gwaith Enoc a fi oedd gofalu bod y coed yn barod i fynd mewn yn syth doi'r cig a'r pwdin allan tra bod y ffwrn yn dal yn boeth er mwyn eu sychu yn barod erbyn y tro nesaf. Bu Margaret fy chwaer yn pobi am flynyddoedd ar ôl iddi adael yr ysgol, nes iddi briodi a gadael Tynygraig. Roedd hi yn medru pobi gystal â Mam ond bu Mam yn pobi bron i'r diwedd, nes ei marwolaeth yn 1980. Mae llond y ffwrn wal o goed pobi yn dal hyd heddi yn disgwyl i rywun eu defnyddio. Byddai Mam yn cadw'r bara yn y fudde bob amser, roedd yn le da i'w cadw rhag sychu. Gofalai ei bod yn corddi diwrnod cynt bob amser fel bod y fudde i gael i gadw'r bara trwy'r wythnos. Gwaith caled oedd corddi, roedd rhaid troi y fudde efo llaw am amser hir yn enwedig yn yr haf os byddai tyrfe ar gered. Rhaid troi a throi a dim yn digwydd, a gollwng y gwynt allan yn awr ac yn y man. Byddai Enoc a fi yn helpu Mam i droi ond yn cael digon mewn ychydig iawn, a Mam fyddai yn gorfod cario ymlaen. Roedd rhaid troi yn gyson, dim sefyll. Byddai 'nhad yn helpu Mam i godi'r gynog llawn o hufen wedi suro i mewn i'r fudde yn y bore ac roedd gwydr ar gaead y fudde, a phan doi hwnnw yn hollol glir byddai'r hufen wedi troi yn fenyn ac yn barod i'w dynnu allan. Ond, O, roedd e'n hir yn dod weithiau. Tynnai Mam bob tamed o'r menyn allan o'r fudde gyda soser bren, a'i roi yn y noe ac yna gwasgu'r llaeth enwyn, bob diferyn,

allan ohono gyda phlat pren, yna ei gymysgu efo dipyn o halen a'i bwyso bob yn bwys.

Bûm lawer gwaith yn mynd gyda Mam ar y

Y Fyddau

bws, i'r farchnad yn Aberystwyth cyn y rhyfel, i werthu menyn ac wyau. Arllwysai'r llaeth enwyn mewn i gynog bridd arall 'run fath â'r gynog hufen. Yfem y llaeth enwyn bron i gyd mewn wythnos, hyna yn y byd byddai yn mynd, gore yn y byd oedd. Nid oedd dim byd gwell i gael am dorri syched na llaeth enwyn wythnos oed. Doedd

Y ffynnon gyda'r taclau gwneud menyn, y pren grit,
a'r offer crafu blew mochyn

neb yn cael anhwylder yn y stumog yr amser hynny. Os byddai peth ar ôl mewn wythnos byddai'r moch yn ei gael, er mwyn golchi'r gynog i gorddi eto. Bob bore dydd Llun byddai Mam yn golchi dillad. Nid gwaith hawdd oedd golchi i wyth ohonom, nid oedd dŵr yn y tŷ, nac unrhyw beiriant o fath yn y byd, dim ond nerth bôn braich. Berwai'r dillad mewn crochan mawr, ar y tân coed. Roedd ganddi ryw declyn i sgrwbio'r dillad mwyaf budr, bwrdd sgrwbio roedd yn ei alw. Rhoddai ef mewn padell fawr o ddŵr poeth a'i adael i bwyso ar ei phen-gliniau. Fframin bren oedd iddo a dwy goes, gwydr oedd yn y ffrâm, a rhibiau rhychog ar hyd iddo, a dyna lle byddai yn rhwbio a rhwbio'r dillad arno, ac yna yn eu troi a

throi i wasgu'r dŵr allan ohonynt.

Bob amser ar ôl gorffen golchi, cariai'r dŵr budr a'i arllwys ar y gwely riwbob, byth yn gwastraffu dim. Rhyw ddiwrnod daeth peiriant golchi newydd sbon i Tynygraig, y peiriant newydd cyntaf welais i erioed. *Pioneer* oedd ei fêc e, pedair coes ac olwynion arnynt, a thanc sgwâr i ddal y dŵr a handl ar y top i droi rhywbeth oedd tu mewn i'r tanc i olchi'r dillad a mangl yn codi o'r ochr i wasgu'r dŵr allan a handl arno i'w droi – aeth fy mysedd mewn iddo lawer gwaith. Roedd Mam yn falch iawn o'r peiriant, ac yn dweud na welodd y fath beth erioed er ei bod yn dal i rwbio'r dillad mwyaf budr cyn eu rhoi mewn ynddo. Bob nos Sadwrn byddem yn cael dillad glân i wisgo, 'newidiaeth y plant' oedd hi yn eu galw, a thaflem y dillad budr i fasged anferth yn barod i'w golchi dydd Llun.

Ar ddydd Mawrth fel rheol roedd yn smwddio, os byddai'r dillad wedi sychu. Roeddwn yn hoffi diwrnod smwddio pan oeddwn yn yr ysgol, yn enwedig yn y gaeaf. Pan gyrhaeddwn adref o'r ysgol, byddai anferth o dân gan Mam yn y gegin, a phob man yn gynnes braf. Cadwai ryw hanner dwsin o ddarnau haearn tri chornel i'w rhoi yn y tân, a'u gadael nes byddent yn eirias wyn o boeth, cyn eu codi ar yr efail a'u rhoi mewn yn yr heter smwddio, a rhoi yr un oedd ynddo yn ôl yn y tân i'w ail boethi. Byddai yn starchio coleri 'nhad i gyd cyn eu smwddio nes byddent yn hollol stiff.

Ffermio a Diwedd y Rhyfel

Roedd 'nhad yn arloeswr ar wella tir yn nechrau'r tridegau. Cofiaf yn dda weld cae war tŷ Tynygraig, yn eithin drosto reit lawr i gefn y tŷ. Rwy'n cofio 'nhad a'r gwas yn dechrau tynnu'r eithin, efo bobi gaib tynnu eithin, am wythnosau, ac yna ei hel yn dyrrau a'u llosgi cyn dechrau ei droi efo ceffylau. Troient ef un ffordd ar lled-groes, gan ei fod mor llechweddog ar i lawr, roedd yn haws i'r ceffylau dynnu'r aradr yn ôl yn wag fel hynny. Dim ond oged ceffyl tri darn oedd i gael amser hynny i drin y tir. Ar ôl ei lyfnu am ddiwrnodau, carient galch poeth o'r stesion yn Llandre a'i dynnu i lawr yn dyrrau bach ar hyd iddo, i ddisgwyl i'r glaw ddod i'w lacio, ac yna byddai'r tyrrau bach yn mynd yn dyrrau mawr ar ôl cael digon o ddŵr. Os na ddoi'r glaw byddai rhaid cario dŵr arno ac yna ei chwalu efo rhaw. Bu Sandy Jones, Nantllan, Clarach, yn dechrau troi ar y banc efo tractor diwedd y tridegau, cyn i ni gael tractor. Roedd yna eithin a rhedyn yn uwch na'r tractor yno, ond mae'r hen ddywediad yn ddigon gwir bod 'aur o dan y rhedyn, ac arian o dan yr eithin a newyn o dan y grug'. Cawd cnwd

o rêp yno, roedd yn werth i'w weld a'r ŵyn o'r golwg ynddo wrth ei bori a hynny heb roi unrhyw wrtaith iddo. Nid oedd eisiau dim arno pan yn troi y math yma o dir am y tro cyntaf, roedd y rhedyn wedi pydru arno ar hyd y blynyddoedd yn ddigon. Pan oedd yr ŵyn yn barod i'w lladd, cerddodd 'nhad hwy i Aberystwyth a ches i gerdded o'u blaen. Roeddwn wrth fy modd a phawb oeddem yn cwrdd yn edmygu'r ŵyn.

Roedd y rhyfel newydd ddechrau, a galw mawr am ŵyn tew, yn wahanol iawn i'r cyfnod cyn y rhyfel. Agorwyd canolfan i gasglu'r ŵyn ochr isaf i'r lle mae'r mart heddiw. Ar ôl cyrraedd byddai rhaid disgwyl eich tro i bwyso'r ŵyn. Wedi pwyso, eu rhoi mewn corlan a byddai dau raddiwr yn dod i raddio'r ŵyn, un ffermwr ac un bwtsiwr. Eu gwaith oedd amcangyfrif faint fyddai eu pwysau ar ôl eu lladd, a byddai'r llywodraeth yn talu ar y pwysau hynny. Os byddai ŵyn da gennych, caech hanner y pwysau byw, ond os byddai'r ŵyn ddim yn hollol dew, byddent am dynnu pwys a hanner i ddau bwys dan hanner y pwysau byw a byddai dadlau mawr rhwng y ffermwr a'r ddau raddiwr i geisio eu cael i godi hanner pwys. Cawsom ni yr hanner union am ein ŵyn ni. Roeddent yn pwyso pum deg chwech pwys yn fyw a chawsom ddau ddeg wyth pwys o râdd a chanmoliaeth uchel i'r ŵyn pur Cymreig. Roedd eisiau ŵyn hollol dew amser hynny a digon o fraster arnynt. Roedd pawb yn gweithio'n galed ac angen y braster arnynt. Ar ôl graddio'r ŵyn caent eu cerdded yn ôl fyny'r stryd i'r orsaf rheilffordd i fynd ffwrdd gyda'r trên i'r trefi mawr, cannoedd ar y tro, a hynny bob wythnos.

Troiodd fy nhad ddarn o'r banc bob blwyddyn wedyn nes ei droi ac ail hadu i gyd. Mae'r ddaear mor onest ac yn ymateb bob amser i'r ffordd mae yn cael ei thrin. Gwellodd y defaid yn arw ar ôl gwella'r borfa, aethant yn fwy, a magu gwell ŵyn. Âi fy nhad fyny i Gapel Curig i arwerthiant hyrddod mynydd Cymreig ambell i flwyddyn i gael newid y gwaed. Ei amcan oedd gwella'r ddafad fynydd Gymreig, trwy roi gwell bwyd iddi, a'i gwella trwy fridio. Pigem hanner cant o'r defaid gorau i'r hwrdd newydd. Byddai Enoc a fi yn edrych ymlaen yn arw i gael gweld yr ŵyn bach. Roedd fy nhad wedi dewis hwrdd o deip arbennig, hwrdd fyddai yn gwella gwendidau ein defaid ni. Hoffai hwrdd oedd yn rhoi ei stamp ei hun ar ei epil. Rwyf wedi meddwl llawer am hyn, mor ychydig o'm stamp roes i i'r plant, roedd gennyf wallt coch hyfryd cyn iddo ddechrau gwynnu, ond nid oes gan un o'r plant wallt coch, na'r wyrion. Mae'n rhaid bod genynnau Ann yn gryfach!

Prynai fy nhad ddau fochyn bach bob blwyddyn rhwng calan gaeaf a'r Dolig er mwyn eu pesgi at y tŷ. Caent fwyta popeth, plysg tatw, tatw mân a'r llaeth enwyn oedd dros ben, popeth, nid oedd dim byd yn cael ei wastraffu. Tua mis Medi byddai Mam yn dechrau pesgi'r moch. Byddai yn dechrau berwi tatw mewn pair mawr, digon am wythnos ar y tro, a'u cymysgu â blawd barlys. Bwyd naturiol iddynt, byddent yn pesgi fel gwelech hwynt. Bob tro y doi un o'r cymdogion heibio, byddai Mam yn dweud wrtho cyn âi adre, "Dowch i weld y moch". Roedd balchder gan pob gwraig fferm bob amser o'r moch. Roedd yr hen bobl yn dweud bod pob mis oedd a'r llythyren R ynddo yn yr iaith Saesneg yn ddiogel i halltu mochyn ond dim un arall. Fy nhad fyddai yn lladd y moch tua chalan gaeaf ar ôl i'r tywydd oeri. Ni chai'r moch fwyd am ddiwrnod cyn eu lladd. Byddai 'nhad yn rhoi cortyn yn nhrwyn y mochyn a'i arwain i'r man lle byddai yn ei ladd, roedd yn bwysig fod y mochyn yn gwaedu yn iawn. Mam fyddai yng ngofal berwi dŵr, yn barod erbyn byddai'r mochyn wedi'i ladd. Berwai'r dŵr yn y pair, roedd angen llawer iawn o ddŵr berwedig i sgaldio'r mochyn i gael y blew i ffwrdd i gyd yn lân. Byddai angen o leiaf tri dyn cryf i godi'r mochyn a'i hongian o dan y tô. Yna ei olchi yn lân â dŵr oer cyn ei agor i gael y perfedd allan. Byddai 'nhad yn ofalus iawn i gael gafael yn y bustil rhag ei thorri a'r cynhwysion fynd ar y cig. Gofalai glymu a chadw'r bustil mewn rhywle diogel er mwyn iddo sychu a throi yn eli. Defnyddient yr eli yma bob amser os byddai rhywun wedi cael draenen yn ei gnawd, rhoi paten o'r eli yma ar y ddraenen a'i glymu â chlwtyn dros nos, byddai wedi cael ei thynnu allan erbyn y bore.

Caem ni'r plant y bledren i chwarae, ar ôl ei gwacáu. Chwiliem am welltyn, a chwythem hi fyny a'i chlymu yn dynn lle bod y gwynt yn mynd allan, a'i hongian o dan dô iddi gael sychu dros nos. Dyna lle byddem drannoeth yn chwarae pêl-droed â hi nes y torrai. Ar ôl cael y perfedd i gyd allan gwahanent yr afu a'r weren a'u cadw, yna cadwent y gweddill tan fore trannoeth i oeri a'i roi i'r cŵn. Ni chaent ef yn gynnes rhag ofn yr aent i ladd defaid. Bore trannoeth byddai 'nhad yn torri'r mochyn, torri'r pen i ffwrdd yn gyntaf a mynd ag ef i'r tŷ i'w fanu. Torrai'r bochau i ffwrdd yn gyntaf yn un darn (chicsen oedd Mam yn ei galw) i gael ei halltu efo'r ddau ham a'r ddwy ystlys a'r ddwy goes flaen. Manai weddill y pen yn fân i wneud *brawn*. Dim ond blaen y gynffon a'r ddwy lygad byddai yn cael eu taflu. Torri'r asgwrn cefn wedyn a mynd ag ef i'r tŷ a'i fanu yn ddarnau cyfleus i roi yn y stôf olew – nid oedd dim arall i gael i goginio dim ond y ffwrn wal. Mofyn y ddwy ochr i mewn wedyn, roedd angen dyn cryf iawn i gario ochr gyfan i mewn. Tra roedd yn barod i roi'r ochr ar ei gefn torrai fy nhad y llinyn gar oedd yn dal yr hanner i fyny. Tynnai fy nhad yr asennau yn rhydd wedyn a thorri'r ochr yn dri rhan, coes flaen, ystlys a choes ôl, yna byddai'r rhain yn barod i'w halltu. Manai yr asennau wedyn yn ddarnau cyfleus i'r stôf, ac yna gwneud yr un fath efo'r ochr arall. Nid oedd rhewgell i gael amser hynny, felly nid oedd modd cadw'r cig mân yn ffres dim ond am ryw wythnos.

Beth oeddent yn ei wneud oedd rhannu'r cyfan ymhlith y cymdogion, dim ond cadw digon am wythnos – rhoi darn o'r asgwrn cefn a darn o'r asennau, (asen y frân galwai Mam hwy) i bob un. Roedd pawb yn cadw mochyn amser hynny, ac yn rhoi darn 'run fath yn ôl. Roedd rhywun yn lladd mochyn bob wythnos trwy'r gaeaf, felly nid oedd dim yn mynd yn ofer.

*   *   *

Gorffennodd Enoc yr ysgol Chwefror 1940, a gorffennais innau'r ysgol yn 1941, o'r diwedd. Gwellodd pethau ar fy nhad wedyn, roeddem ni'n dau yn medru troi ein llaw at bob gorchwyl ar y fferm erbyn hyn. Ond dyma pryd y dechreuodd yr ysgol go iawn i ni'n dau – ysgol brofiad. Roedd yn medru bod yn ysgol ddrud iawn, ond buan iawn oedd rhywun yn dysgu fel hynny. Ar ôl i ni'n dau adael yr ysgol, safodd fy nhad lecsiwn i fynd ar y Cyngor Dosbarth, a bu yn llwyddiannus. Bu yn Gynghorwr Dosbarth am flynyddoedd cyn sefyll lecsiwn i fynd ar y Cyngor Sir, a bu yn Gynghorydd Sir tan 1974. Gorffennodd Margaret, fy chwaer yr ysgol yn 1943, a mi wellodd yn arw ar Mam hefyd, medrai hi droi ei llaw at unrhyw orchwyl yn y tŷ a thu allan.

Roedd y merched eraill yn cynorthwyo llawer iawn erbyn hyn, pob un yn gwybod sut oedd trafod rhaca bach. Ni fyddem fawr o dro yn troi cae mawr o wair pan fyddem wrthi i gyd efo'n gilydd. Roeddwn wrth fy modd, ond roedd rhyw awyrgylch digalon yn poeni fy rhieni a'r

Margaret yn pitsho ac yn gollwng traed

'Cawn ddechrau'r flwyddyn a ddaw tan awyr gliriach nag a gawsom i ddechrau'r flwyddyn yr edrydd yr Adroddiad hwn ei hanes. Ond mi garwn roddi rhybudd yma. Rhaid i Eglwys Dduw y blynyddoedd nesaf yma weddïo'n daerach a meddwl yn fwy pwyllog a mwy Cristionogol nag o'r blaen os yw hi i arbed y byd rhag tranc. Y mae rhai na ofnasant erioed o'r blaen yn ofni yn awr am na ellir yn y dyfodol roddi gwyr ifanc rhyngom ag angau. Ein gwaddol ni o'r blaen pes gwyddem oedd bod bywyd yn gysegredig gan y Creawdwr. Gorau po gyntaf inni gredu ac edifarhau cyn ein difetha oll. Daw ein cyfeillion ieuainc, fechgyn a merched, adref atom o un i un, a llawen ydym am eu harbed. Talwn ein dyled iddynt trwy ymegnio yn ysbryd yr Arglwydd na ddanfonwn y genhedlaeth nesaf i'r ffwrn a fydd yn saith waith boethach. Ein cyfarchion i chwi, ieuenctid yr Eglwys, ac yn wir i blant y pentref oll, Ionawr 23ain 1946.'

Pan oeddem yn ddwy ar bymtheg oed gorfu i fi fynd i gael prawf gyrru. Petawn wedi fy ngeni flwyddyn ynghynt ni fyddai raid i fi gael un, ni chafodd Enoc brawf. Deric Maesmawr, ddaeth gen i fel gyrrwr profiadol lawr i Lambed. Methais y prawf a finnau yn meddwl fy mod yn medru gyrru yn iawn adre. Cefais wersi wedyn gan Jac yr A.A. Taliesin, a cheisio eto, ym Machynlleth, tro yma bûm yn llwyddiannus.

Bu'r Parch. Fred Jones farw yn y flwyddyn 1948, tra yn para i fod yn weinidog arnom, a mawr fu ein colled. Rwy'n meddwl mai'r Prifathro Dewi Eurig Davies ddywedodd ryw fore

gymdeithas i gyd. Roedd y rhyfel yn dal o hyd, a newyddion drwg yn dod ar y radio bob dydd, ac felly bu hi tan 1945. Daeth y newyddion da ryw ddiwrnod, bod y rhyfel wedi gorffen. Bu llawenydd mawr, a llawer iawn o ddathlu, a chroesawu'r bechgyn a'r merched fu'n ymladd yn ôl, ond yng nghanol y dathlu, roedd yna dristwch a hiraeth am y rhai a gollodd eu bywyd ar faes y gad. Dyma ran o anerchiad y Parch. Fred Jones ein gweinidog yn adroddiad Bethel am y flwyddyn 1945:

Sul yn ei bregeth, ychydig cyn y refferendwm ar gyfer y Cynulliad i Gymru, bod "rhaid bod yn Gristion da cyn gellir bod yn genedlaetholwr da, heb hynny mae cenedlaetholdeb yn gallu bod yn beth hyll iawn". Bu'r Parch. Fred Jones yn Gristion da ac yn genedlaetholwr da, bu'n cynrychioli trigolion plwyf Ceulan a Maesmawr ar y Cyngor Sir am flynyddoedd maith, cyn fy nhad, mewn amser pan oedd llawer yn dirmygu Cenedlaetholwyr.

* * *

Yn y flwyddyn 1947, a'r blaid Lafur mewn grym yn Llundain, daeth Tom Williams, y gweinidog amaeth ar y pryd, â chynllun allan i roi pris gwarantedig ar gig oen, er mwyn cadw'r pris i lawr i wraig y tŷ, a rhoi gwell pris i'r amaethwr am ei gynnyrch. Roedd yn gynllun ardderchog ar y pryd a mi wellodd pethau yn arw i'r amaethwr a gwraig y tŷ. Ond o edrych yn ôl, dyma'r peth gwaethaf ddigwyddodd i amaethyddiaeth erioed. Dyna beth oedd dechreuad y sefyllfa wallgof mae amaethyddiaeth ynddi heddi. Nid oedd yr un amaethwr eisiau cardod. Petai gwraig y tŷ wedi medru rhoi ychydig yn fwy am fwyd amser hynny, rwy'n siŵr y byddai sefyllfa amaethyddol lawer iawn iachach heddi. Ffordd o fyw oedd amaethyddiaeth amser hynny a phawb yn hapus yn cydweithio gyda natur.

Yr un amser daeth y llywodraeth â chynllun allan i roi grantiau i wella tai ffermydd, beudai a siediau, i roi dŵr yn y tŷ a rhoi ystafell ymolchi a charthffosiaeth i mewn. Cynllun ardderchog, gwnaeth fy nhad gynllun yn syth. Torrodd Enoc a fi dranch gyda phicas a rhaw o ddrws y tŷ fyny i Pantymoelyn rhyw ddau canllath o hyd a dwy droedfedd o ddyfnder, lle'r oedd ffynnon hyfryd yn tarddu o'r mynydd a byth yn sychu. Torrom dranch o'r tŷ i'r berllan ar gyfer y carthffosiaeth, a gwneud twll anferth, saith troedfedd o ddyfnder a chwe throedfedd o led, mewn cylch. Cariom gerrig, y rhai roeddem wedi'u codi ar hyd y blynyddoedd wrth aredig, a dechrau gwneud wal sych o amgylch y twll. Roeddem ein dau wedi arfer codi wal gerrig erbyn hyn ac yn mwynhau'r gwaith yn fawr. Os cwympai bwlch yn y wal gerrig ar y banc, byddem yn ei ail godi yn syth. Cawsom hwyl ar godi'r wal o amgylch y twll, a roedd yn edrych yn reit dda pan orffennom. Roeddem yn ei gwneud yn wal sych er mwyn i'r dŵr allu suddo drwyddi i'r ddaear. Gorchuddiom yr wyneb gyda slab goncret a gadael twll yn y canol, i roi caead, a rhowd y dyddiad, gyda'r drowel, ar y caead – 1949. Ni agorodd neb y caead tan 1998, pryd agorwyd hi, o ran chwilfrydedd yn fwy na dim. Roedd bron yn llawn, a daeth bechgyn Alun Eisteddfa Gurig i'w gwacáu gyda'r lori. Cafwyd Aga newydd sbon yn gweithio gyda thân glo i boethi'r dŵr. Dyma i chi beth oedd newid i'r gwell. Ni fu raid i Mam i ferwi dŵr i ni gael ymolchi mewn padell fawr byth wedyn. Dim ond troi'r tap dŵr poeth ymlaen, ni fuom erioed mor lân am rai wythnosau. Nid oedd eisiau tân i ferwi'r dŵr i gael te, roedd y tegell yn berwi mewn chwinciad ar yr Aga. Ni fu raid i

Mam a 'Nhad

Mam gael gwared ar y cynhwysion o dan y gwlâu bob bore, er ei bod wedi cymryd rai wythnosau i ddod yn gyfarwydd â mynd i'r toiled yn y tywyllwch – nid oedd trydan i'w gael. Gwellodd pethau yn arw ar bawb erbyn y 50au, roedd dŵr o flaen y gwartheg a llawr concret ar y beudai, yn eu gwneud yn hwylus iawn i garthu. Roedd yr hen feudai mor anwastad a'r sedrem fanlle'r oedd y gwartheg yn domi yn dyllau i gyd.

Yn sydyn rhyw ddiwrnod daeth sôn bod un o ffermwyr yr ardal wedi bod yn gweithio ar y Sul, wedi bod yn rhoi llawr concret ar y sied gneifio ar y mynydd. Bu cryn syndod, a siarad am hyn yn yr ardal am wythnosau. Dyma'r tro cyntaf i neb glywed am y fath beth yn digwydd ar y Sul. Nid oedd pawb yn mynd i'r capel, ond ni fyddai neb yn meddwl gweithio, dim ond gwneud beth oedd raid ar y Sul. Parchai pawb y Saboth, dydd i orffwyso ydoedd. Roedd cadw at y deg gorchymyn yn bwysig iawn i bawb: 'Cofia'r Dydd Saboth, i'w gadw'n gysegredig, chwe diwrnod yr wyt i weithio a gwneud dy holl waith, ond mae'r seithfed dydd yn Saboth yr Arglwydd dy Dduw, na wna ddim gwaith y dydd hwnnw, ti na'th fab na'th ferch, na'th wâs na'th forwyn, na'th anifail, na'r estron sydd o fewn dy byrth, oherwydd mewn chwe diwrnod y gwnaeth yr Arglwydd y nefoedd a'r ddaear, y môr a'r cyfan sydd ynddo, ac ar y seithfed dydd fe orffwysodd. Am hynny, bendithiodd yr Arglwydd y dydd Saboth a'i gysegru.'

Digwyddodd rhywbeth rhyfedd i'r gymdeithas ar ôl y rhyfel, fel oedd pethau'n gwella ar bawb, dechreuodd rhai gilio o'r oedfaon ar y Sul, yn ara bach yn y dechrau ond gwaethygu'n gyflym fel oedd y blynyddoedd yn mynd. Newidiodd yr angen am fywyd ysbrydol i fywyd materol iawn. Roedd gofalu am yr enaid mor bwysig cyn y rhyfel, os byddai unrhyw un o'r aelodau yn absennol ar y Sul byddai un o'r diaconiaid yn siŵr o alw yn ystod yr wythnos, i weld beth oedd yn bod. Dyna pam mae diaconiaid yn codi i ganu a throi i wynebu'r gynulleidfa fel eu bod yn gallu gweld os bydde rhywun yn absennol yn ei ddosbarth e, roedd un yn gofalu am ran o'r eisteddleoedd trwy'r capel. Ac os byddai yn absennol am ddau Sul yn olynol, byddai'r gweinidog yn galw.

*   *   *

Aeth Ieuan Maesglas, Dei Ty-Hen a fi i Lundain am wythnos un calan gaeaf, ar ôl i'r rhyfel orffen, ar y trên am y tro cyntaf. Cawsom siom, welsom ni ddim byd oedd â llawer o ddiddordeb i ni. Sefyll gyda Chymry ger Paddington, gwely a brecwast. Cerdded lawr Oxford Street drannoeth, welsom ni erioed y fath draffig a phob un yn mynd fel cath i gythrel, ac yn beryg bywyd i geisio croesi'r ffordd. Erbyn amser cinio dechreuodd ein coesau i wynio, ac erbyn amser te roedd ein hysgwyddau a phob aelod o'r corff yn brifo'n arw, ni fedrem gerdded dim, er chwilio yn y siopau mawr am rywle i eistedd lawr, nid oedd un cadair yn unman i gael hoe. Roedd yna staerau symudol yn mynd o un llawr i'r llall, nid oeddem wedi

O'r chwith: Ieuan Maesglas, Dei Tŷ Hen a fi

gweld eu tebyg erioed o'r blaen. Dyna lle buom ni'n tri yn mynd fyny ac i lawr rheini am hanner awr i leddfu'r boen. O, roedd yn deimlad hyfryd gweld eich hun yn symud, heb orfod cerdded.

Aed yn ôl i'r llety yn gynnar wedi blino'n lân, a chodi drannoeth yn stiff fel procer. Roedd yn bwrw glaw yn drwm. Penderfynom fynd lawr dan y ddaear i weld y trenau. Talom geiniog yr un am docyn i fynd lawr. Cawsom agoriad llygad i weld y

fath le, roedd yn union fel waryn cwningod, ond ar raddfa fwy o lawer. Ni'n tri yn meddwl pwy oedd wedi bod yn ceibo i wneud y fath dwnelu. Mentrom ar y trên, heb unman arbennig i fynd, roeddynt yn mynd yn esmwyth iawn a dim eisiau cerdded dim. Penderfynom aros ar y trên i gael gweld lle'r oedd yn mynd, roedd yn dod allan i'r wyneb weithiau, yn union fel llwynog yn bowltio o dwll pan oedd daeargi ar ei ôl, ac yn ôl dan y

Gwynne Royle a fi yn cneifio

ddaear wedyn, weithiau byddai yn mynd allan i'r wlad. Dechreuom ddeall y mapiau oedd ar ochr y trên, a pha stesion oedd yn dod nesaf.

Cyrhaeddodd pen draw'r map toc, ac yn syth ar ôl cyrraedd dechreuodd yn ôl yr un ffordd. Arhosom arni i gael gweld y pen arall a dod yn ôl i'r man aethom i mewn iddi yn Paddington. Roeddem wedi dod i'w ddeall erbyn hyn. Penderfynom ni i fynd ar liw arall wedyn a gwneud yr un fath gyda honno. Buom ar y lliwiau i gyd, ac ymhob gorsaf danddaearol oedd yn Llundain. Daethom i ddeall y ffordd i fynd ar draws Llundain yn iawn y diwrnod hwnnw. A rwy'n siŵr y medrwn fynd i rywle yn Llundain heddiw dim ond i fi gael gwybod ble i ddod allan. Mwynhawyd y diwrnod hwnnw yn fawr iawn, a dim gwaeth, wedi cael ein cario trwy'r dydd. Dim ond ceiniog oeddem wedi'i dalu am docyn yn y bore, ofynnodd neb i ni am weld honno. Penderfynom fynd allan mewn lle arall, rhag ofn byddai'r sawl werthodd y tocyn yn ein hadnabod. Nid 'wyn meddwl y byddai yn ein adnabod, roedd gymaint o bobl yno, gwelais filoedd ar filoedd o bobl y diwrnod hwnnw a phawb yn rhedeg yr un fath â 'tai dim fory i'w gael. Arhosom am ddau ddiwrnod arall cyn penderfynu dod adref, roedd yn lladdfa, os cerddem am awr roedd y boen yn annioddefol a byddai'n raid i ni chwilio am le i eistedd i lawr; ac i feddwl ein bod ni'n tri wedi arfer cerdded trwy'r dydd a thrwy'r wythnos pan yn dilyn y ceffylau i lyfnu neu i hau llafur gyda llaw. Doedd cerdded tir coch yn effeithio dim arnom, ond roedd awr o gerdded palmentydd

Llundain yn ormod. Nid oedd Llundain yn le i ni.

Ymunodd Gwyn Royle a fi â chlwb ffermwyr ieuainc Taliesin ac Eglwysfach. Roedd Gwyn dri diwrnod yn hŷn na fi ac yn gyfaill mawr. Roeddynt eisiau dau i gneifio yn y rali. Roedd Gwyn a fi wedi meistroli'r gamp erbyn hyn, a ni'n dau wedi ennill y dosbarth i rai oedd heb ennill o'r blaen yn Sioe Tal-y-bont, ac yn gorfod cystadlu yn nosbarth y pencampwyr erbyn hyn. Roedd eisiau dau gneifiwr go dda i'n curo ni amser hynny, er mai fi sy'n dweud. Cynhaliwyd mabolgampau gan y clwb unwaith y flwyddyn ar gae Dolclettwr. Uchafbwynt y mabolgampau oedd ras merlod ar y diwedd. Bûm draw yn cymryd rhan ar gefn y ferlen – Iona Melindwr ar gefn merlen wen, Billy Trerddol ar gefn cobyn, nid wy'n cofio os oedd rhywun arall – a dim yn cofio pwy enillodd, ond roedd yr hwyl gawsom yn ddigon o donic i bara am wythnos. Roedd yn amser hyfryd amser hynny a dim gofid o gwbwl.

Roedd Enoc a fi yn gweithio'n galed yn ystod y dydd, ac yn mwynhau ein hunain yn fawr iawn. Roedd yn bleser cael gweld ôl ein llafur, gweld y gwrychoedd yn tyfu yn y gwanwyn ar ôl i ni eu plygu. Gweld clawdd cerrig yn gyfan ar ôl i ni godi'r bylchau. Gweld ŵyn bach yn prancio yn y cae oeddem wedi'i ail hadu y flwyddyn cynt a digon o borfa gan eu mamau. Gweld cilcyn da o ogor yn sbâr ar ôl i'r gwartheg fynd allan. Roedd fy nhad yn dweud bod cilcyn o wair yn sbâr yn y gwanwyn yn well nag arian yn y banc, rwy'n sylweddoli erbyn heddi beth oedd e'n i feddwl. Gweld cae o staciau yn sychu yn yr haul. Gweld y cae tatw a'r sweds a'r mangls yn edrych mor fendigedig. Os oeddem ni wedi gweithio yn galed i gadw'r chwyn i lawr, roedd natur wedi gweithio'n galed hefyd i roi y fath gnwd. Cael llo bach ymhen naw mis ar ôl i ni fynd ar fuwch at y tarw. Cael ŵyn bach ymhen pum mis ar ôl i ni ollwng yr hyrddod at y defaid, mor ychydig oeddem ni yn ei wneud i'w gymharu â beth oedd natur yn ei wneud, ni fethodd erioed.

Mae rhai pobl yn credu mewn lwc, a bod tri ar ddeg yn anlwcus. Ond pan fyddai Mam yn rhoi iâr i ori doedd lwc ddim ar ei meddwl roedd yn ymddiried ym myd natur. Rhoddai tri ar ddeg o wyau dan yr iâr i ori bob amser, a gofalu y byddai'r cywion bach yn dod lawr ymhen tair wythnos pan oedd y lleuad ar ei chryfder. Ac os byddai yn rhoi wyau hwyaid o dan yr iâr gofalai na fyddai'r hwyaid bach yn dod i lawr ym mis Mehefin. Roedd diffyg ar draed hwyaid mis Mehefin. Roedd yr hen bobl wedi astudio deddfau natur, ac yn eu parchu bob amser. Roedd yn bleser gennym gael cydweithio gyda natur. Os oedd y gwanwyn yn hir yn dod weithiau, ac ambell i haf yn wlyb, ni fethodd natur erioed, roedd popeth yn iawn erbyn diwedd y flwyddyn.

*   *   *

Roedd rhywbeth yn cael ei gynnal yn yr ardal bron bob nos amser hynny. Yn y gaeaf byddem yn cerdded iddynt, o hen gapel Tre'r-ddôl i Rhydypennau i Bont-goch. Roedd rhywbeth yn cael ei gynnal ym Methel yn aml iawn, a byddai

rhaid mynd lawr i gael practis am wythnosau, practis drama neu bractis cyngerdd neu bractis ar gyfer yr eisteddfodau. Roedd tair eisteddfod yn y pentref yr adeg hynny, un gyda Bethel, un gyda'r Bedyddwyr ac un gyda'r Methodistiaid. Roedd tair cymdeithas ddiwylliadol yn y pentref, un gyda phob enwad, yn cael eu cynnal ar wahanol noson yn yr wythnos bob pythefnos, felly roeddem yn eu mynychu bob un, ac os byddent yn gorffen yn weddol gynnar, aem i'r Neuadd Goffa i gael gêm o biliards wedyn, cyn mynd adref. Roeddwn yng Nghymdeithas Ddiwylliadol Nasareth ryw noson a'r Athro Jones Pierce yn rhoi darlith i ni, Gwyn Royle oedd y Cadeirydd. Pan ddaeth yn amser cychwyn cododd Gwyn ar ei draed a dweud, "Mi ganwn ni Calon Lân tra bydd e 'ma yn hela'i dwls at ei gilydd". Roedd Gwyn yn fachgen gwreiddiol iawn a bob amser yn dweud beth oedd ar ei feddwl.

Bob nos Sadwrn byddem yn mynd lawr i'r Neuadd Goffa i chwarae biliards ac i gwrdd â'n cyfeillion a chael hwyl fawr yn pryfocio'n gilydd. Nid oedd merched yn mynychu'r lle. Gofalem ein bod yn mynd lawr i waelod y pentref erbyn deg yn yr haf ac eistedd ar wal y Bont Fach. Bont Fach oedd y bont dros afon Ceulan a Bont Fawr oedd y bont dros afon Leri. Deg o'r gloch oedd amser *stop tap*, a byddai'r mynychwyr yn dod allan efo'i gilydd. Bron bob nos Sadwrn byddai ffeit, dwy weithiau, a dyma lle byddem ni yn eu gwylio, a llawer o drigolion y pentref yn digwydd mynd heibio ar y pryd. Rwy'n siŵr eu bod yn mynd am dro, ac amseru yr amser fel eu bod heb fod ymhell o Batchyn Glas amser stop tap. Byddai yna glatsio o ddifri, yn enwedig os byddai dau dda wrthi. Doedd dim yn well am dynnu tyrfa at ei gilydd na ffeit rhwng dau ddyn meddw ar nos Sadwrn yn yr haf. Ar ôl bod wrthi am dipyn ac wedi tynnu llawer o waed ei gilydd, byddent yn dechrau sobri ac yn arafu, mi ddoi'r cyfan i ben yn sydyn, a rhan amla mi âi'r ddau adre yn ffrindiau eto.

Canol y pumdegau cafwyd trydan yn Tynygraig, am y tro cyntaf – dyna beth oedd gwahaniaeth. Daeth cyfnod y lampau i ben yn sydyn, roeddent wedi'n gwasanaethu yn dda ar hyd yr amser yn enwedig y lamp stabal. Roedd rhywbeth yn hyfryd bod yn y stabal ar noson oer yn y gaeaf, a'r drws ar gau, yn gwrando ar y ceffylau yn bwyta, a hynny yng ngolau'r lamp stabal, ond cafodd hi ddim llawer o barch ar ôl i'r trydan ddod. Prynom beiriant cneifio trydan, nid oedd llawer o sôn amdanynt cyn hyn. Mae hi gyda ni o hyd ac yn dal i weithio'n iawn. Talwyd tri deg dwy o bunnoedd amdani, un deg chwe punt am y pen, ac un deg chwe punt am y peiriant. Nid oeddwn wedi gweld un o'r blaen, a dim syniad sut i'w ddefnyddio. Doedd neb ar gael oedd yn medru dangos sut oedd cneifio â pheiriant. Prynodd Mam lyfr Saesneg *Wool away* gan Godfrey Bowen. Dyma'r unig lyfr i fi ei astudio yn drwyadl erioed. Roedd yn llyfr ardderchog i ddysgu rhywun i gneifio, roedd yn dangos pob ergyd oedd eisiau i gneifio dafad. Bûm yn cneifio dafad ar yn ail ag astudio'r llyfr am gryn amser, cyn dod i gneifio dafad yn weddol. Roeddwn yn methu anghofio y dull o gneifio â gwellau, roedd y ddafad yn codi o

hyd. Roeddwn yn awyddus iawn i ddysgu, bûm yn dod â hanner dwsin o ddefaid mewn bob nos am rai wythnosau ar ôl gorffen gwaith y dydd, i gael ymarfer.

Ymhen amser teimlwn fy mod yn dechrau dod i mewn iddi. Roedd yn gwella bob tro yr edrychem yn y llyfr, roedd yr awdur yn gwybod sut i ddysgu rhywun i gneifio yn ei ddull ef ei hun. Doedd dim rhyfedd ei fod wedi bod yn bencampwr y byd. Yn y diwedd deuthum i gneifio yn bur dda, ac yn awyddus i gael mynd â'r peiriant i wahanol ffermydd i gneifio.

O'r fath siom gefais, doedd neb yn fodlon i fi fynd â'r peiriant gyda mi, dim ond y gwellau, roeddynt yn ofni na fyddai neb yn cneifio, dim ond edrych arna i. Mewn dwy flynedd cefais fynd i Berthlwyd i gneifio gyda pheiriant am y tro cyntaf erioed. Cefais fynd i gneifio'r ŵyn. Do, bu pawb yn fy ngwylio am yr hanner awr cyntaf, ond buan iawn aeth popeth ymlaen fel arfer wedyn. Ym mis Awst roedd Ifan Owen yn dweud wrtha i pa mor dda oedd yr ŵyn yn edrych diwrnod dipio, bod hi'n ddigon hawdd gweld pa rai oedd wedi cael eu cneifio gyda'r peiriant, cododd hyn fy nghalon. Buan iawn cefais fynd â'r peiriant i bob man.

Ymhen ychydig flynyddoedd daeth Dewi Richards lawr o'r gogledd, yn was i'r Winllan, ac i fyw yng Ngherrig Mawr. Prynodd Yncl Enoc beiriant cneifio iddo yntau gael dysgu cneifio. Buan iawn y dysgodd yntau, trwy yr un llyfr. Buom ein dau yn cneifio â pheiriant am rai blynyddoedd fanlle oedd trydan, tra roedd pawb arall yn cneifio â gwellau. Roeddem wedi dod i

Fi yn ymarfer cneifio

hen ffordd o gneifio yn fuan iawn wedyn, nid oedd eisiau chwarter y dynion efo'r peiriannau. Collwyd ryw gymdeithas glos iawn amser hynny, aeth pawb i ddechrau mynd yn fwy annibynnol o hynny allan.

Yn 1951 daeth y Parch. Morlais Jones B.A. yn weinidog i Fethel. Gŵr oedd yn debyg iawn i'r syniad oedd gen i o'r fath ddyn oedd Iesu Grist. Roedd y Parch. W J Gruffydd yn weinidog gyda'r Bedyddwyr yr un adeg. Bu'r gymdogaeth yn ffodus iawn i'w cael yr adeg hynny, yn enwedig yr ifanc. Yr oedd y ddwy eglwys yn eglwysi byw yr adeg hynny, er bod mwy a mwy yn meddwl nad oedd angen moddion gras arnynt mwy. Roedd y ddau yn gyfeillion mawr, Parch. Morlais Jones aeth gyda Parch. W. J. i Eisteddfod Genedlaethol 1955 pan enillodd y goron am yr awdl 'Ffenestri', dan y ffug enw Idrac, (Cardi o chwith). Roedd capel y Bedyddwyr a chapel yr Annibynwyr drws nesaf i'w gilydd a dim ond rhyw wyth llath rhyngddynt. Yn yr haf, a ffenestri y ddau gapel ar agor, a W.J. yn mynd i hwyl gallem glywed pob gair oedd e'n i ddweud ym Methel, ac os digwyddai iddynt fod yn canu pan oedd y Parch. Morlais Jones yn gweddïo, roeddent yn ei foddi. Roeddwn yn methu deall pam oedd eisiau dau gapel mor agos, a dau o bregethwyr gorau Cymru yn pregethu am yr un newyddion da bob dydd Sul.

Roedd digon o le i ni i gyd mewn un capel erbyn hyn. Rwy'n siŵr nad oedd Iesu Grist wedi bwriadu i ni addoli ar wahân fel hyn pan sefydlodd Ei Eglwys, ar ôl i Pedr gyffesu mae Ef oedd y Meseia, mab y Duw Byw. Rwy'n siŵr bod ein

gneifio yn bur dda ar ôl cael rhai diwrnodau o ymarfer, a dim un yn fodlon bod y llall yn gorffen dafad ynghynt nag ef. Weithiau byddai un yn cyflymu os cai ddafad hwylus, a dyna lle byddem wedyn yn cneifio ar ladd ein hunain yn chwys snobs, nes byddai un yn callio a chymryd hoe.

Pan oeddem ein dau yn ein preim, medrem droi llawer o ddefaid trwy ein dwylo, a gwneud y rhai oedd yn cneifio â gwellau yn araf iawn. Buan iawn y cynyddodd y peiriannau wedyn, a llawer iawn mwy o sŵn efo'r peiriannau petrol – nid oedd trydan ar y mynyddoedd. Gorffennodd yr

Capel Tabernacl ar y chwith, a chapel Bethel ar y dde

tadau dair canrif a hanner yn ôl wedi meddwl llawer iawn cyn ymneilltuo o Eglwys Lloegr, ond efallai y dylent fod wedi aros, a cheisio ei glanhau oddi mewn os oedd eisiau yn hytrach na chreu yr holl enwadau fel sydd gennym heddiw. Rydym wedi cael ein gadael mewn sefyllfa anodd, a ddim yn gwybod sut i ddod allan ohoni.

Cynhaliai'r Bedyddwyr eu cyfarfodydd pregethu blynyddol nos Iau a Dydd Gwener y Groglith. Byddai dau o hoelion wyth y Bedyddwyr yn pregethu nos Iau, un yn pregethu bore Gwener y Groglith a'r llall y prynhawn, a'r ddau wrthi yn yr hwyr, a'r capel yn llawn.

Y bechgyn a minnau yn rhoi'r garreg, a oedd ar ochr capel Tabor, i ddynodi'r man lle bu.

Cynhelid Cymanfa Bwnc ym Methel, Sul y Pasg, lle byddai'r ysgolion Sul yn cael eu holi – Ysgol Sul Bethel, Bethania, Penlefel, Soar, Pensarn, Seion, Ceulan, Bethesda, Tynant a Tabor y mynydd. Nid wyf yn cofio aelodau Tabor yn dod lawr, roedd wedi cau ar ôl i'r gweithfeydd mwyn gau. Prynodd Syr Alfred McAlpine gapel Tabor, pan oedd yn adeiladu cronfa Nant-y-moch, er mwyn cael y cerrig i adeiladu'r pontydd dros y nentydd sydd rhwng capel Tabor a Phonterwyd.

Roedd pregethwr dieithr yn cael ei wadd i holi'r pwnc, E J Owen Caernarfon yn aml iawn, un o blant yr Eglwys. Nos Fawrth a dydd Mercher canlynol cynhaliai'r Annibynwyr eu cyrddau pregethu blynyddol, pryd y gwahoddent ddau o hoelion wyth yr Annibynwyr i bregethu, fel y gwnai'r Bedyddwyr. Dyna i chi beth oedd dos o foddion gras efo'i gilydd. Gormod braidd, pan oeddem yn blant. Ond byddai Bethel yn llawn y blynyddoedd cyntaf, rwy'n cofio.

Priodi a Bywyd wedi'r Rhyfel

Yn 1954 sefydlwyd Clwb Ffermwyr Ieuanc Tal-y-bont a'r cylch, roedd Clwb Taliesin a Eglwysfach wedi cau rai blynyddoedd ynghynt. Tomos y Troi oedd yn gyfrifol am ei ddechrau. Gofynnodd i Mr Ithel Jones, yr ysgolfeistr ei gynorthwyo i'w sefydlu. Gwahoddwyd ieuenctid yr ardal i gyfarfod yng ngwaelod y Neuadd Goffa ryw noson yn yr haf. Daeth tyrfa dda ynghyd – dros hanner cant o fechgyn, ond y syndod oedd dim ond ychydig iawn o ferched oedd yno. Ithel Jones gadeiriodd y cyfarfod cyntaf hwnnw. Dewiswyd swyddogion a thynnwyd rhaglen faith ar gyfer y gaeaf canlynol gyda brwdfrydedd mawr. Hoffais fynd i'r Clwb yn fawr iawn a dysgais lawer iawn yno. Cawsom arbenigwyr i ddarlithio i ni mewn gwahanol feysydd mewn amaethyddiaeth, nid oeddwn i wedi cael yr un wers mewn amaethyddiaeth erioed o'r blaen, dim ond gymaint â ddysgais gan fy nhad, a dysgu o'r camgymeriadau roeddwn yn eu gwneud. Cymerodd y clwb ran ymhob cystadleuaeth oedd yn y Sir yn gyson a dod i'r brig ymhob un yn eu tro – Y Rali, eisteddfod, drama, siarad cyhoeddus a phob un arall.

Tîm siarad cyhoeddus clwb Tal-y-bont yn ennill y cwpan.
O'r chwith, rhes ôl: Fi, John Brysgaga, Wyn y Siop
Yn eistedd: Marian Hughes ac Elizabeth Royle

Tanyrallt.

CLWB FFERMWYR IEUAINC TALYBONT

RHAGLEN GAEAF 1954-1955

SWYDDOGION

Llywydd : Tom Jones, Ysw., Llwynawel.

Arweinydd : D. J. Thomas, Ysw., Tremfor.

Cadeirydd : John Rees, Ysw., Brysgaga.

Is-Gadeirydd : Gwilym Jenkins, Ysw., Tyngraig.

Trysorydd : Ieuan Evans, Ysw., Tynant.

Gohebydd y Wasg : Miss Margaret Jenkins, Tyngraig.

Ysgrifenyddion : Miss Elizabeth Royle, Felinfach, Talybont, a Handel Morgan, Ysw., Moelgolomen.

___

Tocyn Aelodaeth : 2/-.

Mynediad i mewn trwy docyn yn unig.

Mawrth 7.—Noson o Gwestiynnau.

Clwb Tregaron v. Talybont.
Tîm : Nesta Evans, Gwynne Royle, Elizabeth Royle, Kenneth Evans, Vernon Jones, Gwilym Jenkins.
Holwr: Mr. Iorwerth Jones, Bow Street.
Cadeirydd : Willie Evans.

Mawrth 14.—Noson gyda'r " Recorder."

Mr. Ithel Jones.
Cadeirydd : Humphrey Roberts, Erglodd.

Mawrth 21.—Ffug Etholiad.

Ymgeiswyr : Vernon Jones, A.S., Johnny Morgan, Bryn Edwards, David Lloyd Davies, Ieuan Evans.
Cadeirydd : David Jones, Tyhen.

Mawrth 28.—Darlith—Mr. J. R. Jones, Talybont.
Cadeirydd : David Elwyn Griffiths.

Ebrill 4.—Dewis rhaglen y tymor canlynol.

Cambrian News (Aberystwyth), Cyf.

1954

Hydref 4.—Cyfarfod Cyffredinol.

Hydref 18.—Darlith—Mr. D. J. Thomas, Talybont.
Cadeirydd: Mr. Henry Davies, Rhydtir.

Hydref 25.—Dwy Ddadl—

Clwb Llanddeiniol v. Talybont.
Siaradwyr : Geraint Jones, Kenneth Evans, Vernon Jones, Margaret Jenkins.
Cadeirydd : Mr. Gwynne Royle.

Tachwedd 1.—Darlith gan Mr. Richard Phillips, M.Sc., Aberystwyth.
Cadeirydd : Mr. Handel Morgan.

Tachwedd 8.—Seiat Holi.

Mri. T. Jones, Llwynawel, J. James, Caerdova, J. Morgan, Maesnewydd, I. Morgan, Glanfrêd.
Holwr : Mr. Ithel Jones, B.A.

Tachwedd 24.—Gyrfa Chwist.

Rhagfyr 6.—Darllen Papurau—

Wynne Thomas, Willie Evans, Harri Jones, Trefor Jones, David Jenkins.
Cadeirydd : Mr. Ieuan Evans, Tynant.

Rhagfyr 13.—Noson o Recordiau yng ngofal Mr. Aelwyn Jones, Llangwyryfon.
Cadeirydd : Mr. Ieuan Evans, Bwthyn-y-Fron.

Rhagfyr 20.—Sosial yng ngofal y bechgyn.

1955.

Ionawr 10.—Dwy Ddadl—

(1) John Thomas, Cynfelin Edwards, Arwel Owen, Gwyn Jones.
(2) Daniel Thomas, John James, David James, David Davies.
Cadeirydd : David Davies, Troedrhiwfedwen.

Ionawr 17.—Darlith—Mr. L. E. Hughes, M.R.C.V.S., Bow Street.
Cadeirydd : Miss Judith Williams.

Ionawr 24.—Ffilmiau gan Fisson, Ltd.,
Cadeirydd : John Rees, Brysgaga.

Ionawr 31.—Noson Amrywiaethol yng ngofal y Parch. W. J. Gruffydd.
Cadeirydd : Miss Nesta Evans.

Chwefror 7.—Darlith—Mr. Llew Phillips, B.Sc., Aberystwyth.
Cadeirydd : Vernon Davies, Dolgau.

Chwefror 14.—Cyngerdd yn y Neuadd Goffa.

Chwefror 21.—Darlith—Mr. Edryd Jones, Trawscoed.
Cadeirydd : Miss Gwyneth Owen.

Chwefror 28.—Ffilmiau—Mr. Egryn Jones, Aberystwyth
Cadeirydd : Mr. Tecwyn Thomas, Cwmglo.

Cawsom hwyl, peidiwch â sôn, roedd hwyl wrth wneud popeth. Mynd lawr i Pontgarreg i gystadlu yn y gystadleuaeth ddrama, cael mynd lawr efo Ieu Cwmcae mewn anferth o gar Americanaidd yr olwg. Er mor fawr oedd y car nid oedd ddigon mawr y noson honno, roeddem yn fwy na'i lond, ac yn hwyr cychwyn fel arfer, a Ieu yn trafaelu, roedd Ieu yn hoffi digon o bŵer. Pan yn mynd ar wastadeddau Llanon, dyma Hywel Bryngwyncanol yn dweud, "Bois bach mae'r pyst teleffon i weld 'run fath â throwsus rib".

Gwyn Royle gafodd ei ddewis yn y gystadleuaeth gwneud polion yn y rali a Ieuan Tynant yn ei gynorthwyo. Buont yn ymarfer am wythnosau a cherdded milltiroedd i chwilio am bren addas erbyn diwrnod y rali. Y gystadleuaeth oedd hollti boncyff derw yn bump rhan cyfartal i wneud polion a naddu tri yn barod i ffensio. Roedd yn weddol hawdd hollti boncyff yn bedwar, ond ddim mor hawdd ei hollti yn bump. Penderfynon ar goeden yng ngwaelod Cae Du, Penpompren Uchaf, coeden lân a dim cainc ynddi. Roeddent wedi cael caniatâd gan Yncl Defi i gwympo unrhyw goeden oedden nhw am – bu'r clwb yn ddyledus iawn i bobl y pentref a'r ardal am bob cefnogaeth a help i'n dysgu mewn gwahanol gystadlaethau yr adeg hynny. Roeddem yn mynd lawr mewn bws i waelod y sir. Llwytho'r boncyff i mewn i gefn y bws, gymaint â allai dau ei godi, a Gwyn yn rhoi y cynion a'r ordd i mewn, a'r bwyeill, tair neu bedair gwahanol bwysau a'r rheini wedi'i hogi yn berffaith, gallech siafio ar bob un, ac wedi clymu sachau amdanynt

rhag ofn cawsent niwed ar y ffordd lawr. Os oedd Gwyn yn cael rhywbeth i wneud, roedd yn rhoi ei holl gorff ac enaid i'r gwaith.

Daeth yr amser i gychwyn a Gwyn wedi marco'r pren ar y pen domodd y frân â sialc yn barod, gan obeithio y byddai yn hollti fanlle oedd e'n meddwl. Roedd rhaid ei hollti yn yr hanner yn gyntaf a gofalu bod un hanner yn fwy na'r llall. Llwyddodd i hollti'r pren yn berffaith, pum darn yn gwmws 'run fath a mi naddodd dri yn lân, a diwedd o fewn yr amser. Pan ddaeth y canlyniadau yn y prynhawn roedd Gwyn a Ieuan wedi cael naw deg naw a hanner o farciau allan o gant am y gwaith, bron dwbl y marciau i'r rhai ddaeth yn ail. Aeth Gwyn yn syth i chwilio am y beirniad, i gael gwybod ble roedd wedi colli'r hanner marc!

Roedd yn amser bendigedig, mwynhau gweithio yn y dydd, mynd i'r capel ar y Sul, a digonedd o bethau i wneud gyda'r hwyr, rhwng gweithgareddau'r capel a'r clwb – nid oedd dim gofid yn y byd gennyf.

Dechreuodd fy ffrindiau briodi o un i un. Nid oeddwn i wedi meddwl dim am y peth a dim llawer o elfen, roeddwn yn rhy brysur yn mwynhau fy hun. Ymhen dwy flynedd ar ôl sefydlu'r clwb cynyddodd y merched yn arw mewn rhif. Mentrais hebrwng un neu ddwy adref ar ôl y clwb ddwywaith neu dair, ond wnes i fawr o argraff, a dweud y gwir roeddwn yn bur amddifad yn y busnes caru 'ma.

Yn 1956 daeth Ann y siop yn ôl o Loegr, wedi bod yn dysgu yn Nuneaton ac wedi dod yn ôl i Gymru i ddysgu. Roeddwn yn adnabod Ann

Aelodau Clwb Ffermwyr Ieuainc Tal-y-bont a'r Cylch 1957–58
Rhês ôl: Joni Tŷ Hen, Hywel Bryngwyn Canol, Vernon Jones, Dan Bryngwyn Mawr, Gwynne Royle, Harri Bwlchyddwyallt, John Brysgaga,
Gwyn Tanrallt, Dei Tŷ Hen, Morris James, Wmffre Erglodd, Trefor Tanrallt, Emyr Llety Ifanhen

Rhês ganol: Bill Tydu, Lewis Ynyshir, Elizabeth Royle, John Thomas, May Royle, Megan Lloyd, Eirlys Argoed, Eluned Tynrhôs, Buddug Bryngwyn Mawr, John Pencwm, Beatrice James, Gwenda Tynygraig, Hywel Cynullmawr, Diana Thomas, Ifor Bryngwyn Mawr, Dewi Tynant
Rhês flaen: Tom Pantyperan, Siân Taifforddfawr, Henry Rhydtir, Margaret Tynygraig, Bob Penywern, Menna Llety Ifanhen, Ieu Cwmcae, Gloria Tynffynnon, Tomos y Troi, Ann y Siop, Fi, Louisa James, Arwel Owen

Ann a fi ar ddiwrnod ein priodas

ymhell, roedd y bag yn o drwm. Es adre'n fachgen llawen iawn y noson honno, wedi cytuno i fynd i'r pictiwrs efo'n gilydd y nos Sadwrn canlynol.

Beth oedd yn dda roedd Ann yn berchen car – A35 HEJ 216. Nid oedd gen i gar. Cerddais lawr nos Sadwrn i fod yn brydlon erbyn saith, a wir i chi roedd yn fy nisgwyl. Pan euthum i mewn i'r car roedd arogl hyfryd arni, yr un fath ag oedd ar Miss Jones slawer dydd pan ddechreuais yr ysgol. Mwynheais fy hun yn fawr y noson honno a chytuno i weld ein gilydd eto. Ac felly y bu hi, daeth y busnes caru yma yn beth reit bleserus i fi. Cefais anrheg ganddi ar fy mhenblwydd, gwellau newydd sbon, un o'r anrhegion calla ges i erioed. Mae gen i o hyd, ac wedi ennill llawer gwobr gydag e.

Aeth blwyddyn o weld ein gilydd yn ddwy yn gyflym iawn. Alun Rhydfach ryw noson, yn fy ngweld i'n mynd heibio, ac yn fy mhryfocio, a gofyn os oeddwn i wedi dechrau torri gwynt yn ei chlyw hi eto, roedd e'n meddwl bod hyn yn arwydd da. Penderfynom ein bod yn priodi ar y trydydd ar hugain o Fedi 1959. Roedd Ann yn aelod gweithgar a ffyddlon ym Methel felly cefais briodi yn yr un capel a gefais fy medyddio a'm derbyn yn gyflawn aelod. Daeth y ddihareb 'Does dim angen cario dŵr dros afon' yn wir yn fy achos i.

Y Parch. Hugh Iorwerth Jones oedd ein gweinidog ym Methel, erbyn hyn, a fe a'n priododd, ac Enoc yn was priodas. Roeddem ein dau yn bur nerfus yn disgwyl iddi ddod yn y sedd fawr y bore hwnnw. Gofynnodd y Parch. Iorwerth

erioed, wedi ei gweld yn yr Ysgol Sul ac yn yr ysgol ddyddiol. Daeth yn aelod o'r clwb yn syth, a chafodd ei gwneud yn ysgrifenyddes y clwb y flwyddyn ganlynol. Bûm yn ei llygadu am sbel cyn magu digon o blwc i ofyn iddi gawn i ei hebrwng adref. Nid oeddwn wedi bod yn gyfforddus iawn gydag athrawon erioed. Ond rhyw noson ar ôl i'r clwb orffen gwelais fod gyda hi fag mawr trwm o lyfrau i'w cario adref. Gwelais fy nghyfle, a gofynnais iddi gawn ni gario'r bag adref iddi. Cytunodd yn syth – mae'n dda nad oedd y siop

Jones gwestiynau mawr i ni wrth ein priodi. A fydde ni trwy gymorth Duw yn para i fod yn ffyddlon i'n gilydd hyd nes i Dduw ein gwahanu, ac i ni addo hynny gerbron Duw a'r gynulleidfa oedd yn bresennol. Atebon ein dau yn bendant, "Gwnaf", heb sylweddoli yn iawn beth oedd yn ei olygu. Gallai 'hyd nes fod Duw yn ein gwahanu' fod yn amser hir.

O edrych yn ôl roeddem wedi mentro dweud "Gwnaf". Oherwydd cyn pen blwyddyn roeddem wedi dechrau cwympo allan, a hynny am bethau hollol ddibwys, a dim yn siarad â'n gilydd am ddiwrnod cyfan. Gallai'r cyfan wedi dod i ben mewn blwyddyn, ond diolch mai trwy gymorth Duw y gwnaethom addo. Ni fethodd unwaith ond i ni geisio cymorth. Trueni bod cymaint heddiw yn mentro priodi heb geisio cymorth Duw.

Cawsom ein brecwast priodas yn y Neuadd Goffa, dros y ffordd i'r capel, pryd y daeth perchnogion a gweithwyr Llew Gwyn Tal-y-bont i weini. Aed i'r Alban am ein mis mêl, yn yr A35. Cefais wraig a char y diwrnod hwnnw.

Rwyf wedi cadw cysylltiad â'r clwb ar hyd yr amser, ac yn falch iawn ei fod yn dal i fod yn glwb brwdfrydig iawn o hyd. Mae ein diolch yn fawr i Mr D J Thomas, Tremfor am ei weledigaeth. Mae'r clwb wedi bod o les mawr i'r ardal ar hyd y blynyddoedd ac yn fodd i lawer gael cymar. Cefais yr anrhydedd o fod yn llywydd y clwb rai blynyddoedd yn ôl. Bûm yn mynychu rai o'r cyfarfodydd a sylwais ar ddau beth oedd wedi newid ers 1954.

Yn gyntaf, roeddem ni yn cael gwaith gweld ein gilydd gan gymaint o fwg *Woodbines* oedd yno, ond erbyn heddiw nid oedd neb yn ysmygu. Da iawn. A'r ail beth oedd, roedden nhw yn awr yn paratoi i ddechrau'r cyfarfod pan oeddem ni yn paratoi i fynd adre – dim cystal.

Bu fy nannedd yn fy mhoeni yn arw am rai blynyddoedd cyn priodi, yn enwedig ar dywydd poeth pan oeddem wrth y gwair, a byth yn meddwl mynd at y deintydd, dim ond eu dioddef, ac ar ôl i fi briodi mi waethygon, roeddwn yn cael y ddannodd yn amlach, a phawb yn cynnig meddyginiaeth i fi. Un yn dweud wrthyf am roi pinsied o ficarbonad ar y dant, un arall yn meddwl bod cadw sioen o faco *Ringers* ar y dant yn beth da, un arall yn dweud am roi pinsied o halen ar y dant. Mi tries nhw i gyd, roeddynt yn gweithio i gyd yn y dechrau, ond ymhen amser, yn ôl y doi'r boen. Aethant yn annioddefol yn y diwedd. Magais ddigon o blwc i fynd i'r dre ryw ddiwrnod, i chwilio am rywun i'w tynnu allan. Es mewn at Mr Dalton yn stryd Portland. Roeddwn yn hanner adnabod Mr Dalton, roedd yn byw yn Ynyslas. Dim ond dau oedd o fy mlaen ac eisteddais i lawr i ddisgwyl fy nhro. Ar ôl i fi eistedd i lawr dechreuodd y boen lacio, a finnau yn eu procio i gael y boen yn ôl – byddai yn haws wynebu beth oedd o 'mlaen petaent yn fy mhoeni. Daeth fy nhro ymhen ychydig a gofynnais iddo dynnu fy nannedd i gyd allan. Edrychodd arnynt a gofynnodd i fi pa ochr oedd y boen fwyaf. Dywedais wrtho ac ymhen awr roeddwn ar fy ffordd adref a hanner fy nannedd ar ôl, dywedodd wrthyf am ddod yn ôl mewn pythefnos i dynnu'r ochr arall.

Ann yn gyrru yr enwog Dinarth What Ho

Tynnodd y cyfan mewn pythefnos a rhoi rhyw glai yn fy ngheg, i gael siâp fy ngheg medde fe, er mwyn i fi gael dannedd dodi dros dro, a dweud wrtha i ddod yn ôl mewn rhyw wythnos, pan fyddai yn gyfleus gyda fi i'w mofyn. Galwais amdanynt rhyw ddiwrnod – nid oeddwn yn hoffi fy hun heb ddannedd, nid oeddwn yn medru chwibanu o gwbwl. Rhoddodd y dannedd yn fy ngheg i gael gweld os oeddwn i'n meddwl eu bod yn gorwedd yn esmwyth a rhoi drych i fi gael gweld fy hun. Hoffais hwy ar yr olwg gyntaf, roeddynt yn ffitio yn

berffaith. Atgoffodd fi mai rhai dros dro oeddynt, ag i fi ddod yn ôl ymhen chwe mis i fi gael rhai parhaol. Ni thelais ddim amdanynt, roedd y Gwasanaeth Iechyd Cenedlaethol yn talu'r cyfan.

Diolchais iddo yn fawr iawn amdanynt ac am ei wasanaeth cyfeillgar a'r peth cyntaf wnes ar ôl mynd i'r car oedd rhoi fy mysedd yn fy ngheg i gael gweld os oeddwn yn medru chwibanu. Oeddwn, roeddwn yn medru cystal ag o'r blaen, ac yn medru chwibanu trwy fy nannedd, os rhywbeth yn well nag o'r blaen. Es adre yn falch tu hwnt a dim mymryn o boen. Ni chefais boen byth wedyn gyda'm dannedd. Ni ymwelais ag unrhyw ddeintydd byth wedyn, mae'r dannedd dros dro gennyf o hyd, newidiwn i ddim ohonyn nhw am y byd am ddim arall, maent gennyf yn awr ers tri deg pump o flynyddoedd, ac yn medru bwyta afalau yn arderchog, yr unig beth rwyf yn methu gwneud cystal ag o'r blaen yw cracio cnau.

Mae gennyf drueni dros y bobl ieuainc heddiw – maent yn costio ffortiwn ar eu dannedd, trwy eu llenwi â rhyw fetel gwenwynig. Mae yna achwyn bod deintyddion yn brin iawn yng Nghymru heddiw. Byddai hanner dwsin o siort Mr Dalton yn ddigon, petai pawb yn barod i'w tynnu pan maent yn eu poeni. Yn sicr i chi dyna'r peth gorau wnes i erioed.

*   *   *

Ymhen dwy flynedd a hanner ar ôl i ni briodi, bu farw Enoc, ar ôl bod yn wael am gyfnod weddol fyr, yn dair-ar-ddeg ar hugain oed. Bûm yn meddwl a meddwl pam, a chael hen feddyliau digon hunanol yn gymysg. Pam oedd dau frawd yn hollol yr un fath, yr un tad a'r un fam, wedi cael yr un fagwraeth yn hollol, wedi yfed yr un dwr, wedi cael ein magu ar laeth yr un fuwch, wedi anadlu yr un awyr iach, wedi mynychu yr un capel yn ffyddlon, wedi cyd chwarae a chwympo allan, wedi mwynhau cyd weithio ar y fferm, a mwynhau gweld ffrwyth ein llafur – pam bod un yn cael bod a'r llall yn cael mynd. Nid oedd gennyf ateb. Ond roeddwn yn dal i gofio beth ddywedodd y Parch. Fred Jones wrthym pan yn ein paratoi i fod yn gyflawn aelodau o Eglwys Iesu Grist ym Methel, ac rwy'n siŵr ei fod wedi dweud yr un peth wrth Enoc pan ddaeth e yn aelod.

Daeth yr adnodau ddysgais amser hynny yn gysur mawr i mi, 'Do, carodd Duw y byd gymaint nes iddo roi ei unig anedig fab er mwyn i bob un sy'n credu ynddo Ef beidio mynd i ddistryw, ond cael bywyd tragwyddol'. Dim ond corff Enoc rowd yn yr arch y diwrnod hwnnw ac a gladdwyd yn y fynwent, nid oedd yr enaid yno. Teimlais nad oedd dim allwn i ei wneud ar achlysur fel hyn, dim ond diolch am gael ei gwmni am unarddeg ar hugain o flynyddoedd. Dyma'r tro cyntaf i fi weld capel Bethel yn rhy fach. Ond ymhen mis union cawsom Sul o lawenydd mawr i Ann a fi, pryd y bedyddiwyd ein baban cyntaf, Mair, gan ein gweinidog. Addawsom bethau mawr y diwrnod hwnnw, ein bod yn barod i'w dwyn i fyny mewn awyrgylch Cristionogol, ac i fod yn gymorth iddi i ddod i adnabod Iesu Grist. *Trwy ddirgel ffyrdd mae'r Arglwydd Iôr yn dwyn ei waith i ben.*

Roedd y Wladwriaeth Les wedi dod i fodolaeth erbyn hyn. Gwellodd pethau ar bawb, nid oedd neb yn cael diodde newyn, rhoddwyd cymorth i bawb oedd mewn eisiau. Doedd neb yn cael diodde afiechyd heb gael cymorth o'r wladwriaeth. Bu yn lles mawr i'r wlad, ond mi aeth rhywbeth mawr i golli amser hynny, collwyd y llafur cariad, a oedd wedi bod yn gofalu am y gymdogaeth mor ofalus ar hyd y canrifoedd. Newidiodd agwedd y gymdeithas leol yn fuan iawn, trwy feddwl mai dyletswydd y llywodraeth oedd gofalu am bawb o hyn allan. Bûm yn euog o hyn fy hun. Gwellodd ar bawb, ond mwyaf oedd safonau byw yn codi, gwacáu wnaeth y capeli.

Roedd wedi mynd yn bur wag ym Methel erbyn hyn a llawer o gorau gwag – un neu ddau yn eistedd fan hyn a fan draw. Roedd pethau wedi mynd mor wael nes gofynnwyd i bawb oedd yn eistedd ar y galeri i ddod i eistedd ar y llawr o hynny ymlaen. Anfodlon iawn fu aelodau'r galeri yn y dechrau i ddod lawr, ond lawr y daethom o un i un yn y diwedd, ac eistedd yn y cefn, a dyna lle'r ydym hyd heddiw yn hoffi eistedd yn y cefn. Fel oedd y capeli yn gwacáu a phobl yn ymbellhau oddi wrth Dduw, disgyn wnaeth safonau moesol y genedl yn o fuan. Daeth newyddion erchyll ar y radio yn feunyddiol am ddrygioni a chreulondeb oedd yn mynd ymlaen tuag at hen bobl. Yn waeth na dim collwyd y bobl ieuainc o'r cwrdd, rhieni y dyfodol. Ond y dirywiad mwyaf welais i i'r gymdeithas oedd pan ddaeth y teliffon, aeth yn fwy annibynnol yn fuan iawn. Cyn hynny, roedd yn rhaid i ni fynd i bob man os oedd gennym neges, eisiau cymwynas, eisiau trefnu i fynd i'r mynydd neu unrhyw neges arall. Yn y gaeaf byddem yn cychwyn ar ôl te ar ôl iddi ddechrau nosi, cerdded neu ar gefn y ferlen. Byddem yno tan ddeg o'r gloch wedyn yn cymdeithasu, byddem yn sicr o gael swper gan y teulu a chwpanaid o de a chacen cyn cychwyn adref, a'r un fath pan gyrhaeddai rhywun yn Tynygraig. Pan ddaeth y ffôn i bob man, daeth yr arferiad yma i ben yn syth, hyd yn oed y ffermydd agosaf atom. Aeth rhai hyd yn oed i gydymdeimlo ar y ffôn, â'u cymdogion oedd mewn galar ar ôl colli un o'r teulu. Pan oeddem ni yn blant cerddai fy rhieni ymhell i gydymdeimlo â theulu oedd mewn galar, a gofalai Mam ei bod wedi coginio cacen i fynd gyda hi. Pob tro y doi rhywbeth da i'r ardal, roedd rhywbeth gwerth chweil yn mynd i'w golli.

* * *

Syfrdanwyd yr ardal rhyw ddiwrnod, ddechrau'r chwe degau pan glywyd bod ystad Gogerddan wedi'i gwerthu i'r Comisiwn Coedwigaeth. Nid oedd yr un o'r tenantiaid wedi clywed am hyn, hyd yn oed ei bod ar werth. Cafwyd gorchymyn i adael y lluestydd. Bu yn golled enfawr i ardal Tal-y-bont amser hynny. Roedd bron pob fferm yn anfon defaid i'r mynydd dros yr haf. Roedd 'nhad yn denant yn Dolrhuddlan ers blynyddoedd mawr, a bu Undeb Amaethwyr Cymru yn ymladd ei achos yn yr Uchel Lys yn Llundain fel achos prawf dros weddill y tenantiaid. Nid oedd gobaith ganddynt, roedd y cyfan wedi'i gyflawni cyn i neb wybod. Bûm bron â thorri fy nghalon amser hynny, roeddwn mor hoff o'r lle, ac wedi mwynhau cymaint bob tro yr awn fyny. Collwyd y cyfan ond y tŷ a chwe deg erw tu ôl iddo. Yn waeth na dim, gorfu fy nhad werthu'r rhan fwyaf o'r defaid o'u cynefin. Diadell oedd wedi cymryd oes iddo geisio eu gwella. Nid y fe yn unig ond llawer un arall tebyg iddo. Gwerthwyd dros chwe mil o erwau mewn un bloc. A'r sôn oedd yr adeg hynny mai tair punt a chweugen yr erw roddwyd amdano, nid wy'n siŵr o hyn.

Gwnaeth y cwmni arwerthwyr dro gwael iawn ag amaethwyr gogledd Ceredigion bryd hynny, trwy gadw pethau mor dawel. Fe allent fod wedi rhoi cyfle i'r tenantiaid oedd eisiau prynu i roi cynnig, wedi'r cyfan amaethwyr roddodd hwy ar eu traed. Eu dadl oedd i roi gwaith i bobl yr ardal i'r dyfodol.

Do fe gyflogwyd llawer o bobl leol i ffensio a phlannu, ond y gwaith cyntaf gafodd ei wneud oedd chwalu pob tŷ oedd ar eu tir. Roedd to ar

Bwlch y Garreg amser hynny. Bûm yn cael bwyd yno ar ddiwrnod cneifio lawer gwaith, a llawer lle arall. Chwalwyd y cyfan lawr i'r hanner, rhag ofn âi rhywun i fyw iddynt byth eto. Bu'r ffensio o fudd mawr i'r rhai oedd ar ôl yn cadw defaid. Daeth peiriannau mawr i mewn i wneud ffyrdd a digon o arian tu ôl iddynt. Rhaid dweud eu bod yn bencampwyr ar wneud ffyrdd, ac agorwyd y mynyddoedd dros nos. Bu diffyg cynllunio mawr, yn fy marn i, yr adeg hynny. Petaent ond wedi

Dolrhuddlan, gyda'r Fainc Fawr yn y cefndir, cyn i'r Comisiwn Coedwigaeth fynd â'r tir oddi arnom.

medru rhannu y ddaear rhwng amaethyddiaeth a choedwigaeth. Plannwyd daear amaethyddol hyfryd, daear oedd modd ei wella ar ôl cael y ffyrdd. Byddai'r ffyrdd yn fantais i bawb, a'r darnau amaethyddol yn fantais i'r goedwigaeth i atal tân rhag llosgi'r cyfan. Rwy'n siŵr petai tân yn cychwyn ar flwyddyn sych yng Nghraig y Pistyll mi losgai'r cyfan i Fachynlleth. Efallai eu bod wedi gweld eu camgymeriad erbyn heddi.

Daeth y ffensio a'r plannu i ben ymhen ychydig o flynyddoedd. Gwelwyd y gweithwyr yn mynd yn llai a llai bob blwyddyn – erbyn heddi dim ond dau neu dri rwyf yn gweld yn y fan yn gofalu am y cyfan. Yn 1997 bûm yn gwylio ger Capel Tabor, peiriant anferth o ffwrdd ac un dyn yn ei weithio. Ces fy syfrdanu pan welais beth oedd yn gallu ei wneud, roedd yn gafael ym môn coeden, a honno'n goeden fawr dros hanner can troedfedd o hyd a'i thorri i ffwrdd, fel 'tai hi yn gog o fenyn a'i chodi i'r awyr fel 'tai ond matsien, ac yn torri'r canghennau i ffwrdd yn lân, a'u llifio yn ddarnau wedi'u mesur yn berffaith i'r hyd oedd eisiau a'u rhoi yn dyrrau taclus, gwahanol hyd ymhob twr, a rhoi'r brigau yn daclus yn un rhibyn o dan yr olwynion. Roedd y gŵr oedd ar y peiriant yn ei ddeall i'r dim a'r cyfan yn mynd efo cyfrifiadur – mor wahanol i'r rhai oedd yn cwympo coed Tynygraig adeg y rhyfel efo bwyall a thrawslif. Gallai'r peiriant yma wneud gwaith hanner cant o bobl am wythnos, mewn diwrnod. Mi rydw i yn dal i gofio'r ddadl pam oedd raid cael y tir yn y dechrau – er mwyn sicrhau gwaith i'r dyfodol – Duw a ŵyr. Mae yna ddigon o waith i'w gael –

nid oes neb wedi teneuo dim ar y coed ers eu plannu, na neb yn edrych ar y miloedd o dunelli o goed sydd yn pydru ar lawr, ar ôl cael eu chwythu gan y gwynt. Nid oes gan y Comisiwn unrhyw un yn cadw'r llwynog o dan reolaeth erbyn hyn. Ychydig iawn o lwynogod oedd i gael ar y mynydd, cyn iddynt gael digon o loches. Na, does dim elw i'w gael mewn gwaith fel hyn a'r gymdeithas leol sy'n diodde.

* * *

Ar ôl colli Dolrhuddlan bu rhaid chwilio am le arall. Ni fu raid chwilio yn hir. Daeth Mr Tom Evans, Llandre, un o fechgyn Gwarcwm Isaf, fyny i weld fy nhad, a dweud bod Mrs James, Gwarcwm Uchaf, ei chwaer, yn mynd i ymddeol yn yr hydref, a dweud ei fod e eisiau gwerthu Gwarcwm Uchaf a Blaenclettwr Fach pan y doi yn wag, ac yn awyddus i 'nhad gael y cynnig cyntaf. Mr Tom Evans oedd berchen y ddau Warcwm, yr Uchaf a'r Isaf a'r ddwy luest, Blaenclettwr Fawr a'r Fach. Prynodd fy nhad Gwarcwm Uchaf a Blaenclettwr Fach cyn iddo fynd adref.

Nid oedd pris tir wedi dechrau codi eto, ond er hynny roedd arian yn brin. Nid oeddwn i wedi cael cyflog wythnosol erioed, ond gofalodd fy nhad roi swm yn y banc yn fy enw i bob blwyddyn, fel oedd ei gyfrif e yn caniatáu. Nid oeddwn wedi gwario dim arnynt, felly roedd gymaint ag oedd yna wedi dodwy yn o lew. Nid oedd angen i fi wario, roeddwn yn cael fy mwyd i gyd a Mam fyddai yn prynu fy nillad i gyd hyd nes i fi briodi. Yr unig beth oedd rhaid i fi wneud oedd talu at y weinidogaeth, ni thalent hynny yn fy lle. Fy nghyfrifoldeb i oedd hynny. Felly rhwng yr arian oedd gennyf i yn y banc a'r arian oedd gan fy rhieni, medrem dalu heb fenthyca dim. Ifan Ffowc Lloyd oedd tenant Gwarcwm Isaf, gŵr yn enedigol o Gorris. Prynodd Mr Lloyd, Gwarcwm Isaf a Blaenclettwr Fawr yr un pryd. Nid oedd ffens derfyn rhwng Blaenclettwr Fach a Blaenclettwr Fawr. Penderfynwyd yn syth i godi ffens newydd. Roedd 'nhad yn dweud bob amser bod rhaid cael terfyn da, cyn cael cymdogion cytun. Cwympwyd coed derw i wneud polion a'u cario ar y tractor a'r bocs mor belled ag y gallem, ac yna eu cario ar ein cefnau lawr i'r ceunant a

'Nhad a minnau yn gwneud polion derw

fyny'r creigiau. Roedd angen deugain bwndel, dwy fil dau can llath. Gosodom ni ugain bwndel, o ffens Cwmeinion lawr at dŷ Esgair Foel Ddu, a Mr Lloyd o'r fan hynny lawr i Gaer Arglwyddes. Yn ffodus i ni ddaeth Caer Arglwyddes ar werth yn yr un flwyddyn – 1963. Roedd Caer Arglwyddes rhwng Gwarcwm Uchaf a Blaenclettwr Fach. Petaem yn medru ei brynu byddai gennym bron 'run faint o fynydd ag oedd gennym yn Dolrhuddlan. Cawsom fenthyg tair mil o bunnoedd gan fy mam yng nghyfraith, a mil o bunnoedd gan y banc, ar ôl gofyn ddwy waith, i'w brynu. Pedair mil am ddau gant pedwar deg erw o fynydd a'r tŷ. Roedd llawer o Gaer Arglwyddes medrem ei wella, yn wahanol i Blaenclettwr Fach a oedd yn serth iawn, ac yn greigiog, ond lle delfrydol i famogiaid a ŵyn menyw yn yr haf. Prynwyd y defaid tir oddi wrth Mrs James, fel eu bod yn aros yn eu cynefin, am dair punt a chwe swllt yr un. Roeddem ni wedi cael ychydig yn fwy am ddefaid Dolrhuddlan, tair punt a phedwar swllt ar ddeg.

Y flwyddyn ganlynol roedd y llywodraeth yn awyddus i'r ffermwyr gynhyrchu mwy o gig eidion a chig oen, a chynigiwyd grantiau da am bob peth, i droi ac ail hadu, i ddraenio, i glirio gwrychoedd, i galchio'r mynydd, i ffenso a llawer peth arall. Daeth byddin o bobl allan o'r colegau i'n cynghori a'n dysgu sut i ffermio, a'r cwbl yn rhad ac am ddim – llawer iawn ohonynt â dim cefndir amaethyddol o gwbl, dim ond beth oeddent wedi'i weld ar bapur. Ond diolch bod rhai wedi cael addysg, a'r cefndir ganddynt, ac wedi dysgu mai yn

Moel Llyn, gyda Pumlumon Fawr ar y chwith yn y cefndir

ara bach oedd mynd ymhell, waeth beth oedd y llyfrau yn ei ddweud. Roedd 'nhad wedi bod yn arloeswr erioed i wella tir sych, ond roedd y tir yma yn wahanol. Tir mawnog oedd tir Caer Arglwyddes. Roedd Gwyn Jones, cynghorwr efo'r Weinyddiaeth, wedi bod yn arbrofi mewn plotiau ar dir o'r math yma, lawr ar gors Fochno, a'r cefndir amaethyddol ganddo. Gofynnwyd iddo ddod i weld y lle. Cynghorodd ni i beidio â throi y math yma o dir, byddai yn well ei wella o'r wyneb a pheidio aflonyddu gormod ar yr hen dywarchen, byddai hynny yn help i beidio ysgogi brwyn i ddod. Cynghorodd ni i roi dwy dunnell a hanner o galch a hanner tunnell o *Slag* y cyfer yn syth, ac yna i losgi'r gwellt y bwla oedd yn drwch arno, yn y gwanwyn canlynol cyn i'r tyfiant newydd ddod, ei losgi yn groes i'r gwynt, fel ei fod yn llosgi'n llwyr i'r ddaear. Yna rhedeg y disc drosto i wneud rhychiau bach ynddo er mwyn i'r hadau gydio. Os byddem wedi llwyddo i losgi'r hen dyfiant yn llwyr nid oedd angen ond dau stric ar y disc. Cawsom hadau porfa yn y fridfa yn Gogerddan. Nid y radd gorau, ond yr ail radd. Tom Pennant oedd yng ngofal yr hadau amser hynny, ac yn gwybod yn hollol beth oedd eisiau arnom, fe'n cynorthwyodd ni bob blwyddyn am flynyddoedd hyd nes i ni uno gyda'r farchnad gyffredin, pryd y daeth y cyfan i ben, pan ddaeth un o lawer o reolau twp o'r fan honno.

Bu rhaid llosgi hadau ail radd i gyd o hynny ymlaen. Hau'r hadau wedyn a rhoi dau gant y cyfer o wrtaith cyflawn, a'i rowlio. Bu Alwyn a Meurig Jones, Penlôn, yn ein cynorthwyo i wneud y gwaith ar ddydd Sadwrn a gyda'r nos. Mae Alwyn yn dweud hyd heddi mai fe roddodd fi ar fy nhraed – buont yn help mawr. Nid gwaith pleserus oedd disco ar y mynydd, ddechrau mis Mawrth, pan oedd yn bwrw ceser ac eira, a hynny heb unrhyw gysgod drostoch, a'r sedd yn domen o dan eich pen-ôl. Nid oedd cabanau ar y tractorau amser hynny.

Bu Meurig yn du hwnt o ffyddlon i mi ers y diwrnod ddechreuodd gerdded, nes aeth i weithio, a wedyn roedd yn helpu gyda'r nos ac ar ddydd Sadwrn. Dangosodd yn ifanc iawn ei fod yn fugail craff, er ei fod yn fachgen eiddil iawn. Bu Meurig yn wael iawn, yr un adeg ag Enoc fy mrawd, gan diodde o'r un aflwydd. Bu Enoc farw, ond ddigwyddodd gwyrth yn hanes Meurig. Roedd yn wael iawn ddechrau un wythnos ond yn gwella erbyn diwedd yr wythnos. Cafodd gweddi daer rhywun ei hateb. Mae yn gawr o ddyn heddiw, Meurig oedd fy nghyfaill gorau yn y cyfnod hwnnw. Diolch iddo.

* * *

Nid oedd gwartheg wedi bod yn Caer Arglwyddes ers cyn cof neb sy'n byw heddi. Dywedodd Gwyn Jones byddai rhaid cael buchod i reoli'r borfa os oeddem yn mynd i barhau i wella darn o'r mynydd bob blwyddyn. Dyna oedd y bwriad, os byddai'r darn cyntaf yma yn llwyddiannus.

Meurig yn dangos y ferlen yn sioe Tal-y-bont

Prynodd 'nhad amryw o fuchod a hethrod yn arwerthiannau'r Gymdeithas Gwartheg Duon yn Nhregaron a Dolgellau, a rhoesom darw i'r hethrod oedd gennym i gyd. Cefais i fynd i brynu buwch ar ben fy hun rhyw ddiwrnod, am y tro cyntaf erioed i Ddolgellau – roedd pwyllgor gan fy nhad efo'r Cyngor Sir. Roedd prisiau buchod yn dechrau codi amser yma, fel roedd y llywodraeth yn annog ffermwyr i gynhyrchu mwy. Yr unig gyfarwyddyd ges gan fy nhad cyn mynd oedd "paid â dod â dim byd gwael adref". Dewisiais fuwch ail lo a llo gwryw ganddi o Berthlwyd, Botwnnog. Nid oedd un buwch yn cyrraedd can punt amser hynny. Daeth y fuwch i mewn, cychwynnodd am nawdeg gini, yr union bris oeddwn i wedi meddwl ei phrynu, aeth fyny dros gan gini yn syth. Dechreuais gynnig arni, roeddwn wedi hoffi'r fuwch, roedd yn debyg iawn i'r rhai oedd gyda ni adref, ac yn fuwch galed i fynd fyny i Gaer Arglwyddes. Cynigiais arni ar yn ail â rhywun arall, fi oedd mewn am gant undeg pump gini, a tarodd yr arwerthwr hi i lawr i fi. Bu aml i berson yn dweud wrtha i ei bod yn afresymol o ddrud, ond doedd dim gwahaniaeth gen i, roeddwn yn hoffi'r fuwch, ac ni fyddai yn gas gennyf ei dangos i 'nhad ar ôl mynd adref. Roedd Ieuan Morgan, Glanfred yn yr arwerthiant y diwrnod hwnnw, ac yn dweud wrtha i – i godi'n nghalon am wn i – ei fod wedi darllen mewn rhyw bapur y byddai buchod yn bum cant o bunnoedd heb fod yn hir. Feddyliodd neb y byddent wedi codi cymaint mewn dwy flynedd.

Gorffennwyd hadu y darn ugain cyfer ddechrau Ebrill a'i ffensio. Erbyn hanner mis Mai roedd gwellt y bwla yn tyfu yn rhonc iawn, ac yn amlwg yn hoffi'r calch a *slag*, ac yn bryd i droi'r buchod a'u lloi i mewn. Roeddent yn gwneud lles mawr drwy bori'r gwellt garw, a gwasgu'r hadau bach i'r ddaear. Yna eu troi allan ar ôl iddynt ei lymhau – nid oedd fawr ddim hôl bod yr hadau wedi cydio. Erbyn diwedd Mehefin roedd ambell i feillionen i weld fan hyn a fan draw, a dyna i chi beth oedd llawenydd i weld y meillion yma yn tyfu ar wyneb anial dir. Gwellodd y ffridd yn arw bob tro yr âi'r buchod i mewn i bori – nid oedd y gwellt garw yn hoffi cael ei bori'n drwm. Ar ôl pob porad, roedd yn amlwg ei fod yn gwanhau ac yn cilio a'r hadau newydd yn cryfhau a llenwi'r mannau lle'r oedd y gwellt garw wedi bod. Bu yn ffordd arbennig o dda i wella y math yma o dir ac yn rhesymol o ran cost. Gwellwyd ugain erw bob blwyddyn am flynyddoedd a'i ffensio yn ddarnau ar wahân. Roedd y mynydd yn ymateb yn dda i galch a ffosffed, roedd yn amlwg bod y ddaear yn diodde o ddiffyg calch.

Does dim byd mor onest â'r ddaear, mae yn ymateb bob amser i'r ffordd y mae yn cael ei thrin. Mae'r darn cyntaf wedi'i wella yn awr ers tri deg pump o flynyddoedd ac yn dal i wella o hyd. Bûm i yn ffermio yn y cyfnod gorau welodd amaethyddiaeth erioed rwy'n sir. Aeth popeth ar i fyny ar garlam, yn syth ar ôl i ni brynu. Does dim diolch i mi nag unrhyw un arall brynodd dir dechrau'r chwe degau ein bod wedi llwyddo, alle ni ddim methu. Mewn dwy flynedd ar ôl inni brynu Caer Arglwyddes talwyd y pedair mil a

Tanyrallt

gawsom ei fenthyg yn ôl. Cododd pris tir yn aruthrol yn ystod y chwe degau, a'r cyfan am fod y llywodraeth yn cynnig grantiau da am bopeth.

* * *

Ym mis Mai 1962 cawsom ein bendithio gyda merch fach arall, a chafodd ei bedyddio ym Methel gan ein gweinidog y Parch. Iorwerth Jones ar Ddydd Sul, Gorffennaf y pymthegfed. Cafodd ei henwi yn Gwen. Felly roedd gyda ni ddwy ferch yn awr, Mair a Gwen. Cefais fy mrhyfocio gryn dipyn gan fy ffrindiau, roedd pob ffŵl yn medru

cael merched, ond bod eisiau dyn i gael bachgen. Ond yn 1965 roedd Ann yn disgwyl eto – ar Awst 1af. Cafodd ddamwain yn y llaethdy, mi gwympodd yn lletchwith a chafodd y baban ei eni ar Fehefin 1af, dau fis o flaen ei amser, yn pwyso ychydig dros ddau bwys, bachgen bach.

Bu yn amser pryderus iawn, yn enwedig pan ddeallom ei fod yn methu cadw'i fwyd i lawr. Hysbyswyd ni gan y doctor byddai rhaid iddo gael llawdriniaeth ar ei ystumog, roedd rhywbeth roedden nhw yn ei alw yn *Pyloric Stenosis* arno. Roeddem yn methu deall sut gallent roi

Rhan o'r fuches ar dir wedi ei wella

llawdriniaeth mor fawr i un mor fach. Diolchais, do, bod yr arbenigwyr wedi cael y fath addysg i gyflawni'r gwaith, ac i wneud y fath ddaioni. Bu yn yr ysbyty am gryn amser yn cael pob gofal, ond daeth adref ryw ddiwrnod, roeddem yn byw yn Tanyrallt erbyn hyn, a chafodd ei fedyddio gan y Parch. Iorwerth Jones ym Methel ar Ddydd Sul, Hydref 10fed. Fe'i enwyd yn Enoc Wyn. Roedd yr enw Enoc wedi bod yn y teulu ers rhai cenedlaethau, Enoc oedd enw fy nhadcu, roedd gennyf Yncl Enoc, mae gennyf gefnder o'r enw Enoc, a roedd gennyf frawd o'r enw Enoc. Enoc yw'r mwyaf o'r teulu erbyn hyn. Yn 1968 ganwyd baban arall i ni, bachgen arall, a chafodd ei fedyddio ym Methel gan y Parch. Gwyn Evans a oedd yn weinidog arnom ar y pryd. Enwyd ef yn Dafydd Gwilym. Dafydd oedd y baban cyntaf i'r Parch. Gwyn Evans ei fedyddio ar ôl iddo ddod i Dalybont, a gofynnodd i Dafydd gymryd rhan yng

ngwasanaeth ei ymddeoliad yn 1979.

Roedd gyda Ann llond llaw o waith erbyn hyn a minnau yn ddim llawer o help iddi. Ond roeddwn yn mynd â Mair a Gwen gennyf yn y *Land Rover* ambell i brynhawn pan yn bugeilio defaid neu mynd i olwg y gwartheg, er mwyn i Ann gael hoe fach. Roeddem fyny yn Caer Arglwyddes ryw brynhawn, yn bugeilio amser ŵyna a gwelsom ddafad yn cael trafferth i ddod ag oen. Gorfu i ni ei dal i roi help iddi, cefais gryn drafferth i'w helpu, roedd yn dod o chwith. Rhwng bod y ddafad yn glos cefais drafferth i unioni'r ddwy goes ôl. Llwyddais yn y diwedd a Mair a Gwen yn edrych mewn syndod ar y perfformans. Sylweddolodd Mair toc, a gweiddi "ma fe wedi marw" a medde Gwen "Does dim rhyfedd, ma fe wedi syci i le dwl".

* * *

Bu 'nhad a minnau yn gweithio'n galed y blynyddoedd hyn, a gorfu i ni gyflogi dyn i'n cynorthwyo. Roedd llawer o waith i'w wneud, gwneud polion a ffensio – polion derw, roedd llawer o waith eu cwympo a'u hollti a'u blaenu. Hefyd bugeilio'r defaid, ac edrych ar ôl y gwartheg. Cynyddodd y buchod o ddeg i chwe deg yn fuan iawn.

Cawsom gryn golled yn y buchod a brynom, yn y blynyddoedd cyntaf. Collom bron bob un, dim ond dwy a brynom lwyddodd i fyw gweddill ei hoes yn Caer Arglwyddes, y fuwch o Berthlwyd, Botwnnog a hether a brynodd 'nhad yn Nhregaron oddi wrth Eric Davies, Lamaston.

Wrth y gwair, 1986

Deallom yn o fuan mai dim ond buchod oedd wedi'u magu ar y lle oedd yn llwyddo i fyw, felly ni phrynom yr un byth wedyn. Nid yw'r buchod wedi bod mewn erioed, allan haf a gaeaf, ac yn lloia allan yn y gwanwyn. Roedd Gwarcwm Uchaf yn lle addas iawn i borthi allan a digon o gysgod gwynt y dwyrain, a'r dŵr ym mhen uchaf y lle, a'r buchod yn cerdded i'w nôl. Ni fyddai yn addas petai'r dŵr ar y gwaelod, byddai'r buchod yn rhedeg lawr, ac yn tyllu'r caeau yn arw. Byddem yn eu bwydo bore a nos â gwair, un bwrn o wair rhwng tair buwch bob pryd. Buom yn gwneud dim byd ond gwair tan ddiwedd yr wythdegau, pan oedd llawer wedi troi i wneud silwair.

Roedd yn amser hyfryd amser hynny, nid oedd yn broblem cael digon o help i gario'r byrnau. Byddem yn gwneud o gwmpas tair mil ar ddeg o fyrnau bob blwyddyn. Fi fyddai yn belio a'r bechgyn o'r stad cyngor yn eu cario efo dwy gert, bechgyn cryfion, awyddus i waith, ac yn cael llawer o hwyl gyda'i gilydd. Byddai un yn disgwyl y bwrn olaf allan. Byddwn i yn gorffen 'run pryd â

Y fuches yn ei chynefin

hwy yn gorffen cario. Gwelais gymaint ag un ar bymtheg efo'i gilydd ar un noson yn cario. Gorfu i fi wneud rheol yn y diwedd, bod yn rhaid iddynt fod yn dair ar ddeg oed cyn gallent ddod i'r cae. Mi weithiodd yn dda, fel oedd y rhai hynaf yn gadael roedd criw yn disgwyl i lenwi'u lle. Ni phrynwyd peiriant i'w codi erioed. Ddyfeisiodd neb beiriant codi byrnau tebyg i bâr o ddwylo. Roeddem wedi gorfod talu peth treth incwm erbyn hyn a mi gynyddodd fel oedd y blynyddoedd yn mynd ymlaen. Nid oeddwn yn hoffi hyn, yn enwedig ar ôl i Mrs Thatcher ddod i rym, roedd yn well gen i ei roi i fechgyn Maesyderi. Gweithiodd Ann, a'r merched erbyn hyn, yn galed i'w bwydo, a chario'r bwyd allan i'r cae, a rhoi swper iddynt yn y tŷ ar ôl gorffen bob

nos. Roedd y bechgyn yn edrych ymlaen yn arw i'r bwyd, mi fyton filoedd ar filoedd o bice ar y maen.

Roedd rhai o gynghorwyr y Weinyddiaeth yn ein cynghori i groesi'r gwartheg efo teirw o'r cyfandir, roedd hyn wedi dod yn beth poblogaidd iawn erbyn hyn. Roeddynt yn gweld y rhain yn cael gwell prisiau ac yn dod i fwy o bwysau yn gynt, ac yn gwneud gwell defnydd o ddwysfwyd, ac yn gwneud symiau ar bapur oedd yn atyniadol iawn, mae yn rhaid i fi ddweud. Nid oeddynt wedi edrych ar yr ochr arall i'r stori. Collwyd rhai o fuchesi Duon Cymreig gorau Cymru yr adeg hynny. Roedd yn gweithio yn dda y blynyddoedd cyntaf, ond buan iawn aeth y fuches yn hen, roeddent yn mynd yn hŷn yn gynt pan yn gorfod bwrw lloi annaturiol o fawr a'r rhain yn tynnu'r buchod i lawr os na chaent ddwysfwyd. Buan iawn bu raid iddynt brynu heffrod i mewn, ac nid oedd neb byth yn gwerthu eu heffrod gorau.

Penderfynom ni i gadw'r fuches yn bur, roeddynt yn fwy addas i fynd fyny i'r mynydd yn yr haf, i bori'r darnau oeddem yn ei wella bob blwyddyn.

Ni fyddai eisiau cymaint o ofal pan fyddai'r buchod yn lloia. Roedd eu cadw yn bur yn beth fwy naturiol – roedd cael llo bach byw yn well na llo mawr marw. Roedd fy nhad a minnau erbyn hyn wedi dysgu ei bod yn well cydweithio gyda natur yn hytrach nag ymladd yn ei herbyn.

Roeddem yn gofalu amdanynt yn ofalus yn ystod y dydd ond pan fyddai yn nosi, gallem fynd i'r tŷ ac anghofio y cyfan amdanynt, a gadael i

Wyres Berthlwyd Botwnnog wedi lloia

blwyddyn, mi ddalien ymlaen wedyn, oni bai fod prisiau mor dda am y bysnogydd. Ni wrandawodd y rhan fwyaf o ffermwyr gogledd Ceredigion ar y cynghorwyr. Parodd yr ardal yma, yn well nag un ardal arall yng Nghymru yn deyrngar i'r fuwch ddu. Mwyaf yn y byd newidiodd amser hynny, gorau yn y byd fu hi i'r rhai barodd i fagu'n bur. Gwelwyd galw mawr a phrisiau da am heffrod duon, gan y rhai oedd wedi croesi'r fuches. Mi weithiodd yn neilltuol o dda iddynt yn y dechrau nes aeth eu buches yn hen.

natur ofalu amdanynt tan y bore. Byddai yn siŵr o ddarparu cysgod yn rhywle ar y noson fwyaf ystormus, a byddai'r fuwch oedd yn lloia yn siŵr o ddod o hyd iddo.

Nid oeddynt yn byw i gyd, roedd rhyw anffawd yn digwydd i ambell un, ond nid yn aml. Gwelais fuchod fyny i ugain oed yn dal i loia bob

* * *

Aed â rhai defaid Dolrhuddlan i Gaer Arglwyddes ar ôl colli Dolrhuddlan. Ni fuom yn hir cyn sylweddoli mai peth annoeth iawn oedd hyn. Mewn ychydig wythnosau dechreuodd rai ddiraenu a thrigo. Aed ag un lawr at y milfeddyg, i wneud profion arni. Cafwyd ar ddeall gan y

Enoc gyda'r heffrod cyflo ar y mynydd

milfeddyg mai *looping ill* oedd arnynt, yn cael ei
achosi gan drogod yn sugno eu gwaed. Deallwyd
bod Caer Arglwyddes yn lle drwg iawn am
drogod, ac nad oedd Dolrhuddlan. Cafwyd poteled
gan y milfeddyg i roi chwistrell iddynt i geisio eu
gwella. Ychydig iawn ohonynt medrom eu harbed,
mae'n dda mai dim ond ychydig oeddent. Nid
oedd yn effeithio ar y defaid tir gan eu bod wedi'u
magu yn y lle ac yn medru gwrthsefyll yr afiechyd.
Cafwyd ar ddeall mai'r trogod oedd yn lladd y
buwchod oeddem wedi'u prynu hefyd.

Felly penderfynom byddai raid i ni fagu buches
a diadell gaeëdig, a pheidio prynu dim byd ond
tarw bob tair blynedd ac ambell i hwrdd i mewn.
Troiodd amryw o fridiwyr defaid mynydd
Cymreig i gadw defaid penfrith. Fel roedd y
ddaear yn cael ei wella, teimlent fod y ddafad
fynydd Cymreig yn rhy fach. Clywais rywun yn

Tynnu'r lloi, Rhagfyr 1989

gofyn i 'nhad rhyw dro, pa ddefaid oedd e'n gadw,
a'i ateb oedd nad oedd e'n cadw'r un ddafad, mai'r
defaid oedd yn ei gadw ef. Nid oedd unrhyw
amheuaeth gennym ni pa frîd o ddefaid oeddem ni
yn mynd i'w cadw. Penderfynom i stocio'r defaid
yn gymharol isel, i wyth cant o famogiaid magu, ac
i gynyddu'r buwchod i chwech deg pump.
Roeddem wedi deall erbyn hyn bod llawer iawn
mwy o waith gyda'r defaid na'r gwartheg, ychydig
iawn o waith oedd gyda'r gwartheg, rhoi gwair
iddynt yn y gaeaf, a'u cael i fewn ddechrau mis
Mai i dagio'r lloi a'u sbaddu – dyna oedd y gwaith
mwyaf cyn eu troi i'r mynydd i bori dros yr haf.
Dyna lle byddent wedyn heb unrhyw waith o
gwbwl tan ychydig cyn Nadolig, pryd y byddem
yn eu cael i mewn i dynnu'r lloi.

Gyrru'r lloi adref

Hwrdd o Gwm Cilan, Llanrheadr-ym-Mochnant

Ond roedd rhywbeth i'w wneud bob dydd efo'r defaid trwy'r gwanwyn a'r haf, roedd angen sylw ar eu traed neu eu llygaid neu rhai yn cyndroni, byth a hefyd. Buom yn gwella darn o'r mynydd bob blwyddyn a'r buwchod yn hwyluso'r gwaith drwy gadw'r borfa o dan reolaeth. Roedd y darnau roeddem yn ffensio i mewn yn addas iawn i roi hwrdd a brynwyd, i'w arbrofi am flwyddyn cyn ei ollwng i'r mynydd.

Buom yn calcho llawer iawn o'r mynydd, heb ei drin. Mwyaf yn y byd oeddem yn calcho'r mynydd, mwyaf yn y byd o elw oedd yn dod i mewn. Roedd yn amlwg fod diffyg calch yn arw ar y mynyddoedd a'r llywodraeth yn annog pawb i gynhyrchu mwy, ac yn barod i dalu grantiau da am y gwaith.

* * *

Tua diwedd y chwechdegau daeth fy rhieni i oedran pensiwn, a derbyn pensiwn yn wythnosol. Nid oedd y pensiwn yn uchel iawn amser hynny, ond roedd Mam yn dweud na welodd hi erioed y fath arian. Petai hi wedi cael eu hanner nhw pan oeddem ni'r plant yn fach meddai, byddent wedi bod yn dderbyniol iawn. Penderfynont fynd ar wyliau. Nid oeddent wedi cael gwyliau erioed, dim ond ambell i ddiwrnod yn Kington, a byddai teulu Mam yn dod i aros yn gyson pob haf i Tynygraig. Roedd Mr Mansel James, ysgolfeistr Taliesin yn trefnu gwyliau i Saint Malo yn yr Eidal. Aethant gydag ef mewn awyren. Mwynhaont y gwyliau yn fawr iawn, a gweld rhyfeddodau. Erbyn hyn roeddwn i yn cael fwy o gyfrifoldeb i ofalu am y fferm a'r anifeiliaid, roeddwn wedi dibynnu ar 'nhad ar hyd yr amser i wneud y penderfyniadau.

Nid peth hawdd oedd newid, gwelais hi yn anodd weithiau yn enwedig yn y gaeaf pan oedd y tywydd yn arw a phethau ddim yn mynd yn hwylus. Roeddwn yn ofni gwynt yn fwy na dim byd, gwynt oedd yn gwneud storm. Cawsom wythnos o dywydd stormus iawn ym mis Mawrth rhyw flwyddyn, pan oedd y buwchod yn lloia – gwynt nerthol o gyfeiriad Aberdyfi a chawodydd cesair ac eirlaw am ddiwrnodau ac yn felltigedig o oer. Mynd fyny rhyw fore i roi bwyd i'r buchod a chael buwch ar lawr, buwch oedd wedi lloia ers wythnos. Roeddem wedi cael rhai tebyg o'r blaen, ac yn gwybod mai diffyg magnesiwm oedd arni. Ei rholio i ben llidiart, a'i llusgo hi a'r llidiart i gysgod efo'r *Land Rover*. Mynd adref i mofyn potel o fagnesiwm a'i rhoi yng ngwaed y fuwch. Nid peth hawdd oedd hyn, i chwilio am wythïen pan oedd eich dwylo yn oer. Yna ei gadael ar lawr yn ei hyd, a golwg bron marw arni a gobeithio'r gorau. Mynd yn ôl mewn dwy awr i gael golwg arni. Roedd y fuwch ar ei thraed, ac yn dechrau brefu am ei llo. Diolchais fod rhywun wedi cael y fath addysg i ddarganfod y fath feddyginiaeth ac i

gyflawni y fath wyrth. Mynd fyny bore trannoeth wedyn a chael buwch yn cael trafferth i loia, roedd ei ben allan a hwnnw wedi chwyddo fel balŵn, roeddynt yn chwyddo yn gyflym iawn ar dywydd oer. Mynd â hi lawr i'r ffald i'w chynorthwyo, a chael y llo yn fyw. Er ei fod wedi bod yn hir cyn dod i anadlu, ar ôl ei hongian wrth ei draed ôl am sbel, mi ddaeth. Eu gadael wedyn i'r fuwch ei lyfu, a gobeithio y byddai wedi sugno erbyn nos. Na, doedd e ddim, er bod y chwyddi wedi mynd lawr bron i gyd. Bu raid i glymu'r fuwch i geisio rhoi y llo i sugno, a honno yn gollwng ambell i gic – petai yn ein dal byddem yn gwybod yn o fuan. Rhoi rhaff am ei thenewyn, o flaen y pwrs wedyn, yn dynn i'w atal rhag cicio a dod â'r llo yn nes at y deth. Roeddwn wedi sylwi ar y ffordd roedd buchod yn cael eu lloi i sugno am y tro cyntaf ar ôl iddynt eu bwrw. Cyn gynted ag y codent, byddent yn eu llyfu yn galed o dan eu cynffonnau. Roedd hyn yn codi awydd ar y lloi i sugno, byddent yn chwarae eu tafodau yn syth ac yn chwilio am rywbeth i sugno, yna byddai'r fuwch yn eu gwthio ymlaen efo'i thrwyn i gyfeiriad y deth. Ceisiais wneud hyn efo hwn, roedd yn gweithio fel arfer, dim ond i fi rwbio yn weddol galed o dan eu cynffonnau byddent yn chwarae eu tafodau yn syth, a rhoi eu trwynau yn weddol agos i'r deth, a mi gydient ynddi yn syth. Ond weithiodd e ddim efo hwn. Mae nhw yn dweud 'mor ystyfnig â llo'. Nid yw pob llo yn ystyfnig, ond roedd hwn. Mi drion pob ffordd i'w gael i sugno, trwy agor ei geg a godro'i llond hi a gadael y deth yn ei geg am amser, a chosi o dan ei gynffon 'run pryd. Nid oedd unrhyw beth yn tycio, roedd 'run fath â'i fod wedi penderfynu nad oedd ddim yn mynd i wneud. Gorfu i ni odro'r fuwch a rhoi'r llaeth lawr yn ei fol efo botel. Felly y bu hi trwy'r wythnos – ni wnai sugno o gwbwl er ein bod yn ceisio ei gael i sugno bob bore a nos. Rhoesom ddyrnaid o halen yn ei geg, gan feddwl y byddai yn codi syched arno. Doedd dim byd yn tycio, roedd wedi penderfynu nad oedd yn mynd i sugno. Roedd hyn yn beth diflas iawn i'r fuwch, yn gorfod cael ei chlymu bob bore a nos fel hyn, ac yn mynd yn fwy anfodlon bob dydd. Roedd yn ein hel ni yn ddiflas hefyd ac yn dechrau cael digon, yn gorfod treulio gymaint o amser efo hwn a chymaint o waith arall i wneud, a'r tywydd yn ystormus iawn ac yn oer.

I goroni'r cyfan pan awd fyny bore dydd Gwener i roi gwair i'r gwartheg – roedd eisiau llawer iawn o fwyd arnynt ar dywydd fel hyn – roedd buwch, mam i lo, â'i baglau yn yr awyr – wedi mynd. Dyna i chi siom, un o'r buchod gorau wedi trigo, ac yn fore difrifol. Y gwynt yn dal i chwythu o Aberdyfi ac yn bwrw eirlaw a hwnnw yn rhewi ar y coed fel oedd e'n disgyn. Clywais Mam yn dweud pan oeddent hwy yn dechrau ffermio eu bod wedi colli buwch, colled fawr amser hynny, a'i bod wedi dweud wrth Bodo Ann Neuadd Fawr.

Cafodd hi ddim cydymdeimlad, 'na'r cyfan ddywedodd hi, "Thrigan nhw ddim ond yn y fan lle ma nhw, lodes fach i". Llusgwyd y fuwch lawr at y ffordd , a ffonio Jim Douglas i ddod i nôl hi. Un o'r gorchwylion tristaf fûm i yn ei wneud erioed oedd llusgo buwch wedi trigo. Roedd rhaid chwilio am y llo amddifad wedyn a'i ddal, buom wrthi yn hir, roedd yn lo chwe wythnos oed, ac yn medru rhedeg yn gynt na ni. Ond mi daliwyd e yn y diwedd, a mynd ag e adre i roi llaeth o'r bwced iddo. Gorfu i ni fynd lawr i'r Co-op i nôl sachaid o laeth powdwr iddo, a rhoi bwcedaid o laeth o'i flaen gan obeithio y byddai wedi ei yfed erbyn y bore. Na, nid oedd wedi'i gyffwrdd. Rhowd dyrnaid o halen lawr ei wddf gan obeithio y gwnâi hwnnw weithio y tro yma. Roeddwn yn teimlo yn bur ddigalon erbyn nos Sadwrn, a meddwl bod y byd ar ben.

Codais yn fore dydd Sul i fynd i weld y gwartheg ac i'w bwydo er mwyn dod yn ôl i fynd i'r cwrdd erbyn deg. Edrychwn ymlaen yn arw at ddydd Sul, yn enwedig pan oeddwn yn teimlo'n ddigalon fel hyn. Roedd y tywydd yn chwarae rhan mor bwysig ym myd amaethyddiaeth, roedd gweld llygedyn o haul yn newid popeth. Penderfynais beidio ceisio rhoi y llo i sugno y bore hwnnw na'r noswaith honno, roedd y fuwch yn dechrau mynd yn gas erbyn hyn ac wedi dechrau rhuthro rhywun pan agorai y drws. Efallai petai yn cael tipyn bach o glem y doi i sugno ei hun. Cyrhaeddais y capel yn brydlon a'n gweinidog oedd gyda ni y bore hwnnw. Darllenodd yr unfed bennod ar bymtheg o Ioan. Ar ôl gweddio a chanu mi bregethodd ar yr adnod olaf. 'Yr wyf wedi dweud hyn wrthych er mwyn i chwi, ynof fi, gael tangnefedd. Yn y byd fe gewch orthrymder, ond codwch eich calon, yr wyf i wedi gorchfygu'r byd.' Es adre ddim yr un un dyn. Es i'r capel yn

Bwydo'r buchod yn y gaeaf

ddigalon iawn, es adre yn galonnog iawn, ac yn barod i wynebu unrhyw her a ddoi i'm cyfarfod yn ystod yr wythnos. Cofiais am y cynghorion roddodd Mam-gu i fi pan yn blentyn yn ystod y gwasanaeth, bod rhai pethau yn bwysig ac eraill ddim. Roeddwn yn teimlo fel y *wet batri* hwnnw, a gariais lawr laweroedd o weithiau pan yn blentyn i Lewis Morris i'w chargo. Roeddwn yn teimlo fy mod wedi cael digon o *charge* i wynebu unrhyw beth a ddaethai i'm cwrdd yn ystod yr wythnos oedd i ddod. Codais fore dydd Llun i weld bod y gwynt wedi gostegu, a'r haul awydd dangos ei hun. Roedd gwell golwg ar bethau ar dywydd fel

hyn. Es i weld os oedd y llo wedi yfed peth o'r llaeth o'r bwced. Oedd wir, roedd wedi yfed bron i hanner e, roedd wedi cael ei flas, byddai yn iawn wedyn. Ar ôl brecwast awd fyny i roi bwyd i'r buchod ac i weld y llo oedd mewn, nid oedd wedi cael dim llaeth ers nos Sadwrn. Roedd ei fam yn filain iawn eisiau mynd allan, ac yn anodd iawn gweld os oedd y llo wedi sugno. Oedd, roedd wedi sugno un chwarter ôl yn llwyr.

Agorwyd y drws iddynt gael mynd allan. Dwn i ddim p'un ai fi ynteu'r fuwch oedd falchaf o'u gweld yn mynd. Roedd wedi bod yn werth y drafferth yn y diwedd. Roedd yn fustach gwerth ei weld ymhen dwy flynedd. Bu yn wythnos ardderchog a'r haul yn dangos ei hun fwy bob dydd fel oedd yr wythnos yn mynd yn ei blaen. Roedd yn amlwg bod y gwanwyn ar ddod ac yn codi fy nghalon i weld y lloi a'r ŵyn bach yn chwarae yn yr haul. Medrem fwrw ymlaen â gwaith y fferm yn dda ar dywydd fel hyn. Es i'r capel dydd Sul i ddiolch amdani ac yn falch o gael diwrnod i orffwys. Buan iawn mae rhywun yn anghofio am y trafferthion oeddem yn ei gael, roeddynt yn dod weithiau, ond nid yn aml, diolch byth, a'r wythnos ganlynol clywsom y gôg. Rwyf bob amser yn falch o glywed y gôg yn canu am y tro cyntaf.

* * *

Cynyddodd y defaid i wyth cant o famogiaid magu ymhen ychydig flynyddoedd, ac yn byw yn o dda gan eu bod wedi'u magu ar y tir i gyd erbyn hyn. Penderfynom beidio gor stocio, gwell fyddai ceisio cynhyrchu cig oen gorau gallem, mor rhated byth ag y gallem, trwy beidio â'u bwydo o law ond yn hytrach gwella'r mynydd fel bod digon o borfa iddynt trwy'r gaeaf. Nid oeddwn yn hoffi gweld dafad yn rhedeg tuag ataf. Gwell oedd gennyf weld dafad oedd yn barod i redeg i ffwrdd a'i oen yn ei chanlyn o'r golwg dros y bryn, ar y smic lleiaf. Roeddem yn ffodus bod gyda ni dir gwaelod i fynd â'r hesbinod dau ddant lawr i fagu ŵyn. Dim ond y mamogiaid fyddai ar y mynydd yn ŵyna. Roedd y darnau roeddem wedi'u gwella yn gyfleus iawn i ddod â defaid i mewn iddynt pan yn ŵyna,

fel ein bod yn medru eu bugeilio ddwywaith y dydd. Mwyaf yn y byd oeddem yn gwella'r mynydd, mwyaf yn y byd oedd y defaid yn gwella, a mwy o lawer ohonynt yn cyplu bob blwyddyn. Nid oeddem yn hoffi gormod o efeilliaid, roedd un yn ddigon iddynt fagu, ar le fel hyn. Ond byddem yn dod â'r efeilliaid adref i gyd fel roeddent yn dod, i roi gwell lle iddynt.

Hoffais fugeilio'r defaid bob amser, roeddwn yn dysgu rhywbeth newydd bob dydd, roedd yn bleser llwyr ar dywydd braf. Ond os byddai'r tywydd yn arw, ni fyddwn byth yn eu haflonyddu, wnawn ni ddim ond drwg iddynt, trwy eu gwylltio o'r cysgod. Os arbedwn un, efallai y boddwn ddau trwy wylltio'r ddafad dros ryw nant. Gwell oedd gadael i natur ofalu amdanynt yn gyfan gwbl mewn storm. Roeddynt yn wych iawn am chwilio cysgod i ddod ag oen, byddai yn siŵr o godi a sugno, os cai lonydd gan y llwynog. Roedd y darnau roeddem yn eu gwella yn addas iawn adeg ymlid. Byddem yn prynu hwrdd, a dewis trigain o ddefaid ato i gael gweld beth tebygai ei epil. Roeddem yn dewis hwrdd caled, gan osgoi hwrdd rhywiog, byddai hynny yn help i oresgyn gaeaf caled. Roeddem yn llwyddo weithiau, ac yn methu dro arall. Os na fyddai fyny i safon ni chai ei ollwng y flwyddyn ganlynol. Proses araf iawn yw gwella diadell trwy fridio - os medrwn fynd ymlaen un cam gydag un hwrdd, hawdd iawn oedd mynd yn ôl ddau gyda hwrdd arall. Mae yna ddihareb yn Saesneg, mai hanner y bridio yw'r bwydo. Mi fuaswn ni yn rhoi y bwydo yn uwch o lawer. Gwelais newid mawr er gwell yn fuan iawn

Hwrdd o Bryn Cynhadledd, Dyffryn Conwy

ar ôl calcho'r mynydd a gwneud y borfa yn fwy melys i'r ddafad. Pan oeddem ni yn blant roeddem yn medru rhoi unarddeg o ddefaid Tynygraig mewn yn y stond ddipo ar y tro ond erbyn heddi mae saith yn hen ddigon. Roedd yn amser llewyrchus iawn ar amaethyddiaeth erbyn hyn, a'r llywodraeth yn gefnogol iawn i gynhyrchu fwy o fwyd, ac yn barod iawn efo'i arian mewn grantiau,

i'r sawl oedd yn barod i weithio – o edrych yn ôl, yn rhy barod efallai. Dechreuodd y gwaith papur ddod. Nid oedd y rhan fwyaf o ffermwyr wedi cael yr addysg angenrheidiol i lenwi'r ffurflenni uniaith Saesneg yma. Cynhyrchu bwyd oedd gwaith yr amaethwr wedi bod erioed. Yn y flwyddyn 1963 sefydlwyd Cymdeithas Tir Glas Aberystwyth a'r Cylch. Roeddwn yn y cyfarfod cyntaf un pan ei sefydlwyd. Mwynheais a dysgais lawer iawn yn y cyfarfodydd yma, er nad oedd dim yn Gymreigaidd, dim ond ei henw. Nid oedd yn broblem cael darlithwyr, daeth llawer iawn o bobl allan o'r colegau wedi graddio mewn gwahanol bynciau mewn amaethyddiaeth, ac yn barod i'n cynghori ar bob pwnc dan haul, a'r cyfan yn rhad ac am ddim. Ond y drwg oedd bod amryw ohonynt wedi cael addysg, heb unrhyw gefndir amaethyddol o gwbl, ac yn meddwl eu bod yn gwybod y cyfan allan o lyfrau. Ond diolch fod yna rai â'r cefndir amaethyddol ganddynt a'u traed yn solet ar y ddaear, ac wedi gwneud lles mawr i amaethyddiaeth. Un o'r rhain oedd Meredydd Roberts, Pwllpeirian, dim ond i enwi un. Clywais Mr Roberts yn darlithio flynyddoedd maith yn ôl erbyn hyn, ar sut i wella'r ddafad fynydd Gymreig. Roedd yn werth gwrando ar rhywun fel hyn, roeddech yn gwybod ei fod yn gwybod beth oedd yn siarad ambwyti. Fe oedd y gŵr cyntaf i fi glywed erioed yn dweud bod eisiau i ni fridiwyr defaid mynydd Cymreig i dalu mwy o sylw i geg y ddafad, a gwneud yn siŵr bod yr hyrddod oeddem yn eu defnyddio â dannedd da, wedi'u gosod yn y man iawn, ac yn cau yn union ar y pad uchaf, heb unrhyw arwydd o ên hir. Nid oedd neb cyn hyn yn gwneud unrhyw sylw o'r dannedd, ond erbyn heddiw dyma'r peth pwysicaf mae pawb yn edrych amdano pan yn prynu hwrdd. Mae llawer iawn o'r defaid mynydd Cymreig yn gorfod byw ar eu dannedd mewn llefydd anial iawn heb unrhyw ddwysfwyd, mae yn beth pwysig iawn bod dannedd da ganddynt.

Ar y llaw arall buom yn gwrando ar rai oedd wedi cael coleg a rhibin o lythrennau tu ôl i'w henwau yn ein cynghori ond i ni arllwys ddigon o nitrogen artiffisial ar wahanol amserau o'r flwyddyn, gallem gadw pedair ar ddeg o ddefaid mawr ar bob erw o dir trwy gydol y flwyddyn, a'r rheini yn magu bobi ddau oen. Yna byddent yn gwneud symiau, faint o arian ddylem gael oddi wrth pob erw – roedd yn swm anhygoel. Nid oedd ganddynt unrhyw barch tuag at y ddaear, na pha gyflwr byddem yn ei throsglwyddo i'r cenedlaethau oedd yn dod ar ein holau. Nid oeddwn yn hoffi y math yma o ddarlithwyr, nag yn cyd-fynd â'u syniadau, ac yn rhy swil i ddweud hynny wrthynt gan fod y cyfarfodydd yn uniaith Saesneg. Ond roedd un aelod yno, bob amser yn barod i dynnu eu sylw at y peryglon o'r math yma o amaethu, faint ddaliai'r ddaear i'r math yma o driniaeth, pa mor hir fyddai cyn llygru'r nentydd, beth am iechyd y defaid, a phle roeddem yn mynd i gael marchnad i'r holl ŵyn. Roeddwn i yn edmygu Mrs Williams, Brynllys yn fawr iawn, roedd yn gofyn ac yn dweud yr union bethau yr hoffwn i eu dweud, pe medrwn. Daliodd Mrs Williams i ffermio Brynllys hyd y diwedd yn y ffordd fwyaf draddodiadol ag organig bosib, waeth beth ddywedodd dim un ohonynt. Mae Rachel ei merch yn ddyledus iawn i'w mam am lynu'n gadarn i'r hen ddull o ffermio. Ni fyddai llaethdy Rachel mor lewyrchus heb hynny. Mae ffermio a ffasiwn merched yn debyg iawn i'w gilydd. Os sefwch chi'n yr un man ddigon hir, byddwch o flaen yr oes ryw ddiwrnod.

Y Saithdegau

Bu cyfnod o'r chwedegau i'r wythdegau, y cyfnod gorau welodd amaethyddiaeth erioed, rwyf yn tu hwnt o falch fy mod wedi dal ar y cyfle i wella'r tir yr adeg hynny, pan oedd y grantiau da i'w cael am bob math o bethau. Mwyaf yn y byd y byddem yn gwella ar y borfa, mwyaf yn y byd oedd y stoc yn gwella, roedd hyn yn rhoi pleser mawr i fi. Ond fel roedd pethau yn gwella ar bawb, gwacáu wnaeth y capeli a'r eglwysi. Clywais un yn dweud amser hynny, nad oedd amser ganddo mwyach, roedd yn rhy brysur. Os gwellodd pethau yn faterol, dyma'r cyfnod ddioddefodd y genedl fwyaf yn ysbrydol. Cefnodd llawer iawn ar Dduw a meddwl mai gwastraff amser oedd mynychu moddion gras, a rhoi eu holl enaid i bethau materol iawn. Aeth dydd Sul fel unrhyw ddiwrnod arall yn fuan iawn. Roedd y cynghorwyr yma yn dweud ei bod yn bwysicach cael y silwair i mewn yn gyflym na gorffwys ar y Sul, er mwyn cael silwair o'r ansawdd gorau, yn ôl y llyfrau roeddent hwy wedi'u astudio. Nid yn ôl yr un a ddarllenais i:

Dyma Feibl annwyl Iesu,
Dyma rodd deheulaw Duw;
Dengys hwn y ffordd i farw
Dengys hwn y ffordd i fyw;
Dengys hwn y codwm erchyll
Gafwyd draw yn Eden drist;
Dengys hwn y ffordd i'r bywyd,
Drwy adnabod Iesu Grist.
A.N.

Dysg i ninnau annwyl Iesu,
Chwilio'r Gair am danat ti;
Drwy bob hanes drwy bob adnod,
Dangos Di Dy hun i ni:
Mil mwy melys fydd ei ddarllen,
Os dy gwmni di a gawn
A chawn help i farw'n dawel
Wedi dysgu byw yn iawn.
ELFED

Daeth yn amser pan oedd y ffyddloniaid oedd ar ôl yn ei chael yn anodd i gynnal yr achos, ac i gadw'r drws ar agor, ac eto roedd y rhai oedd

Gwen yn porthi'r bustych

wedi cilio, a dim wedi mynychu capel ers blynyddoedd yn disgwyl bod y drws ar agor pan oeddent eisiau bedyddio, priodi neu gladdu. Nid wyf yn deall y math yma o fedyddio, oherwydd mae'n rhaid mynd ar lŵ ger bron Duw a'r gynulleidfa sydd yn bresennol, i ddwyn y plentyn i fyny i geisio ddod i adnabod Iesu Grist ac i fod yn

ffyddlon iddo ar hyd ei oes. Heb hyn pa lês rhoi ychydig o ddŵr ar ei dalcen. 'Run fath pan yn priodi – mae yna addewidion mawr yn cael ei gwneud. Ond mae'n rhaid ceisio cymorth Duw bob tro mae pethau yn dechrau mynd o chwith. Pa lês dod â chorff i'r capel ar ddiwrnod ei angladd, os oedd wedi dewis cadw draw ar hyd y blynyddoedd, pan oedd yn abl i gerdded i'r cwrdd.

Pan oeddwn yn blentyn nid oedd neb yn meddwl mynd â chorff i'r capel, p'un ai oedd yn un o'r saint neu y pechadur mwyaf. Byddai'r cynhebrwng yn cychwyn o'r cartref ac yn syth i'r fynwent. Credent mai lle i'r byw oedd y capel, ac mai lle y meirw oedd y fynwent.

Buom yn ffodus iawn i gael bechgyn da i gynorthwyo ar y fferm. Bu Sidney Davies o Faesyderi yn gweithio gyda ni am gyfnod, bachgen addfwyn iawn. Roedd, fel fi, yn gredwr mawr yn y ddihareb, 'os nad gryf bydd gyfrwys'. Byddai bob amser yn meddwl cyn dechrau unrhyw orchwyl, sut fyddai'r ffordd hawddaf i'w gwneud. Er enghraifft, roeddem, rhyw ddiwrnod yn dad-flocio rhyw ddraen oedd yn gollwng ar ganol y cae. Roedd wedi meddwl mai'r ffordd hawsaf i ddatrys y broblem oedd torri twll i gael gafael ar y beipen bridd ychydig nes i lawr na'r lle gwlyb, ac yna codi'r beipen, a dal gwadden a'i gollwng i fyny'r beipen, byddai yn siŵr o grafu ei ffordd drwy'r rhwystr a gadael i'r dŵr lifo eto. Bu David Tansey, bachgen o'r pentref gyda ni am rai blynyddoedd, hanner Cymro, hanner Gwyddel, a dim owns o ddiogi yn perthyn iddo, ac yn fachgen hawdd iawn i gydweithio gydag e. Codom dŷ iddo fe a'i deulu, Llety'r Bugail. Dysgodd gneifio yn dda, a bob amser yn awyddus i orffen cneifio yn gynnar yn y dydd, er mwyn mynd adref at y gwair. Cafodd gynnig gwaith i edrych ar ôl fferm yn Lloegr ymhen rhai blynyddoedd, a gadawodd ni.

Buom yn ffodus iawn i gael bachgen arall, Malcolm Beck, Sais o'r canolbarth, gŵr cryf gonest, bob amser yn barod i gydio yn y pen trymaf. Bu gyda ni am flynyddoedd tra roedd y plant yn cael eu geni a'u magu, nes i'r bechgyn ddod adref i weithio. Bu yn gefn mawr i ni pan oedd fy rhieni yn dechrau gwneud llai. Medrwn ddibynnu yn llwyr arno a derbyn llawer cyngor ganddo. Ni fu gair croes rhyngom erioed, diolch iddo.

* * *

Mr E S Davies oedd fy nhad yng nghyfraith, un o hoelion wyth y Gymdeithas Merlod Mynydd a Chobiau Cymreig ac yn aelod ohoni ers dechrau'r ganrif. Roedd yn awyddus i ni brynu merlod i bori ar y mynydd. Roeddwn wedi bod â diddordeb mewn merlod erioed, wedi bod yn marchogaeth ers yn ifanc iawn, ac wedi treulio llawer o amser yn bugeilio ar gefn merlen. Nid oedd gwell ffordd o fugeilio i'w gael, gallech glywed oen bach yn brefu o bell os byddai wedi syrthio i ryw dwll, neu glywed dafad yn brefu. Mae yn amhosib heddi ar gefn beic. Bûm yn cael llawer o hwyl am flynyddoedd yn cymryd rhan yn y rasys ceffylau yn Sioe Tal-y-bont, pan oedd Billy Boy yn ei ogoniant gyda Tom, Lluest Fawr – amser da. Penderfynom fynd i arwerthiant yn Cwmowen ar fynydd Epynt i brynu ebolion. Cefais agoriad llygad y diwrnod hwnnw, gweld y merlod yn cael eu gyrru ar hyd y mynyddoedd i'r arwerthiant, ddeg ar hugain ar y tro, yn union 'run fath â taen ni yn gyrru defaid i'r farchnad, ac yna yn cael eu troi i gorlan fawr ger y dafarn mewn lle anial iawn,

Fi ar gefn y march broc

a dim tŷ arall yn agos i'r lle. Dwn i ddim sut oeddent yn eu hadnabod ar ôl eu cymysgu efo'r lleill, dau gant a hanner ohonynt, a'r rheini yn wyllt fel cwningod, heb weld fawr neb o'r blaen. Ond roeddent yn eu cael i mewn i'r cylch gwerthu, bob yn un â rhif ac yna ar ôl gwerthu eu gollwng yn ôl yn gymysg unwaith eto.

Roedd Mr Davies yn adnabod pawb oedd yno, ac yn gwybod yn iawn pa lefydd oedd â'r merlod gorau, y rhai oedd wedi bod yn bridio ers blynyddoedd maith, gorau oll os byddai tipyn o waed Ceulan ynddynt. Fe oedd yn dweud wrtha i

pryd i gynnig a phryd i beidio. Roedd rhai â dim pen digon da ganddynt, rhai eraill yn rhy hir eu cefnau, rhai eraill ddim yn symud ddigon da – roedd yn bwysig iawn bod ysgwydd uchel ganddynt i atal y cyfrwy rhag llithro ymlaen at eu clustiau pan yn mynd lawr i'r gwared. Dysgais fwy am ferlod mynydd y diwrnod hwnnw na wnes i erioed, gan un o arbenigwyr mwya'r genedl, a dreuliodd ei oes i'w hastudio. Prynom dri, dwy swclen a un swclyn – swclen winau a swclen felen a swclyn palomino, lliw hufen. Buan iawn aethant yn saith o gesig magu. Rhoddodd y merlod bleser mawr i fi, a gweld natur yn gweithio ar ei orau. Nid oeddwn byth yn ymyrryd â nhw. Gadael y march efo'r cesig bob amser. Gallai'r ebolion ddod fis ynghynt bob blwyddyn, gan fod caseg yn gofyn march mewn saith diwrnod ar ôl dod ag ebol. O na, canol mis Mai roeddent yn dod bob blwyddyn. Ni welais gaseg yn dod ag ebol erioed. Bûm yn ffodus i gael mynd â hwy lawr i Bwllpridd dros y gaeaf i bori rhos yno a dod â hwy yn ôl yn y gwanwyn i Gaer Arglwyddes. Roedd prisiau reit dda am y swclod ddechrau'r saithdegau. Bûm yn mynd â hwy i Henffordd i farchnad Fayre Oaks ble roedd y bobl fawr yn gwerthu. Aeth rhai ohonynt i'r Iseldiroedd. Mwynheais gwmni'r merlod yn fawr iawn, deuthum yn aelod am oes o'r Gymdeithas. Gwnaeth y merlod les mawr i'r defaid ar y mynydd trwy bori'r blewyn glas oedd yn tyfu mewn ffynhonnau lle'r oedd pry yr afu yn llechu.

*   *   *

Y merlod yn eu cynefin, 1983

Un o'r pethau oedd yn rhoi mwyaf o bleser i fi oedd cael cystadlu yn y gystadleuaeth cneifio â gwellau mewn sioe. Roeddwn wedi bod yn cystadlu yn y sioeau lleol ers yn ifanc iawn, ac wedi ennill weithiau, ac wedi colli yn amlach. Pob tro y byddaf yn cystadlu, hyd heddi, rwyf yn mynd yn nerfus iawn. Pan eisteddaf ar y fainc cyn dechrau mae fy mhen-gliniau yn dechrau crynu yn afreolus. Y brif gystadleuaeth yng Nghymru yw yr un i ennill cwpan Geraint Howells yn y Sioe Genedlaethol Cymru yn Llanelwedd. Bu Geraint yn is-gadeirydd ar y bwrdd gwlân, bwrdd rydym ni'r ffermwyr defaid yn ddyledus iawn iddo am werthu ein gwlân, mewn amser anodd iawn yn aml. Roedd Geraint bob amser yn gefnogol i gystadleuaeth gneifio, ac yn bencampwr ei hun ar y grefft, ac yn feirniad. Dim yn aml fyddwn ni yn gweld aelod seneddol yn ennill ar y gystadleuaeth gneifio â llaw mewn sioe. Roeddem yn ffrindiau mawr, fe oedd ein haelod seneddol, er na phleidleisiais iddo erioed, cenedlaetholwr wyf wedi bod ers cael y wers *Geography* gyntaf, yn y *County School*.

Ni chefais achos i ddathlu mewn etholiad erioed, nes i Cynog Dafis ennill yn 1992. Rwy'n disgwyl pethau mawr i ddigwydd bellach.

Roeddwn wedi ceisio ennill cwpan Geraint ers rhai blynyddoedd ond wedi methu, byddai pencampwyr o Ogledd a Chanolbarth Cymru yno yn ceisio amdano. Ennill y cwpan hwn oedd uchelgais pob cneifiwr. Yn 1971 roeddwn yn bwriadu cneifio yn Llanelwedd, roedd ugain ohonom wedi rhoi ein henwau i mewn, ac yn rhes ar y llwyfan yn barod i gychwyn, a 'mhen-gliniau yn crynu, roeddynt yn gwaethygu fel oeddwn yn mynd yn hŷn. Roeddwn yn adnabod y cneifwyr i gyd ac yn ffrindiau da. O bob cystadleuaeth rwyf wedi bod ynddi erioed, dyma'r gystadleuaeth fwyaf cyfeillgar ohonynt i gyd, nid oedd owns o eiddigedd gan neb, pob un yn helpu'i gilydd, caech fenthyg unrhywbeth, llinyn neu wellau hyd yn oed, os byddai un chi ddim yn torri. Roedd ychydig o lwc yn perthyn i'r gystadleuaeth, medre rhai cael dafad well na'i gilydd. Roeddem yn cael wyth munud i gneifio un ddafad. Roedd y defaid wedi cael rhif o un i ddau ddeg a'r cystadleuwyr yr un fath fel bod pawb yn cael chwarae teg. Gwelais fy un i yn dod, hoffais hi yn syth ar yr olwg gyntaf, nid oedd yn un fawr iawn, byddai hynny yn help i fi glymu ei thraed. Nid oedd gwlân y bol yn dynn iawn, ac yn amlwg ei bod yn galw am ei chneifio.

Cawsom arwydd gan y stiward i gychwyn, a Gareth Llawrcwmbach yn sylwebu a dyma i chi sŵn hyfryd, ugain o welleifiau yn clician gyda'i gilydd. Cefais hwyl dda ar gneifio'r bol, digon o le i fynd o dan yr hen gneufyn, a sofl tenau hawdd ei dorri ganddi. Roedd 'nhad wedi fy nysgu i gneifio'r bol yn weddol isel, yn enwedig pan yn cneifio oen, ac i gneifio'r bol yn gyflym fel fy mod i'n cael mwy o amser ar y cefn. Mewn cystadleuaeth glos y cefn gwastataf oedd yn ennill bob amser. Clymais ei thraed, roedd yn waith rhy berig i'w cneifio heb glymu ei thraed, gallai ei throed ôl fachu yn nolen y gwellau a'i luchio o'ch gafael i ganol y dyrfa oedd yn gwylio. Digwyddodd hyn un waith, pan yn cneifio yn Gwarcwm Bach. Bachodd dafad ei throed yn nolen gwellau un o'r cneifiwr, a'i dynnu o'i afael, a'i luchio i ben pella'r ysgubor, a mi ddisgynnodd â'i flaen i mewn rhwng clust a llygad un o'r cneifwyr. Roedd yn gwaedu fel taech chi'n lladd mochyn ac nid oedd neb yn gwybod beth i'w wneud. Ond dyma John y Trapwr, oedd yn was yn Gwarcwm Uchaf ar y pryd, yn dringo i fyny i nenfwd yr ysgubor, a chydio mewn dyrned o'r gwe pryf copyn oedd yno, a'i wasgu ar y clwyf.

Ataliodd y gwaedu yn syth. Aeth y cneifio yn ei flaen mewn ychydig, a phawb wedi cael ofn mawr. Mae'n rhaid bod yn ofalus iawn efo'r gwellau ar ddiwrnod cneifio, maent yn gallu bod yn beryglus iawn.

Clymais ei thraed yn weddol hwylus, heb golli fawr o eiliadau, roedd clymu traed ambell un yn gallu bod yn waith anodd, a cholli dipyn o amser, os caech un byddai yn cicio o hyd. Agorais o amgylch ei gwddf yn weddol daclus, a'r gwellau gefais gan Ann cyn priodi yn torri yn fendigedig. Roeddwn wedi cael dafad wrth fy modd, ni fedrwn roi y bai ar y ddafad na'r gwellau os methwn gael gwobr. Os na ddoiswn yn o agos i'r brig y diwrnod hwnnw arna i byddai'r bai. Cneifiais yr ochr gyntaf yn weddol wastad, heb dorri arfodau rhy lydan, gan gadw fy llygaid ar y lleill rhag ofn fy mod ar ôl. Tociais y gynffon yn ofalus a dim gadael un tusw ar ôl. Gwyddwn mai dyma'r lle fyddai'r beirniad yn edrych os fyddai rhai ohonom yn weddol agos. Troais fy nafad gyda'r rhai cyntaf, a dechreuais gneifio yr ail ochr gan ofalu bod yr arfodau 'run lled a'r ochr arall, yn hollol gyferbyn a'i gilydd ac yn rhedeg yn sgwâr o'r bol dros yr asgwrn cefn ac i lawr i'r bol yr ochr arall.

Y perygl oedd mynd lawr yn rhy isel i'r croen mewn mannau, os digwyddai hyn, byddai ar ben, ni allech wneud dim yn ei gylch, gallwn drwsio tipyn os byddwn yn torri ychydig yn uchel. Cefais hwyl dda arni, ond O! bûm yn ffodus o gael dafad hawdd ei chneifio, ni chiciodd o'r dechrau i'r diwedd, a chodiad tenau hyfryd i dorri a sofl

Y beirniad wrth ei waith

hyfryd hollol wyn ar ôl. Gorffennais hi mewn pryd. Nid yw wyth munud yn llawer o amser i gneifio dafad pan fyddwch o flaen tyrfa. Roeddwn yn teimlo fy mod wedi cael hwyl pur dda ar ei chneifio pan ollyngais ei thraed a gadael iddi aros ar ei thraed.

Nid oeddwn wedi torri cwt o gwbl, roedd pob un a dorrodd gwt yn cael ei wahardd yn syth. Dechreuodd y beirniad ar ei waith ym mhen pellaf y rhes, roedd y beirniad yn gwybod ei waith yn dda, wedi bod yn cneifio ers pan oedd yn blentyn ac yn gwybod yn iawn ble i edrych am y

Geraint yn cyflwyno'r cwpan

ffaeleddau. Tynnodd wyth i lawr i lwyfan yn nes at y dyrfa oedd yn gwylio, a minnau yn eu plith. Bu yn edrych yn ofalus ar yr wyth cyn dechrau eu gosod. Cefais i fynd fyny yn ail. Daeth yn ôl ar ôl gosod y gweddill i edrych ar y ddwy gyntaf. Roedd hyn yn arwydd da. Gorfu i ni'n dau ail ddangos y bol iddo, i gael gweld a oedd un yn rhagori. Rhoddodd arwydd i ni godi'r ddwy ar eu traed a dyna lle bu e'n manylu i weld os oedd pant neu gydun bach wedi'i adael ar ôl ar un, a ninnau'n dau yn gwneud i'r ddwy edrych ar eu gorau. Bu yn syllu yn hir arnynt cyn penderfynu. Yn sydyn dyma fe'n rhoi arwydd i fi fynd yn gyntaf. Cefais ryw wefr y diwrnod hwnnw nad anghofiaf i byth mohoni. Roeddwn wedi llwyddo yn yr uchelgais mwyaf oedd gen i, cael mynd â chwpan Geraint adre.

* * *

Dechrau'r saithdegau cododd awydd ar Ann a fi fynd am wyliau i'r America, i weld Yncl Tom a Anti Dorothy, a gadael y plant ar ôl efo fy rhieni a'm chwiorydd a fy rhieni yng nghyfraith. Roedd Yncl Tom, brawd fy nhad, wedi ymfudo o'r Winllan i'r America cyn fy ngeni i, pan oedd yn ddwy ar bymtheg oed, at Ewythr John a oedd wedi ymfudo cenhedlaeth ynghynt i Oregon. Roedd Princeton, Oregon, U.S.A. yn gyfarwydd iawn i ni ers yn blant, roedd rhywun o'r teulu yn cael llythyr yn gyson oddi wrth Yncl Tom, a phawb yn ei anfon ymlaen i bob un o'r teulu gael ei weld.

Nid oedd Ann na fi erioed wedi bod mewn awyren o'r blaen, a ddim yn gwybod beth i ddisgwyl. Roedd awyren anferth yn ein disgwyl yn Gatwick, Boeing 707, a channoedd o bobl arni, roedd yn llawn. Caewyd y drysau, a chychwynnwyd y peiriannau, a'r awyren yn cychwyn yn ara bach, ac fel oedd y peilot yn rhoi ei droed ar y sbardun, crynodd yr awyren yn ofnadwy. Cefais y teimlad y byddai raid i fi redeg i'r tŷ bach ond roedd y stiward wedi ein siarsio nad oeddem i symud tra roedd yr awyren yn codi, ac wedi ein clymu â gwregys i'r sedd. Roedd yn bwrw glaw yn drwm, ond yn sydyn dyma fellten, cawsom storm o fellt a tharanau dychrynllyd tra bu'r awyren yn codi. Roedd yn codi yn gyflym, ei phen blaen yn uchel a'i chynffon yn isel a phawb yn dawel fel y bedd, roedd hyd yn oed y stiwardiaid yn dawel, a phob un yn eistedd i lawr yn llonydd.

Yn sydyn, ar amrantiad cliriodd y cymylau, tawelodd y mellt a tharanau, a'r haul yn tywynnu'n braf a dim un cwmwl yn y ffurfafen dim ond awyr las braf. Cododd y stiwardiaid a rhoi gwers i ni beth i'w wneud petai rhywbeth yn mynd o'i le, a 'taen i yn gorfod neidio allan. Os dywedodd hi hynny te, bu raid i fi redeg i'r tŷ bach, roeddwn wedi difaru'n enaid i fynd i'r fath le a finnau ddim yn gallu nofio. Rhown y byd am gael rhoi fy nhraed ar y ddaear unwaith eto. Cododd yr awyren i bedwar deg pedair o filoedd o droedfeddi uwchlaw'r ddaear, a minnau'n gallu teimlo pob modfedd o'r gwacter oedd oddi tanom. Methais edrych allan am oriau, dim ond edrych ar fy nhraed. Roedd deuddeg awr o hedfan o'n blaenau cyn cyrraedd Seattle, a hynny heb ddisgyn. Roedd y stiwardiaid yn fendigedig, yn gwneud eu gorau i ni anghofio ble'r oeddem, trwy ddod â bwyd neu rywbeth i'w yfed i ni o hyd. Roedd Ann wedi dod i fwynhau ei hun ac wedi dechrau edrych allan, ac yn fy annog i i wneud. Roeddwn yn eistedd wrth y ffenestr a mentrais gael pip bach cyflym, nid oedd cynddrwg ar ôl gwneud unwaith. Cefais sioc pan welais ein bod yn hedfan ymhell uwchlaw'r cymylau, a finnau wedi meddwl erioed bod y cymylau yn cyrraedd hyd at y nefoedd, roeddynt yn edrych fel gwlân o tanom. Hedfanom dros begwn y gogledd ac i lawr dros Ganada.

Mwynheais y daith yn fawr ar ôl dechrau edrych allan. Roedd y profiad o ddisgyn yn waeth na'r profiad o godi, ond cyrhaeddom Seattle yn ddiogel yn y diwedd, a chael awyren llai o faint i'n cludo i Portland. Buom yn yr awyr am oddeutu hanner awr cyn cyrraedd Portland. Dyna deimlad braf oedd teimlo fy nhraed ar y ddaear unwaith eto, a gweld Yncl Tom a Anti Dorothy yn ein disgwyl. Aethant a ni i Fotél i aros y nos, nid oeddem wedi cysgu ers dros bedair awr ar hugain, wedi blino yn lân. Buom yn trafaelu am dri diwrnod a hanner cyn cyrraedd ransh Yncl Tom. Beth a'm synnodd i fwyaf yno oedd pa mor faith oedd Oregon. Galwom un prynhawn yn rodeo fwyaf Oregon, lle'r oedd pencampwyr yn cystadlu am y cowboi gorau'r flwyddyn. Roeddynt yn gorfod profi eu hunain mewn llawer tasg, un ohonynt oedd marchogaeth anferth o deirw gwyllt a cheffylau gwyllt − y sawl oedd yn aros arnynt hwyaf oedd yn ennill.

Tasg arall oedd gollwng eidion blwydd a hanner allan i gylch mawr, a'r cowboi fod i garlamu ar gefn ceffyl ar ei ôl, a chyd redeg efo'r eidion, a neidio oddi ar y ceffyl a chydio yn ei gyrn a'i gwympo a chlymu ei draed efo rhaff oedd e'n cario am ei wddf. Roedd y goreuon yn medru gwneud hyn i gyd mewn pedair eiliad ar ddeg. Credwn i ddim o'r fath beth oni bai fy mod wedi'i weld. Roeddynt yn gorfod profi eu hunain mewn llawer o dasgau tebyg. Mwynhaom ein hunain yn fawr iawn y diwrnod hwnnw.

Pan gyrhaeddom gartref Yncl Tom, nid oedd drws y tŷ wedi'i gloi. Synnodd hyn fi yn fawr, ond eglurodd Yncl Tom nad oedd neb yn cloi eu drysau yn y gorllewin gwyllt, bod croeso i bob un oedd ar goll mewn storm i alw i mewn i gael bwyd ac aros y nos, yr unig reol oedd, os byddent yn llosgi coed tan, bod raid iddynt dorri rhai yn eu lle cyn gadael yn y bore, rhag ofn daethai rhywun arall.

Bu yn brofiad bendigedig i ni ein dau glywed Yncl Tom yn dweud ei hanes pan ymfudodd o'r Winllan i'r America. 'Rôl cyrraedd Efrog Newydd roedd yn nes i'r Winllan, na'r man oedd am fynd yn Oregon. Bu yn trafaelu ar y trên yn groes i'r America am ddiwrnodau lawer. Os gwelai gyrrwr y trên a'r giard hwyaid gwyllt ar lyn wrth fynd heibio, byddent yn stopio'r trên, a'r ddau yn mynd lawr at y llyn ar ei boliau gyda bobi reiffl i geisio saethu un o'r hwyaid, ac yna dod yn ôl a chychwyn eto. Defaid oedd yn Oregon amser hynny a'r gwaith cyntaf gafodd Yncl Tom oedd gofalu am ddiadell Ewythr John. Byddai yn mynd o fan i fan bob dydd a chysgu allan efo'r defaid. Ni welodd neb am dair wythnos. Roedd yn pobi ei fara mewn twll yn y ddaear ar ôl gwneud tân ynddo. Cododd hiraeth difrifol arno am gartref, byddai wedi dod yn ôl, petai arian ganddo. Erbyn i ni gyrraedd, gwartheg oedd y cyfan oedd yno, a dim defaid o gwbl. Eglurodd i ni mai cenhedlaeth Ewythr John oedd wedi gwneud hi orau, roeddynt hwy wedi prynu'r mannau lle'r oedd dŵr, yr afonydd a'r nentydd. Roedd yn rhaid i'w genhedlaeth ef gymryd y tir lle nad oedd dim dŵr, roeddynt yn gorfod talu am fynd â thrydan i bob man i bwmpio dŵr o'r ddaear am ugeiniau o filltiroedd. Roedd Ewythr John wedi marw cyn i ni fynd draw, ond roedd ei deulu yn gyfoethog iawn, roedd ganddynt ransh enfawr bron cymaint â Chymru, ac yn cadw awyren i ofalu am y gwartheg. Cawsom hanes Ewythr John, fel yr oedd wedi dod yn ôl i Gymru pan yn ifanc i chwilio am wraig a'i fod wedi hysbysebu yn y *Welsh Gazette*

Brandio'r lloi

am wraig, a bod merch Mabws Hen, Llanrhystud, wedi ateb ei hysbyseb a mynd yn ôl efo fe i'r Gorllewin gwyllt ar ôl priodi. Dangosodd Yncl Tom y bwthyn lle'r oeddent yn byw yn y dechrau – bwthyn coed ar ben y mynyddoedd, mewn man mwyaf gwyllt yn y gorllewin, a dim un tŷ arall o fewn hanner can milltir iddynt. Druan ohoni, nid oedd gobaith iddi ddod yn ôl petai eisiau, ond roedd eu teulu yn Oregon pan oeddem ni yno â golwg lewyrchus iawn arnynt.

Y peth a'm rhyfeddodd i pan oeddem draw yno oedd nad oedd y coed yn pydru – roedd y bwthyn 'run fath â'r diwrnod ei adeiladwyd, a'r papur ar y wal a hen *Welsh Gazettes* yno o hyd o dan y papur wal, er bod neb wedi byw yno ers yn agos i gan mlynedd a neb wedi'i fandaleiddio. Nid oedd unrhyw beth yn rhydu yno chwaith, roeddent yn dangos gwifren bigog i ni oedd yn gant oed, a heb rydu dim, roedd yr aer yno mor sych, ac roeddem mor bell o'r môr. Roeddent yn gorfod gofalu bod digon o halen i'r gwartheg bob amser iddynt gael ei lyfu.

Roedd Yncl Tom a Anti Dorothy wedi ymddeol pan oeddem ni draw. Albanes oedd Anti Dorothy, hi oedd yr athrawes yn ysgol fach Princeton. Roedd ganddynt bedair merch Beti, Janice, Delta a Dee Anne. Roedd y pedair wedi priodi a phobi ransh ganddynt, llefydd anferth, roedd y gwartheg yn medru mynd gan milltir i ffwrdd yn yr haf a dod yn ôl eu hunain pan oedd y gaeaf yn dod. Pleser o'r mwyaf oedd eu gweld yn trafod cannoedd o wartheg diwrnod marcio a sbaddu'r lloi. Nid oeddent yn dod lawr o gefnau'r

ceffylau, dim ond i gael bwyd. Lluchiai un raff am ben y llo a'i lusgo draw at lle'r oedd y sbaddwr, a'r tân lle'r oeddent yn brando. Pan cyrhaeddai byddai un arall ar gefn ceffyl yn ei ddisgwyl, plentyn fel rheol, ac yn taflu rhaff am ei ddwy goes ôl. Yna byddai un o'r rhai oedd ar eu traed yn tynnu y rhaff oddi ar ben y llo a'i roi am ddwy goes flaen y llo. Byddai'r ddau geffyl yn aros yn berffaith lonydd tra byddai'r llaw driniaeth yn mynd ymlaen. Roeddent wedi cael eu dysgu yn berffaith, petaent ond yn symud ychydig, tynnent y llo yn ddau ddarn yn syth.

Roedd bechgyn deg oed yn medru gwneud y gwaith yma ar gefn ceffyl. Rwy'n methu deall hyd heddi sut oeddent yn medru taflu rhaff o gefn ceffyl am ddwy goes ôl llo, a byth yn methu cael y ddwy. Dywedodd Yncl Tom wrthym bod rhai o'r ranshis mwyaf yn Oregon wedi prynu peiriannau i hwyluso'r gwaith ond gorfu iddynt eu gwerthu. Roeddynt yn methu cael dynion i'w cynorthwyo, roedd y peiriannau wedi mynd â'r pleser oeddynt yn ei gael efo'r hen ddull. Mwynhaom ein hunain yn fawr iawn gyda nhw, roeddynt yn bobl mor naturiol garedig, a digon o amser ganddynt i bob peth, hyd yn oed gweld yr ysgol yn chwarae pêl-droed yn erbyn ysgol arall. Gadawent y cyfan a mynd gyda'r plant i'w cefnogi. Roedd yr ysgol agosaf dri chan milltir i ffwrdd. Gadawent y gwair am ddiwrnod er mwyn cael mynd.

Roeddynt yn dibynnu llawer i gael dŵr i'r gwartheg yn yr haf, ar faint o eira gawsent yn y gaeaf, mwyaf yn y byd o eira gawsent, mwyaf yn y byd o ddŵr fyddai yn yr haf. Pan fyddai'r eira yn

Yncl Tom a minnau

toddi ar y mynyddoedd yn y gwanwyn, byddai'r gwastadedd yn y gwaelod yn cael ei foddi, miloedd ar filoedd o erwau, yn llyn anferth. Fel oedd y llyn yn sychu yn yr haf, byddai'r gwair yn tyfu yn gyflym, a dyna lle'r oeddynt yn cael eu porthiant dros y gaeaf. Cyneuafent y gwair a'i hel yn dyrrau mawr anniben a'i adael tan y gaeaf a throi y gwartheg i mewn i'w fwyta. Byddai'r cyfan wedi cael ei guddio gan drwch mawr o eira erbyn hyn, ond y syndod oedd nad oedd y gwair yn gwlychu, roedd yr eira mor sych. Roeddent yn medru cadw cannoedd o fuwchod yn hwylus iawn a dim eisiau eu porthi, na phryderu am y slyri. Treuliom dair wythnos fythgofiadwy yn eu cwmni.

* * *

Cefais siom fawr ddechrau'r saithdegau pan wrthododd dwy chwaer fach ddod mewn i'm car, am y tro cyntaf erioed, pan arhosais i roi lifft iddynt adref o'r ysgol, fel arfer. Roeddwn wedi aros bob amser i gynnig cario plant i'r ysgol neu wrth fynd adref, a roeddynt bob amser yn falch o'r cynnig, 'run fath ag oeddwn i slawer dydd. Roeddwn yn methu deall pam yr oeddent yn gwrthod ac ni fuodd yn hir nes oedd pob plentyn yn gwrthod. Deallais yn y diwedd pam – yr oedd y rhieni yn siarsio bob plentyn i beidio â mynd mewn i unrhyw gar, roedd safonau moesol rhai bobl wedi disgyn mor isel. Rwyf yn dal i gynnig o hyd, ond does dim un yn barod i ddod mewn. Petai ambell i fam yn fy ngweld, cawswn fy ngyhuddo o bethau dychrynllyd iawn. Fel mae safonau moesol wedi disgyn ers diwedd y rhyfel. Nid yw hi'n ddiogel i blant bach fynd adref o'r ysgol ar eu pennau eu hun. Mor wahanol pan oeddem ni yn yr ysgol, roeddem ni yn cael ein dysgu i barchu ac ymddiried ym mhawb, ond mae plant heddiw yn cael eu dysgu i ddrwgdybio pawb. Pa fath o blant rydym yn dwyn i fyny fel hyn? Ry'm yn gallu mynd i'r lleuad heddiw, ac yn gallu clonio defaid, ond wedi gwneud y ddaear yn lle peryglus iawn i blant a phobl mewn oed. Oni fyddai yn well i ni geisio gwneud y ddaear hon yn le mwy diogel a heddychlon i bawb, yn hytrach na gwario cymaint i fynd i'r lleuad i lygru honno hefyd.

Bu cyfnod y saithdegau yn gyfnod bendigedig i amaethyddiaeth, grantiau da gan y llywodraeth i bob peth a chymorthdal, a chynghorwyr yn barod

Cledwen Lewis 2ail

i gynghori ar bob pwnc, a sut i gynhyrchu mwy. Bu unwaith pan oedd y llywodraeth yn talu mwy am gynhyrchu oen, nag oedd gwraig y tŷ yn ei dalu. Roedd yn amlwg i bob un synhwyrol, na fedrai hyn ddal yn hir. Ond roedd pawb yn falch ohono tra parai.

Roedd gennym sustem hawdd iawn erbyn hyn. Roedd y buwchod yn ei gwneud hi'n hawdd iawn i reoli'r borfa yn yr haf er lles y defaid. Ceisiem gynhyrchu gorau gallem mor rhated byth ac y gallem. Roedd dwy siâr o dair o'r buchod yn lloia yn y gwanwyn, a'r gweddill ddiwedd yr haf, a'r cyfan yn lloia allan. Roedd yn haws cadw'r tarw

yn hapus fel'ny. Mae'r gwartheg i gyd yn dal yn gorniog, eithriad erbyn heddiw.

Roeddwn bob amser yn meddwl bod gwartheg corniog yn edrych yn fwy yn y cylch gwerthu yn Nolgellau, roeddynt bob amser yn cadw eu pennau yn uchel, tra roedd gwartheg moelion yn dueddol o gadw eu pennau lawr. Ceisiem brynu'r teirw gorau i'r fuches bob amser. Y tarw gorau fu gennym erioed oedd Blaendyffryn Madog, fe roddodd maint yn y buchod sydd gennym heddiw. Uchafbwynt ein hanes oedd derbyn y wobr gyntaf am y gorlan orau o fustych yn arwerthiant Gwartheg Duon Cymreig yn Nolgellau,

Rhagluniaeth fawr y nef, mor rhyfedd yw
Daeth yr hen fuwch a dau lo, a'r ddau yn fyw

Tachwedd 1998. Bustych yn pwyso chwech cant saith deg kilo yn saith mis ar hugain oed, ac yn barod i'r cigydd, oddi wrth y tarw Cledwen Lewis 2il. Rwy'n barod i herio unrhyw frîd sydd yng Nghymru neu'r cyfandir, i gael y pwysau yma heb unrhyw ddwysfwyd, y nhw na'u mamau, dim ond gwair yn y gaeaf a phorfa yn yr haf, ac wedi eu magu ar le uchel.

Gwerthem y mamogiaid i gyd yn arwerthiant Cymdeithas Defaid Mynydd ym Machynlleth yn bedair oed bob blwyddyn. Roedd saith mil o famogiaid yn dod i'r arwerthiant i'w gwerthu. Tua chanol y saithdegau, cafwyd sêl wael iawn yno. Ni chafwyd cynnig ar hanner y defaid oedd yno, a'r rhai gafodd gynnig yn gorfod gwerthu am bris isel iawn. Gorfu i ni eu cario i gyd adref, a dyna i chi

beth yw peth digalon, methu gwerthu'r mamogiaid. Mae'n difetha'r sustem i gyd, rhaid iddynt fynd i wneud lle i'r ŵyn menyw ddod mewn i'r ddiadell, oherwydd gelyn mwyaf dafad yw dafad arall.

Bu'r diwrnodau nesaf yn rhai digalon iawn, ddim yn gwybod beth i wneud â'r defaid, ac angen y borfa roeddent yn ei fwyta i rywbeth arall, ac angen yr arian yn y banc. Ond y dydd Sadwrn canlynol daeth car i'r ffald yn annisgwyl, a gŵr bonheddig yn dod allan ohono, ac yn gofyn gai e weld y moge, fel oedd e'n eu galw. Nid oeddwn yn adnabod y dyn ond roeddwn wedi ei weld ym marchnad Dolgellau ar ddydd Gwener. Roedd wedi bod ym marchnad Machynlleth ac yn gwybod nad oeddem wedi gwerthu. Ffwrdd a ni yn y *Land Rover* a chrynhoi y defaid i dop y banc iddo gael eu gweld, a minnau yn teimlo yn hapus iawn bod rhywun â diddordeb ynddynt. Roedd yn ddiwrnod bendigedig, a'r defaid yn edrych ar eu gorau, yn sych ac yn foldyn, yn wahanol iawn i'r hyn welodd ym Machynlleth, roeddynt yn wlyb ac yn folwag yno. Edrychodd arnynt yn ofalus, ac yn amlwg ei fod yn ŵr pur graff, yn dangos y rhai bychain i fi fel oeddynt yn mynd heibio, a finnau yn dangos y rhai gorau iddo yntau. Gofynnodd i ni fynd â chyfran ohonynt lawr at y tŷ i'r gorlan iddo gael golwg ar gegau rhai ohonynt, rhag ofn bod rhai mwy na phedair oed. Ni wyddwn i faint o bris i ofyn amdanynt, oherwydd roedd yn flwyddyn wael iawn. Ni chefais gyfle i ofyn pris iddo, cynigiodd pedair punt ar ddeg yr un amdanynt a chael dwy â nam ar eu dannedd ac un

Y mamogiaid ar eu ffordd i Clawdd Newydd, Hydref 1994

ddafad ag un deth ganddi yn lwc. Cynigiodd fel gŵr bonheddig amdanynt, cynigiodd eu gwerth fel oedd y prisiau y flwyddyn honno. Gallai fod wedi dal mantais – fy mod wedi gorfod dod â hwy adref o Fachynlleth, a fy mod yn awyddus i gael gwared ohonynt.

Ni fûm mor falch erioed yn gweld rhywun yn dod i'r ffald na'r diwrnod hwnnw. Pan yn talu amdanynt, ar ôl cael te, deallais mai Mr Ifor Griffiths, Bryngwyn, Clawddnewydd oedd. Gofynnodd amdanynt y flwyddyn ganlynol, a mi brynodd hwy, ac y mae yn eu prynu bob blwyddyn byth oddi ar hynny – erbyn hyn nid yw yn dod lawr i'w gweld cyn prynu, bydd yn eu prynu dros y ffôn.

* * *

Roeddwn wrth fy modd yn bugeilio'r defaid yn y gwanwyn pan oeddent yn ŵyna, roedd yn bleser pur pan oedd y tywydd yn braf ond rhyw ddiwrnod pan oeddwn yn bugeilio yn Caer Arglwyddes roedd yn storm o wynt difrifol o'r dwyrain ac ambell bluen eira yn yr âr, ac yn fore oer difrifol. Roeddwn yn medru gweld y defaid oedd ar y darn wyneb haul, oeddem wedi'i wella o'r ffordd, yn groes i'r afon Cletwr. Roeddynt i gyd yn gorwedd yn dawel, mewn pant yng nghysgod y graig oedd ar y canol, yn dynn yn ei gilydd. Roedd gennyf ysbienddrych yn y *Land Rover*. Edrychais arnynt drwyddo yn ofalus, ni welais dim o'i le, roeddynt i weld yn braf, rwy'n siŵr bod ganddynt gysgod cystal â phetaent mewn

Y darn Wyneb Haul Caer Arglwyddes, gyda Ogof Morris tu ôl i'r Cnwc ar y chwith

tŷ, ac amryw o ŵyn bach yn fwy nag oedd noswaith cynt yno. Sylwais fod un ddafad yn dynn yn y graig ychydig ar wahân i'r gweddill, newydd ddod â dau oen, roedd un yn sugno, a hithau yn llyfu'r llall. Byddai yn beth creulon iawn i mi eu haflonyddu ar y fath storm. Penderfynais fynd adref a dod yn ôl yn y prynhawn os fyddai'r gwynt wedi gostegu. Ar ôl cychwyn yn ôl gwelais dri o bobl ar fynydd Gwarcwm Bach yn cerdded o gyfeiriad Ogof Morris i Gaer Arglwyddes. Arhosais i gael gweld, a gobeithio byddai digon o synnwyr cyffredin ganddynt i beidio ag aflonyddu'r defaid a chadw yn ddigon pell oddi wrthynt. Roeddynt dros filltir i ffwrdd pan gwelais hwy gyntaf, nid oedd llwybr cyhoeddus yn agos i'r fan, a'r ffens derfyn o'u blaenau. Pan gyrhaeddont, rhoesant un droed yn y weiar mochyn a'r llall ar ben y weiar bigog, a naid drosodd. Ni fyddai'r terfyn hynny 'run fath wedyn. Roeddwn yn medru eu gweld yn iawn erbyn hyn trwy'r ysbienddrych, a gweld mai tri o bobl ieuainc oeddynt, ac yn amlwg yn mwynhau eu hunain.

Rwyf bob amser yn hoffi cyfarfod â cherddwyr ar y mynydd, a chael sgwrs â hwy, mor belled eu bod yn canlyn y llwybrau cyhoeddus a chau y llidiartiau ar eu holau, a chwarae teg mae y mwyafrif yn bobl gyfrifol iawn, ond mae yna eithriadau, ac maent yn dod yn amlach yn ddiweddar fel mae waethaf. Mae Cwm Clettwr a'r mynyddoedd o amgylch a llawer iawn o hanes iddynt. Mae llawer o feddau o Oes y Pres yno, a dwy amlosgfa, y gwn i amdanynt, lle'r oeddynt yn llosgi'r cyrff cyn eu claddu, yn ôl yr hyn a glywais. Mae Bedd Taliesin yn nes i lawr, ac mae llawer o wahanol hanesion i hwnnw hefyd. Mae'r cwm yn lle poblogaidd iawn i gerddwyr.

Roedd yn amlwg erbyn hyn, nad oedd y cerddwyr yn bwriadu osgoi aflonyddu y defaid, cerddont yn syth at y llidiart uchaf, a dim meddwl ei agor, dros ei ben – roedd hynny yn well efallai na'u bod yn ei adael ar agor. Pan ddeallodd y defaid bod rhywun yn dod, dyma nhw ffwrdd, dros y graig ac i ddannedd y storm. Roedd hanner y defaid wedi dod ag ŵyn erbyn hyn, a'r defaid â'r ŵyn gwelodd hwy gyntaf, a dyma hwy yn mynd â'u hŵyn i'w canlyn allan o berig. Ond druan o'r ddafad oedd newydd eni'r efeilliaid, roedd yn methu cael y ddau oen i'w chanlyn, roedd yn mynd ychydig gamau i ffwrdd ac un oen yn ei

chanlyn, a dod yn ôl i geisio cael y llall i ddod – mi geisiodd lawer gwaith ond nid aeth yr oen, nid oedd wedi cael amser i godi ar ei draed a sugno eto.

Pan welodd y ddafad y bobl yn agosáu, dyma hi i ffwrdd ag un oen yn ei chanlyn gorau gallai, a gadael y llall ar ôl. Mae natur mor ddoeth bob amser, yn gwneud y gorau o'r amgylchiadau – roedd yn well ganddi fynd ag un oen i ddiogelwch, yn hytrach na'i bod yn colli'r ddau. Mi ddoi yn ôl ato pan fyddai'r peryg wedi mynd. A dyna pam yr arhosais i gael gweld beth ddigwyddai. Roeddwn yn ofni y gallai hyn ddigwydd pan welais y tri gyntaf, os byddent mor ddifeddwl ag aflonyddu'r defaid ar y fath storm. Troais y *Land Rover* yn syth a mynd yn ôl at y tŷ i gael mynd draw i geisio arbed yr oen bach. Roeddwn yn gwybod mai ychydig iawn o amser oedd gennyf os oeddwn yn mynd i'w arbed, roeddwn wedi gweld dwy hen gigfran anferth yn gwylio'r cyfan ac yn siŵr eu bod wedi gweld eu cyfle i gael bwyd. Roedd yn dda ei bod yn ddigon sych i fi fynd â'r *Land Rover* draw, roedd hanner milltir i ffwrdd a thri llidiart gennyf i'w agor. Cwrddais ar y tri oedd yn cerdded yn yr afon. Dwn i ddim p'un ai dau fachgen a merch oeddynt ynteu dwy ferch a bachgen, roedd yn amhosibl i ddweud os na gwelech hwy fel eu ganwyd, roedd ganddynt wallt fel merch bob un, a hwnnw ag angen dŵr a chrib yn druenus. Dywedais "Shw Mai" wrthynt wrth fynd heibio, ond ni ddywedais ddim beth oedd ar fy meddwl wrthynt, rhag ofn mai fi gise hi waethaf. Cyn i fi gyrraedd yr oen bach gwelais y ddwy gigfran yn codi oddi wrtho a meddyliais yn syth fy mod yn rhy ddiweddar. Pan gyrhaeddais roedd yr oen bach yn dal yn fyw, ond O'r fath olwg oedd arno, roeddynt wedi tynnu un llygad ac wedi bwyta ei dafod i'r bôn – peth gwaethaf all ddigwydd i unrhyw anifail, nid oedd gobaith ganddo i sugno byth mwy. Roedd yn olygfa druenus, a finnau'n meddwl beth oeddwn ni yn mynd i wneud ag ef. Petaent ddim ond wedi tynnu ei lygad byddai byw yn iawn ar un, medrwn fynd ag ef adref a'i fagu yn swci, ond ni fedrai sugno heb dafod.

Dim ond un dewis oedd gennyf, ceisio ei roi allan o'i boen. Nid oeddwn yn hoffi gwneud hyn o gwbl ond nid oedd neb gennyf, felly doedd dim dewis gennyf. Cydiais yn ei ddwy goes ôl, a chaeais fy llygaid, trawais ei ben yn erbyn y graig â'm holl nerth. Bûm yn llwyddiannus ar yr ergyd gyntaf fel oedd hi orau. Nid wyf wedi medru cyflawni hyn byth wedyn, rwyf wedi gorfod gofyn i rywun arall ei wneud yn fy lle. Cleddais ef yn y rhos gerllaw – roedd rhaw bob amser yn y *Land Rover* yn y gwanwyn rhag ofn daethem ar draws llwynogod. Pan yn cychwyn yn ôl daeth y ddafad, mam yr oen bach, i ben y graig a brefu amdano. Dyna i chi olygfa drist. Es adref, a meddwl pa mor greulon mae dyn yn gallu bod yn ei anwybodaeth. Nid oeddwn yn hapus iawn ar ôl cinio, yn meddwl am y defaid yn stremp y gwynt, heb gysgod ganddynt.

Es yn ôl i geisio cael y defaid yn ôl i'r cysgod. Roedd y storm yn gwaethygu, ac yn amlwg ein bod yn mynd i gael eira. Daeth y gwas gennyf, nid yw yn beth doeth i fynd ar ben eich hun i'r mynydd ar y fath dywydd. Cawsom ddau oen bach wedi starfo, ond nid oedd y brain wedi cyffwrdd â hwy, roedd y ddwy fam wedi gofalu am hynny. Daliom y ddwy ddafad a mynd â hwy a'r ddau oen bach adref i'w rhoi o dan y lamp. Aed ochr draw i'r defaid i'w cael yn ôl i'r cysgod. Petaent wedi cael llonydd i fod yn y storm tan y bore byddai amryw o ŵyn wedi mynd, a hynny heb fod eisiau.

Mae llawer o sôn heddiw am gael deddf i ganiatáu i bawb gerdded ble fynnan nhw ar y mynyddoedd. Mae angen meddwl o ddifrif be mae hyn yn ei olygu. A yw hi yn iawn i ganiatáu y fath greulondeb i ŵyn bach? A yw hi yn iawn i roi gymaint o waith ychwanegol diangen ar fugeiliaid Cymru, pan fo cymaint o waith angenrheidiol ganddynt i'w wneud. Nid oes gan bobl y dinasoedd amgyffred sut i ymddwyn yn y wlad. Aeth y tri yma heibio'r defaid heb sylweddoli eu bod yn gwneud dim o'i le, a gadael yr oen bach heb ddim i'w amddiffyn. Dyma'r math o bobl sydd uchaf eu cloch yn protestio os gwelant ddefaid mewn lori.

*   *   *

Ymddeolodd ein gweinidog y Parch. Gwyn Evans yn 1979 a mawr fu ein colled, ond chwarae teg iddo addawodd ein cynorthwyo hyd nes byddem yn cael gweinidog arall, trwy fedyddio, priodi a chladdu os byddai angen. Roedd yn gyfnod pryderus iawn i feddwl am weinidog, rhwng bod gweinidogion yn brin, a fawr ddim myfyrwyr yn

'Nhad yn agor yr ysgol newydd ar 20fed o Fai 1970

mynd i'r coleg i fod yn weinidogion. Roedd pryder hefyd ymhlith yr aelodau, a allem gynnal gweinidog llawn amser, gan fod cymaint wedi cefnu ar yr achos, a heb gyfrannu am flwyddyn, ac felly wedi diaelodi eu hunain.

Pan y'm ganwyd roedd dau gant naw deg o aelodau ym Methel, erbyn 1996 dim ond un cant tri deg pump oedd ar lyfrau'r Eglwys, a llawer o'r rheiny ddim yn malio llawer beth ddigwyddai. Ond un peth buom yn ffodus iawn yn Nhal-y-bont – daeth llawer o fewnfudwyr i fyw i'r ardal, pobl wedi cael addysg dda, ac yn Gymry Cymraeg, ac yn barod i ddefnyddio eu haddysg er lles y capel a'r Ysgol Sul a'r gymuned, daeth llawer ohonynt yn aelodau ym Methel. Maent heddiw yn geffylau siafft yr achos. Pan glywom fod y Parch. Guto Prys ap Gwynfor yn dod yn athro rhan amser i'r coleg diwinyddol yn Aberystwyth, gofynnwyd iddo a ddoi yn weinidog rhan amser i Fethel a'r Morfa, Borth. Mawr fu ein llawenydd a'n diolch pan gafwyd atebiad cadarnhaol ganddo a'i fod yn dod. Roedd yn ŵr ifanc argyhoeddedig iawn, wedi llwyddo yn uchel iawn ym myd y gyfraith. Gallai fod wedi cael un o swyddi gorau'r byd, ond

Mair a Gwen

dewisodd wasanaethu Iesu Grist a'i gyd-ddyn.

Er mai cyfnod o dair blynedd fu gyda ni, mae ein dyled yn fawr iawn iddo, gyda'i bregethau grymus, yn ein dwys bigo bob Sul, a chael digon i feddwl amdanynt trwy'r wythnos ganlynol. Mae ein dyled yn fawr iawn iddo am argyhoeddi y bobl ieuainc, pan oeddynt mewn oedran hawdd eu dylanwadu naill ffordd na'r llall. Y mae yn un o broffwydi mwya'r genedl, trueni na fyddai mwy yn gwrando arno.

Bu Malcom a finnau yn gweithio'n galed ar y tir tra bu'r plant yn yr ysgol. Bu Mair a Gwen yn hen ysgol Tal-y-bont am rai blynyddoedd cyn codi'r ysgol newydd.

Un o uchafbwyntiau fy nhad pan oedd yn gynghorydd, oedd cael yr anrhydedd o gael agor yr ysgol newydd, ar ôl brwydro yn galed amdani.

Ni fu Enoc a Dafydd yn yr hen ysgol, aethant hwy yn syth i'r ysgol newydd. Cawsant fynd i'r ysgol Gymraeg yn Aberystwyth wedyn, Penweddig. Deallais yn o fuan ar ôl iddynt fynd yno bod pethau wedi gwella yn arw ers pan oeddwn i yn Ardwyn. Dyna pryd y sylweddolais pa mor fratiog oedd fy iaith, tri chwarter Cymraeg a chwarter Saesneg oeddwn i yn siarad, a finnau ddim yn sylweddoli hynny. Rhyw ddiwrnod pan yn mynd yn y *Land Rover*, dywedais wrth un o'r bechgyn "Rho hi yn y *four wheel drive*", dywedodd yn syth wrthyf, "Pam na ddywedwch "Rho y pedair olwyn i yrru"." Rwy'n methu yn lân dod allan o'r hen arferiad hyll. Aeth y merched ymlaen i Goleg Hwlffordd i ddysgu coginio, roedd y ddwy â diddordeb mawr yn y pwnc, 'run fath â'u mam. Bûm yn ffodus iawn pan briodais i gael gwraig a char, cefais gogyddes benigamp hefyd. Aeth y bechgyn i goleg hyfforddi amaethyddol yn Llysfasi am flwyddyn. Dyna wahaniaeth - gorfu i fi gael fy nysgu gan fy nhad, a thrwy wneud camgymeriadau. Cawsant hwy eu dysgu gan arbenigwyr, sut i drin anifeiliaid, sut i chwistrellu, tocio traed a chneifio yn iawn – daeth y ddau yn ôl yn bencampwyr ar gneifio.

Bu Mair a Gwen yn ffodus iawn i gael adeilad addas gan John a Non fy chwaer yn y Ffwrnais i agor tŷ bwyta – Yr Hen Efail.

Roedd Ann a fi yn tu hwnt o falch eu bod

Tu ôl: Mair, fi ac Enoc, Blaen: Ann, Dafydd a Gwen

Mair wedi dysgu'r oen swci i sugno'r fuwch odro

wedi medru cael gwaith yn lleol ac yn byw adref. Daeth y bechgyn adref i weithio ar ôl treulio blwyddyn yn Llysfasi, roedd cael bod oddi cartref am flwyddyn yn brofiad iddynt. Nid oedd un o'r ddau wedi meddwl gwneud unrhyw beth arall ond ffermio, roedd yr elfen ganddynt.

Bob blwyddyn ers y rhyfel roeddem yn plannu ychydig o datw ar gyfer y tŷ, a gwerthu ambell i gant yn y pentref yn y gaeaf. Byddwn yn mynd ar y dafal i gael gweld faint oeddwn yn pwyso, un cant dau ddeg chwech pwys oeddwn bob blwyddyn, ni newidiodd owns ers pan gadewais yr ysgol hyd nes daeth y bechgyn adref. Gallwn wisgo fy siwt briodas tan ddaethant adref. Ymhen blwyddyn ar ôl i'r ddau ddod adref sylwais fy mod yn dechrau magu bol.

Pryd cyfleus i'r mochyn daear

mlynedd, pan welais wyth yn codi wrth Lyn Moel-llyn. Nid wyf wedi gweld y Cylfinhir (chwibanogl) ers tair blynedd. Deng mlynedd yn ôl roedd amryw yn nythu ar ffridd Gwarcwm Uchaf, a rhaid oedd bod yn ofalus rhag damsgan yr wyau. Unwaith, roedd un yn nythu yn y cae gwair, a gadewid percyn ar ôl heb ei dorri er mwyn iddi gael llonydd i ori. I rywun sydd wedi ei chlywed

* * *

Peth peryglus iawn yw ymyrryd â byd natur, trwy warchod rhai anifeiliaid ar draul eraill. Gofid mawr i mi yw gweld y dirywiad aruthrol sydd yn digwydd i adar yr ucheldir yn ystod y pum mlynedd diwethaf. Ble mae nhw wedi mynd? Gaf i gynnig yn garedig un rheswm, a rwy'n siarad yn awr am Gwm Cletwr fyny i Foel-Llyn. Yn 1973, gwnaed deddf i atal unrhyw un i ladd neu niweidio'r mochyn daear. Y mae llawer o'n cyfeillion, o'r trefydd ran amlaf, a chymdeithasau lu, yn gwarchod y mochyn daear i'r eithaf, a beth sydd wedi digwydd? Maent wedi cynyddu yn annerbyniol o uchel, ac wedi mynd yn bla. Mae'n rhaid iddynt gael bwyd. Cyn y ddeddf, nid oedd yr un mochyn daear ar yr ucheldir. Anifail llawr gwlad ydoedd. Os mentrai i fyny, ni fyddai croeso iddo. Roedd yr hen fugeiliaid yn meddwl mwy am yr adar, ond heddiw mae'r ucheldir yn llawn o foch daear, ar lethrau Pumlumon, Plas y Mynydd, Moel Llyn, Ogof Morris a phob man arall.

Dyma'r cyfnod rwyf wedi gweld yr adar yn diflannu. Nid wyf wedi gweld grugiar ers wyth

EHEDYDD

GRUGIAR

GYLFINIR

yn chwibanu yn y gwanwyn, mae'n gweld ei cholli.

Ymwelydd arall i'r ucheldir oedd yr hwyaden wyllt a hoffai wneud ei nyth yn ymyl nant fach ymhell o bob man.

Unwaith, bedair blynedd yn ôl, pan yn cerdded ar hyd glan yr afon o dan dŷ Caer Arglwyddes ar ôl defaid, cododd hwyaden wyllt o'm blaen. Roedd hi wedi diodde ar y nyth nes i mi bron â'i damsgan, ond codi wnaeth, a chefais i fwy o fraw na hi. Roedd y nyth yn llawn o hwyaid bach diwrnod oed. Ar amrantiad, neidiodd y cwbl efo'i gilydd i'r afon a oedd lathen yn is na'r nyth. Roeddwn yn disgwyl eu gweld yn mynd gyda'r lli, ond na, roeddent wedi gwthio i'r geulan ac yn cuddio yn y brwyn yn hollol dawel a dim smic, a methais eu gweld o gwbl. Golygfa anghredadwy oni bai fy mod wedi ei weld. Drannoeth, gwelais hwy, heb iddynt fy ngweld i, efo'u mam, hanner can llath nes lawr yr afon yn mwynhau eu hunain, pedair ar ddeg ohonynt. Nid yw'r hwyaid i'w gweld yno yn awr, er bod rhai yn dal i nythu nes lawr yn y cwm. Y gofid mwyaf yw, beth sy'n digwydd i'r ehedydd sydd wedi rhoi cymaint o lawenydd a chwmni i fugeiliaid unig tra wrth eu gwaith ar hyd y canrifoedd? Ychydig iawn, iawn sydd i'w gweld heddiw, dim ond ambell un. Deng mlynedd yn ôl, roedd llawer iawn i'w gweld a'u clywed. Os collwn yr ehedydd, bydd yn bechod anfaddeuol. Yr oedd gweld yr ehedydd yn amddiffyn ei theulu yn bleser pur, wrth iddi rowlio o'ch blaen fel tae hi wedi torri adain neu goes er mwyn i chi fynd ar ei hol i geisio'i dal, ac ar ôl i

chwi fynd ddigon pell o'r nyth, byddai'n codi i'r entrychion yn holliach – greddf natur ar ei orau.

Sylwch mai adar sy'n nythu ar y llawr yw'r rhain i gyd, ac yn hawdd i fochyn daear eu chwilio a bwyta'r wyau. A yw hi'n iawn i ni roi'r adar yma o dan y fath anfantais? Does dim rhyfedd eu bod yn darfod o'r wlad, does dim gobaith ganddynt. Y mae yn weithred greulon a throseddol, byddai lladron wyau yn cael carchar. Roedd yr Hollalluog yn gofalu amdanynt yn o dda, greda i, nes i ddynion gymryd Ei le a meddwl y gallent wneud yn well. O'r fath lanast. Cydweithio gyda Natur ddylem, nid brwydro yn ei erbyn. Does dim angen coleg i ddeall hynny, dim ond synnwyr cyffredin.

Faint o foch daear sydd ddigon yn ein gwlad, degau, cannoedd neu filoedd? Fi fyddai'r olaf i ddymuno cael gwared ohonynt i gyd. Mae lle i bob peth a phob peth yn ei le, ond yn sicr mae yna ormod o lawer ohonynt yn awr. Faint o bobl sy'n gweld mochyn daear – dim ond gweld y llanast mae e'n gadael ar ei ôl y maent. Y mae gweld a chlywed yr adar yn rhoi llawenydd a phwrpas i fywyd. Onid yw hi'n hen bryd i ni warchod y gwan a chlirio'r mochyn daear o'r ucheldir unwaith eto, a gadael ychydig ar lawr gwlad ymhob sir yng Nghymru? Rwy'n siŵr byddai hynny'n ddigon. Mae hi'n unfed awr ar ddeg ar yr adar.

Dirywiad yr Wythdegau

Yn yr wythdegau gwelwyd arwyddion bod pethau yn dechrau mynd o'i le ym myd amaeth. Gwelwyd y costau nwyddau yn codi yn gyflym tra roedd yr hyn oedd y ffermwr yn cael am ei gynnyrch yn gostwng. Pan oeddem yn cael pedair punt am oen Cymreig tew ddechrau'r chwedegau, roedd eisiau dau gant o ŵyn i brynu tractor newydd. Erbyn yr wythdegau pan oeddem yn cael deg punt ar hugain am oen tew, roedd eisiau chwe chant o ŵyn i brynu tractor.

Cynyddodd y gwaith papur yn aruthrol, roedd rhaid llanw ffurflen ar gyfer bob peth, a'r rheini yn rhai cymhleth iawn. Os na fyddent wedi'u llenwi yn iawn, yn ôl roeddynt yn dod bob tro. Petai gennym gant o ddefaid ar y ffurflen, a bod nhw yng Nghaerfyrddin yn dweud mai naw deg naw ddylent fod, yn ôl ffurflenni oedd ganddynt hwy, byddai raid i chwi ddweud celwydd a dweud bod un wedi trigo. Y nhw oedd yn iawn bob amser. Roedd y llywodraeth yn dechrau gweld ei gamgymeriad, roeddynt yn dechrau sylweddoli byddai gor-gynhyrchu yn o fuan, ac yn awyddus i gwtogi ar y grantiau a'r iawndal oedd yn mynd i amaethyddiaeth. Roedd y swm yn aruthrol, rhai biliynau o bunnoedd, ond nid y ffermwyr oedd yn eu cael. Mae nhw yn dweud wrtha i, a does neb wedi profi yn wahanol, mai dim ond tri ar ddeg y cant oedd yn mynd i'r ffermwyr a bod y gweddill yn mynd i weinyddu'r sustem wallgof sydd gyda ni heddi.

Yn sydyn daeth y llywodraeth â chynllun newydd sbon allan, i leihau y grantiau am gynhyrchu, a'i roi i warchod yr amgylchedd. Cynllun synhwyrol iawn yn fy marn i. Petai rhywun wedi bod yn ddigon hirben 'nôl yn 1947 i ddod â'r cynllun yma allan, yn hytrach na rhoi y pwyslais i gyd ar gynhyrchu, byddai fwy o obaith i'r fferm deuluol oroesi y cyfnod anodd yr ydym ynddo heddiw. Petaent wedi ond rhoi ychydig o help amser hynny i blygu gwrychoedd a chodi cloddiau cerrig a phethau o'r fath. Roedd yr hen bobl yn gwneud y gorchwylion hyn i gyd fel rhan o'u gwaith, mewn amser caled iawn. Nid oedd unrhyw elw yn dod trwy blygu gwrych, yn hytrach cafwyd hanner cant y cant o grant o'r gost i'w clirio. Gweithiodd y cynllun yma yn dda yn y dechrau, a gwellodd pethau yn arw ar y ffermwyr trwy wella y borfa a chynhyrchu mwy a mwy. Gwelwyd siediau anferth yn cael eu hadeiladu er mwyn cynhyrchu mwy o wyau, ieir, moch, llaeth, ŵyn a chig eidion. Gallech gynhyrchu'r rhain i gyd ar ddarn o goncret ond i chi fynd i'r Co-op yn ddigon aml.

Gwnaeth hyn ddim lles i'r ffermydd teuluol, sydd wedi bod yn chwarae rhan mor bwysig yn cynnal y gymdeithas leol erioed. Cafwyd arbenigwyr i'n cynghori sut i dyfu mwy a mwy o borfa, trwy roi mwy a mwy o chwyn laddwyr a nitrogen artiffisial i'r ddaear. Buan iawn y sylweddolwyd nad oedd hyn yn ffordd naturiol iawn i amaethu. Cafodd yr amaethwyr eu cyhuddo o bob math o bethau yn cynnwys eu bod yn llygru'r nentydd a'r afonydd. Yn waeth na dim collwyd ymddiriedaeth y cyhoedd a gwraig y tŷ, roeddynt yn amheus o'r ffordd roedd cynnyrch fferm yn cael ei gynhyrchu. Mae'r Weinyddiaeth Amaeth yn gyfrifol am lawer iawn o'r llygru, trwy'n cam gynghori yn ôl yn y chwe degau. Rhybuddiodd Mrs Williams, Brynllys hwy yn eglur iawn, mai dyma fyddai yn digwydd gyda'r math yma o amaethu dwys. Wrandawodd neb arni amser hynny, dim ond chwerthin ar ei phen.

Galwyd y cynllun newydd yn Gynllun Ardaloedd Amgylchedd Arbennig Mynyddoedd Cambria. Newidiodd y cynghorwyr dros nos, o fod yn arbenigwyr ar gynhyrchu mwy, i fod yn arbenigwyr ar sut i gynhyrchu llai, a cheisio ein cael yn ôl i amaethu yn fwy traddodiadol.

Anfonais am ffurflen gais yn syth. Pan ddaeth yr oedd yn uniaith Saesneg. Anfonais hi yn ôl yn syth a gofyn am un Gymraeg. Cefais ateb yn ôl yn dweud nad oedd un i gael, ac y byddai yn amhosibl i wneud cytundeb yn yr iaith Gymraeg am ei bod yn anghyfreithlon i wneud hynny – byddai rhaid ei gwneud yn yr iaith Saesneg. Atebais hwy yn ôl a dweud na fyddwn byth yn arwyddo cytundeb Saesneg. Tynnais eu sylw er mor bwysig oedd gwarchod yr amgylchedd a'r byd natur, roedd yr un mor bwysig i warchod yr iaith Gymraeg hefyd.

Bûm yn llythyru yn gyson am ddwy flynedd a hanner â'r Swyddfa Amaeth yng Nghaerfyrddin, gyda phobl wrth-Gymreig iawn. Ond diolch byth, roedd rhai yno a chydymdeimlad â'r iaith. Bu Geraint Howells – nid wyf yn medru galw unrhyw un yn Arglwydd, dim ond un Arglwydd sydd gennyf, sef yr Arglwydd Iesu Grist – yn dadlau fy achos yn y Tŷ Cyffredin yn Llundain. Yn araf bach fe lwyddwyd. Rhyw ddiwrnod ymhen dwy flynedd a hanner daeth y cytundeb, un Saesneg ac un Cymraeg a gofyn i fi arwyddo'r ddau. Darllenais yr un Cymraeg yn drwyadl, sylwais ar un cymal yng nghanol y cyfan – os byddai unrhyw anghydweld ag unrhywbeth yng nghylch y cynllun, mai'r un Saesneg oedd yn cyfrif. Rhois dair llinell ddu amlwg trwy'r cymal, ac arwyddais yr un Gymraeg. Roedd rhywun ar ran Ysgrifennydd Cymru wedi arwyddo'r ddwy. Ni arwyddais yr un Saesneg, ac anfonais y ddwy yn ôl i Gaerfyrddin. A chwarae teg i rywun, cafodd ei derbyn. A'r cytundeb oedd, os byddwn i yn ffermio yn ôl y rheolau oedd ar y cytundeb, byddai

Ysgrifennydd Cymru yn talu chwe mil o bunnoedd i ni bob blwyddyn am bum mlynedd ar ddyddiad arbennig.

Ni fu rhaid i ni newid llawer ar y dull oeddem wedi ffermio erioed, nid oeddem yn gor-stocio. Nid oeddwn i wedi newid ar y dull roedd fy nhad yn ffermio. Rydym yn dal i droi y lloi i'r dŵr bob dydd yn y gaeaf, mae yn arbed llawer o wellt o tanynt. Yr unig beth rwyf yn pryderu yn ei gylch yw y gwelith rhywun un ohonynt yn domi pan yn yfed dŵr. Rwyf wedi cadw at fy ochr i o'r cytundeb, ond nid yw Ysgrifennydd Cymru – mae fisoedd ar ôl yn talu bob blwyddyn pan fo gwir angen amdanynt, ond chwarae teg maent yn dod.

Un o'r eitemau oedd ar y cytundeb oedd ail godi'r wal derfyn rhwng Moel y Garn a Chae'r Arglwyddes. Roedd y wal wedi hen gwympo ers cyn cof gennyf i. Roeddwn wedi cael grant o bum deg y cant i godi ffens efo'i hochr ugain mlynedd yn ôl, i atal y defaid a'r buchod. Roedd Ysgrifennydd Cymru yn cynnig grant o ddwy bunt ar bymtheg y medr i ni am ail godi'r wal. Gan fod y wal yn bum cant medr o hyd, nid oedd yr amser gan y bechgyn a minnau i'w hail godi, felly dyma chwilio am gontractwyr i gael pris am godi'r cyfan.

Bu llawer un yn gweld y gwaith, ond roedd y pris ymhell o'm cyrraedd i, roedd y gwahaniaeth rhwng y grant a'r pris yn ormod. Rhyw ddiwrnod daeth gŵr ifanc i weld y wal, wedi cael ei eni yn Swydd Efrog medde fe, ond wedi dod i fyw i ardal Llambed yn dair ar ddeg oed, ac wedi cael ei addysg yn Llambed, ond wedi methu dysgu Cymraeg. Gwelodd y wal, ac ar yr un pryd

Wal rhwng Moel y Garn a Chae'r Arglwyddes

gwelodd dŷ Caer Arglwyddes. Gofynnodd i fi a gâi fyw yn y tŷ, tra byddai yn codi y wal. Nid oedd unrhyw un wedi byw ynddo ers dros hanner can mlynedd, ers pan oedd Gwilym ac Averinah a'u mam yn byw yno. Ond roeddwn wedi ei gadw mewn cyflwr da. Dywedodd wrthyf y carai godi y wal ei hun, heb help neb ond ei wraig.

Gofynnais iddo godi pwt o wal yn Gwarcwm Uchaf, i fi gael gweld pa safon oedd ei waith cyn cytuno. Roedd yr Ysgrifennydd Gwladol a fi yn disgwyl bod y gwaith yn cael ei wneud yn iawn. Joseph Neil oedd ei enw, daeth fyny drannoeth â'i wraig Samantha a'u merch fach blwydd oed, Elin, i gychwyn ar godi y pwt wal. Es fyny bore drannoeth, roedd y ddau wrthi ac Elin yn cysgu yn braf yn y pram wrth eu hochrau. Deallais yn syth ei fod yn arbenigwr ar godi wal sych, ni arbedodd ddim, roedd wedi tynnu y cyfan i lawr, cyn

Caer Arglwyddes a'r dillad ar y lein

dechrau ail osod y sail yn ôl efo cerrig anferth. Roedd yn defnyddio cerrig i gloi y wal yn awr ac yn y man, a Sam y wraig, fel oedd e yn ei galw hi, yn llanw canol y wal a cherrig mân.

Dyna yw cyfrinach codi wal dda, cerrig mân sy'n cydio y cyfan yn ei gilydd. Ni allwch godi wal a cherrig mawr yn unig. Rwy'n gweld adeiladu wal gerrig dda yn debyg iawn i adeiladu cymdeithas dda, mae yn rhaid cael amrywiaeth, ond rhaid cofio mae'r cerrig mân sy'n cydio'r cyfan.

Merch yn enedigol o Gaerdydd yw Sam, yn medru'r nesa peth i ddim o Gymraeg, wedi bod yn trin gwallt yn y de cyn priodi. Canmolais eu gwaith, a gofynnais i Joe ble dysgodd y grefft. Dywedodd mai yn Swydd Efrog cyn ei fod yn dair

ar ddeg oed, gan ei dad, cyn dod i fyw i Gymru. Bu wrthi am bron i bythefnos yn codi'r wal ddeg medr o hyd, ac yn amlwg eu bod eu tri yn mwynhau eu hunain. Pan orffennwyd y wal, roedd yn werth ei gweld, pob carreg yn ei lle ac wedi gosod y cerrig crib yn berffaith i gloi y cyfan. Cytunwyd ar bris i godi'r wal rhwng Moel y Garn a Chae'r Arglwyddes, a'r teulu bach yn awyddus iawn i fynd i fyw i Caer Arglwyddes. Roeddynt yn hoffi byd natur, a thawelwch y mynyddoedd.

Nid oedd dŵr na thrydan yn y tŷ ond doedd hynny ddim gwahaniaeth ganddynt – roeddynt wedi arfer cario dŵr o bell. Maent yn byw yno yn awr ers dros dwy flynedd ac wedi codi dau gant pum deg medr o'r wal, a honno yn werth ei gweld. Bûm yn ffodus i'r dyn iawn ddod o rywle ar yr adeg iawn. Nid yw yn codi'r wal yn y gaeaf, ni all, mae gormod o rew ac eira yno. Mae yn chwilio am waith ar lawr gwlad yn y gaeaf yn plygu gwrychoedd a chwympo coed. Rhoesom ddŵr yn y tŷ iddynt yn union ar ôl iddynt fynd i fyw yno. Ganwyd baban arall iddynt ymhen blwyddyn yn y gaeaf, fe'i enwyd yn James Taliesin.

Mae'n bleser pur cael mynd i Gaer Arglwyddes yn awr a gweld tair leined o ddillad yn sychu yn y gwynt, a'r rheini yn gredit i unrhyw wraig tŷ, wedi eu golchi 'run fath ag oedd Mam yn golchi slawer dydd, trwy eu berwi ar y tân a'u golchi â llaw a ddim yn meddwl am ddefnyddio'r clytiau taflu i ffwrdd yma, dim ond y rhai hen ffasiwn. Mae Joe ac Elin, â'u bwyd, yn cerdded i fyny at y wal toc ar ôl saith bob bore yn yr haf, ac mae Sam, a James ar ei chefn, yn mynd fyny tua deg, ar ôl

Y teulu bach wrth eu gwaith

gorffen gwaith y tŷ, i lenwi canol y wal.

Ni welais blant â golwg mor iach arnynt ers amser. Rwyf wedi gweld James yn cysgu'n braf tu allan i'r tŷ yn y pram a thrwch o eira yn gorchuddio'r pram. Nid ydynt byth yn mynd at y wal ar ddydd Sul, maent yn gorffwys. Nid ydynt byth yn mynd i dŷ addoliad, ond maent yn addoli byd natur ac yn sylweddoli bod rhywbeth yn cynnal y cyfan.

Mor hawdd yw i ni heddiw i ail godi wal sydd wedi cwympo, mae'r cerrig i gyd yno, a dim tamed gwaeth eu cyflwr. Meddyliwch o ddifri y gwaith oedd yr hen bobl wedi'i wneud i godi a chario y cerrig i'r safle ar ben y mynydd cyn dechrau ar y gwaith o adeiladu. Mae yn waith mor

araf. Nid ar redeg mae codi wal. Cymerodd bedwar haf iddo godi'r pum can medr. Erbyn Medi 2000, roedd wedi diwedd y gwaith mewn safon eithriadol o uchel, a rhoddodd y flwyddyn mewn cerrig gwynion yn y wal. Yn y cyfamser, ganwyd iddynt ddau faban arall, efeilliaid, Coronwen Mai a Ceulan Rhys.

Mae'r cynllun yma yn sicr o fod yn ffordd iawn ymlaen i'r dyfodol. Cawsom Gynulliad i Gymru bellach, ac un o'r pethau y mae'n rhaid iddynt wneud yw gofalu bod y fferm deuluol yn parhau, wedi'r cyfan hwy yw asgwrn cefn cefn gwlad. Mae'r wal rym ni yn ei godi yn gwneud llawer o bethau. Yn un peth mae yn rhoi terfyn parhaol i ni. Mae Joe yn dweud os yw'r wal wedi cael ei chodi yn iawn dylai ddal ar ei thraed am byth. Wn i ddim am hynny – mae byth yn amser go hir. Yn ail mae yn rhoi cysgod bendigedig i'r anifeiliaid. Yn drydydd mae yn rhoi gwaith i bobl, ac yn

O'r Chwith: Joe, Ceulan Rhys, Elin, James Taliesin, Samantha a Coronwen Mai

Y wal wedi ei chwblhau

bedwerydd mae yn dod â phobl yn ôl i fyw i gefn gwlad.

Ym mis Ionawr 1982 cafwyd storm fawr o eira gyda gwynt mawr o'r dwyrain yn lluwchio'r eira i'r cysgodion i'r union fan lle'r oedd y defaid yn cysgodi – dyma'r tywydd mae pob bugail yn ei ofni fwyaf. Un peth da oedd cael y storm yn gynnar yn y flwyddyn, roedd y defaid yn gryfion ac yn medru gwrthsefyll y storm yn well na chael storm ym mis Mawrth pan oeddynt yn wan ac yn

drwm o ŵyn. Gwaith caled oedd cerdded i'r mynydd bob dydd i geisio codi defaid o dan yr eira. Yn 1933, 1947 a 1963 y cawsom stormydd mawr cyn hynny – nid oedd y cŵn oedd gennym yn awr wedi gweld y fath eira, a heb arfer marcio defaid o dan yr eira. Buan iawn y daethon i ddeall beth oedd eisiau a dechrau crafu wrth arogli dafad o dan yr eira ac yn ei gwneud hi'n haws i ni i'w codi.

Nid oedd eisiau i ni i brocio â phastwn mawr i

Y cŵn yn marcio gyda Dafydd

chwilio amdanynt. Roedd y cŵn werth eu pwysau mewn aur, gallent chwilio dafad â hanner can troedfedd o eira uwch ei phen. Codom lawer iawn o ddefaid yn fyw yr wythnos gyntaf, ond yr ail wythnos roeddem yn cael mwy o rai marw na rhai byw. Os byddai tair neu bedair neu fwy wedi'u claddu efo'i gilydd, dim ond un fyddai'n fyw – nid oedd digon o aer i'r cyfan. Roedd yn dair wythnos union pan godwyd y ddafad olaf a hithau'n fyw. Roedd wedi medru gwrthsefyll yr elfennau trwy fwyta ei gwlân ei hun, pob tamed medrai hi gyrraedd. Pan godwyd hi allan i'r goleuni ni fedrai weld dim, ond buan y daeth yn gyfarwydd, ac

ymhen ychydig dechreuodd bori. Buom am ddiwrnodau yn casglu a chladdu'r corpysau ar ôl i'r eira glirio. Un fuwch, dwy ferlen, a naw deg o ddefaid. Diolch i'r cŵn neu mi fyddai llawer iawn mwy.

Roedd Lewis Micah yn dod i gneifio i Camdwrmawr yn y tridegau a'r pedwardegau, er mwyn cael help yn ôl. Fe oedd yn cadw Hengwmanedd yr adeg hynny; un o'r cneifwyr gorau a eisteddodd ar fainc erioed. Roedd yn storïwr heb ei ail; bob amser yn dod i gneifio yn drwsiadus iawn, britch a legins melyn, coler a thei a het ar ei ben. Cafodd orchymyn llys ar ôl storom fawr o eira, i fynd o flaen ei well ym Machynlleth,

Yr un man ymhen 5 mis

Ieuan Morgan yn cyflwyno anrheg i Gwyn Jones ar ei ymddeoliad mewn Dydd Agored yng Nghaer Arglwyddes, Hydref 1984.
Llun gan David Jones, Berthlwyd, Tal-y-bont

am beidio claddu defaid oedd wedi trigo. Pan ofynnwyd iddo yn Saesneg pam, ei ateb oedd *"My father taught me to look after the live ones first, and then after, the dead ones."* Dyna'r ffordd mae byd natur yn gofalu bwydo'r anifeiliaid ac adar gwyllt yr ucheldir yn y gaeaf. I feddwl bod yr awdurdodau yn erlyn pawb nad oedd yn eu claddu. Ac ar yr un pryd yn cyhuddo'r amaethwr fod adar yr ucheldir yn diflannu.

* * *

Bu farw fy nhad yn 1983. Roeddem wedi bod yn ffermio fel partneriaid yn awr ers dros ugain mlynedd. Cefais orchymyn gan y Comisiwn i adael Dolrhuddlan ymhen y flwyddyn, neu cyfle i'w brynu am dri chant punt yr erw, ac nid oedd trafod i fod ar y pris, neu byddent yn ei blannu. Mwy na hynny, fi oedd i ofalu am y terfynau, bron filltir yn gyfan gwbl rhwng Dolrhuddlan a'r coed, eitem fawr. Nid oeddynt yn barod i ffensio'r hanner, fel oedd yr arferiad rhwng cymdogion da. Roedd Mam wedi marw ers tair blynedd cyn 'nhad. Gwelais ei eisiau, doedd neb gennyf i roi

Dydd Agored Cymdeithas Defaid y Pum Sir, yng Nghaer Arglwyddes, Medi 1993

cyngor. Roedd y pris mor uchel am y math yma o dir. Ar y llaw arall fedrwn i ddim gadael iddynt i'w blannu a dymchwel y tŷ.

Roedd 'nhad wedi bod yn ofalus i edrych ar ei ôl, fel tae yn ei berchen, os collai slatsen byddai yn mynd fyny i'w roi yn ôl. Penderfynais ei brynu, a rhoi to newydd arno a rhoi ffenestri a drws newydd, drws allan o goeden a oedd wedi tyfu yn Tynygraig, wedi ei wneud yn gelfydd iawn gan John Ffwrnais, fy mrawd yng nghyfraith. Roedd y tu mewn wedi ei wyn-galchu, ac ar un wal roedd y marciau lle'r oedd Yncl John Glanyrafon wedi bod yn mesur ni'r plant, bob tro yr aem fyny i'r mynydd. Roedd yn ein rhoi ni i sefyll ger y wal, a'n mesur, a rhoi marc â phensil, a'n henw a'r dyddiad gyferbyn â phob un. Roedd marc cyntaf

Dolrhuddlan ar ei newydd wedd

Baracs Camdwr Mawr cyn ei foddi
Llun gan Mrs E. Jenkins Cwm Udw

Enoc a fi lawr yn y gwaelod rhyw ddwy droedfedd o'r llawr ar y dyddiad cyntaf yn 1933. Dalodd i'n mesur nes i ni gyrraedd ein llawn dŵf, a gwneud yr un fath i bob plentyn fyddai yno – fedrwn ni ddim gadael iddynt ddymchwel y fath wal. Pob tro y mae'r Comisiwn yn gwerthu darn o dir, maent yn gofalu bod y prynwr i fod yng ngofal y terfynau o hynny allan. Rwy'n meddwl yn dawel bach eu bod wedi cael digon ar y lle, ac eisiau cael gwared o'u cyfrifoldeb o ofalu am eu terfynau i gyd.

Do, fe dalais am chwe deg erw, bron cymaint â dalwyd am chwech mil erw, ugain mlynedd ynghynt. Mae tŷ Dolrhuddlan yn esiampl dda o'r tŷ hir. Mae yn hên iawn, ei waliau oddeutu llathen o led a mantell simnai enfawr – mae golau dydd i weld o'r gwaelod, a stâr gerrig mewn cylch i fynd i'r llofft, a drws i fynd o'r tŷ i'r beudy a'r ysgubor. Clywais ddweud eu bod yn rhwymo dau ar bymtheg o wartheg yno ddechrau'r ganrif yma.

* * *

Yn 1983 cafodd ein gweinidog, Y Parch. Guto Prys ap Gwynfor alwad. Bu yn golled fawr a buom heb weinidog am dair blynedd, mewn adeg pan oedd llawer yn ddifater ynghylch dyfodol yr Eglwys. Nid yw yr un fath heb weinidog, gwelwyd aml i aelod ffyddlon yn absennol o'r cwrdd, weithiau yn y dechrau, ond yn amlach fel oedd yr amser yn mynd ymlaen. Clywais amryw yn dweud eu bod cystal pobl os nad gwell na llawer o'r rhai oedd yn mynd i'r cwrdd. Pwy ydw i i feirniadu neb, ond un peth sy'n sicr, mae y rhai sy'n mynd i'r cwrdd yn sylweddoli mai pechaduriaid ydym a bod angen maddeuant arnom. Roedd fy nghyfaill a'm cymydog, Dr Iolo ap Gwynn yn dadlau yn faterol iawn mewn aml i gylchgrawn paham ei fod yn anffyddiwr. Nid yw ffydd, gobaith na chariad, byth yn ran o'i eirfa.

Ond ni chollodd y gweddill eu ffydd, wedi'r cyfan mae Iesu Grist wedi addo, ple bynnag fod dau neu dri wedi ymgynnull yn ei enw Ef y byddai gyda ni. Os yw Duw gyda ni pwy all fod i'n herbyn.

Buom yn meddwl llawer sut i wynebu'r dyfodol, a sylweddoli nad oedd gobaith gennym gynnal gweinidog ein hunain. Yn y diwedd gofynnwyd i Soar, Llanbadarn a gaem uno â nhw dan weinidogaeth y Parch. Irfon Evans. Bu cryn drafodaeth gyfeillgar iawn ynghylch y mater. Yn y diwedd unwyd saith eglwys i ffurfio Eglwysi Annibynnol Gogledd Ceredigion dan weinidogaeth y Parch. Irfon Evans. Bu yn gyfnod hapus iawn am saith mlynedd. Gofalodd yn dyner iawn amdanom, a bu'n gweithio'n galed. Gwacáu oedd y capel a llawer o bobl ieuainc, had yr eglwys, yn gadael ar ôl addunedu wrth ddod yn gyflawn aelodau. Gwelwyd dirywiad mawr yn safonau moesol y genedl, mwyaf yn y byd y ciliodd pobl oddi wrth gyfreithiau Duw, mwyaf yn y byd oedd y drygioni oedd yn mynd ymlaen. Clywyd y geiriau *boring, could not care less* a *so what* gan ein pobl ieuainc. Ond yn waeth na dim daeth y gair *stress* am y tro cyntaf erioed i fyd amaethyddiaeth rhwng bod llawer o ffermwyr yn gweithio Sul, gŵyl a gwaith, a byth yn gorffwys, a'r ffurflenni yn cynyddu bob dydd, ac yn mynd yn fwy anodd i'w llenwi bob tro, a'r Llywodraeth ddim yn ymddiried yn neb ei fod yn dweud y gwir. Os gwnaem gamgymeriad gonest, mi gaem ein cosbi yn ddidrugaredd. Dyma pam mae yn dda bod gyda ni rywbeth uwch law gallu dyn i ymddiried ynddo.

Does dim rhyfedd ein bod yn teimlo yn ddigalon. Daeth hunanladdiad yn waeth ymysg ffermwyr nag unrhyw garfan arall o bobl, pobl wedi mynd i'r man isaf a methu gweld pa bwrpas oedd i fywyd. Cynhaliwyd cynadleddau i geisio datrys y broblem. Yr oedd yn hanes digalon iawn. Yr ydym fel cenedl wedi syrthio i ryw dwll diobaith, a neb yn gwybod yn iawn sut i ddod allan ohono. Nid yw'r Llywodraeth nag unrhyw Undeb, na neb arall yn mynd i'n cael allan o'r sefyllfa rydym ni ynddo yn awr. Mae iselder ysbryd yn magu mwy o iselder, ac nid yw pentyrru cyffuriau arnom yn mynd i wella'r sefyllfa. Mae'n rhaid i ni fel unigolion, bob un ohonom wneud rhywbeth drosom ein hunain yn ei gylch. Efallai

fod gan ein cyndeidiau rhywbeth i ddysgu i ni, yn yr oes oleuedig hon, fel 'de ni yn hoffi cael ein galw. Roedden nhw yn credu mewn cymryd moddion i atal yr anhwylderau yma yr ydym ni yn ei ddioddef heddiw – unigrwydd, straen, anobaith ac yn y blaen. Moddion gras roeddynt yn ei alw, a dim cywilydd ganddynt ei alw felly. Roeddent yn credu yr hyn a ddywedodd ein Harglwydd Iesu Grist pan ddywedodd "Deuwch ataf fi bawb sydd yn flinderus a llwythog a mi a esmwythâf arnoch" – yr union beth sydd ei angen ar Gymru heddiw. Os derbyniwn hyn bydd yr unigrwydd a'r gwacter sydd yn ein bywyd yn diflannu yn syth, does dim gwahaniaeth pa mor anghysbell yr ydym yn byw neu os ydym yn unig mewn torf fawr. Bydd gyda ni ffrind, a hynny yn ffrind am byth, ac yn ffrind sydd yn barod i wrando ar ein cwynion. Roedd yr Iesu yn rhagweld perygl y sefyllfa 'rym ni ynddi heddiw pan lefarodd E'r geiriau yma. Mae'n rhaid i ni gael ryw nerth uwchlaw gallu dyn i ddod â ni allan o'r sefyllfa yma, a dim ond y ni ein hunain sydd yn mynd i wneud hynny. Mae'n rhaid i ni aros a meddwl o ddifrif i ble yr ydym yn mynd. Un peth sydd yn sicr, bydd yn rhaid i ni i gyd gwrdd â'r Iesu ryw ddiwrnod, p'run ai 'de ni yn dymuno hynny ai peidio.

Ymddeolodd ein gweinidog y Parch. Irfon Evans ddiwedd y flwyddyn 1993 ar ôl bod yn y Weinidogaeth am bedwar deg un o flynyddoedd. Addawodd ein cynorthwyo nes caem weinidog newydd, a mawr yw'n dyled iddo. Roeddem yn cael gwasanaeth myfyrwyr Coleg yr Annibynwyr Cymraeg yn Aberystwyth yn achlysurol, ac yn eu plith roedd Gareth Evans Rowlands, a oedd ar ei flwyddyn olaf yn y coleg. Penderfynom fel Eglwysi Annibynnol Gogledd Ceredigion roddi galwad iddo i'n Bugeilio. Diwrnod o lawenydd mawr oedd dydd Sadwrn 25ain o Fai 1995 pan gynhaliwyd Cyfarfodydd Ordeinio a Sefydlu Gareth o Fethel, Llan Ffestiniog a Choleg yr Annibynwyr Cymraeg Aberystwyth, yn Weinidog i Iesu Grist ar yr eglwysi uchod. Mab fferm o Lan Ffestiniog yw Y Parch. Gareth Evans Rowlands a'i dylwyth o ochr ei fam yn hanu o Dalybont. Mr a Mrs Jacques oedd ei hen daid a nain. Ni fu dau mwy ffyddlon a theyrngar i Eglwys Dewi Sant erioed. Pan yn blentyn ac yn cerdded i'r cwrdd i Fethel, roeddwn yn cwrdd ar y ddau yn mynd i'r Eglwys bob dydd Sul. Nid peth hawdd ydyw heddiw i fod yn weinidog ifanc ar saith o Eglwysi, mae'r baich yn drwm, ac yn ddiddiolch yn aml iawn. Ond mae yn amlwg ei fod wedi cael ei argyhoeddi mai gwasanaethu Iesu Grist oedd am wneud. Yn 1997 daeth Undeb yr Annibynwyr Cymraeg â llyfryn bach allan – 'Ein Hargyfwng, Ein Cyfle'. Amcan y llyfryn oedd gwahodd ein heglwysi i gyfarfod i ystyried ein sefyllfa. Ond roedd Eglwys Bethel wedi achub y blaen arnynt ers dros flwyddyn. Roedd y cais wedi dod oddi wrth yr aelodau iau, ac wedi ethol gweithgor i edrych i mewn i'r mater.

Dal i waethygu wnaeth hi ar amaethyddiaeth ddiwedd yr wythdegau a dechrau'r nawdegau. Ond yn sydyn daeth sôn bod yna glefyd newydd wedi torri allan ar y gwartheg, clefyd y gwartheg gwallgof, BSE yn Saesneg. Dychrynodd pob ffermwr yn fawr, pan sylweddolwyd fod bobl yn medru dal y clefyd yma os oeddent wedi bwyta cig eidion yng nghanol yr wythdegau.

Ni fu yn hir cyn fod rhai wedi marw o'r clefyd, bobl ieuainc rhan fwyaf. Bu yn bryder mawr i bawb, a neb yn gwybod yn iawn beth oedd yn achosi'r clefyd – roedd un yn dweud fel hyn, a'r llall yn dweud fel arall, a neb yn gwybod yn iawn, a'r cyfryngau yn dangos yr un hen fuwch naill ddydd ar ôl y llall am fisoedd, ac yn gwneud iddi edrych yn waeth nag oedd hi trwy roi rhywun i redeg ar ei hol i'w chynhyrfu. Mae'n cydymdeimlad yn fawr â'r teuluoedd hynny a gollodd anwyliaid, a bu yn ergyd drom i gynhyrchwyr cig eidion.

Ataliwyd y wlad hon rhag allforio cig eidion i'r byd y tu allan. Ni châi unrhyw anifail dros ddeg mis ar hugain oed fynd i'r gadwyn fwyd, roedd rhaid eu llosgi bob un. Bu hyn yn gosb drom iawn i'r Gwartheg Duon Cymreig. Roedd y rhain yn dal i gael eu ffermio yn y ffordd draddodiadol, a'r bustych ddim yn aeddfed i'w lladd cyn eu bod yn dair oed.

Ni welais i greadur â'r clefyd erioed, dim ond y fuwch ar y teledu. Os oedd y gwaith papur yn faich cyn hynny, mi dreblodd ar ôl hyn. Buaswn i wedi torri fy nghalon a rhoi y cyfan i fyny oni bai fod y bechgyn yn barod i gymryd at y gwaith. Allwch wneud dim heb lanw ryw ffurflen neu gilydd, os cânt eu llenwi yn anghywir mae cosb ariannol bob tro. Yr ydym wedi llwyddo i beidio cael cosb hyd at eleni. Petaem wedi dweud celwydd – bod yr hether wedi dod â llo pythefnos ynghynt byddai popeth yn iawn. Rhyfedd o fyd.

Sylweddolwyd cyn hir beth oedd yn achosi i'r gwartheg fynd yn wallgof, roedd rhai wedi bod yn bwydo'r gwartheg â gwastraff gweddillion anifeiliaid eraill megis defaid, heb yn wybod iddynt. Nid oedd unrhyw beth ar y sachau yn dweud beth oedd y cynnwys. Bu llawer yn ceisio cael gwybod, ond nid oedd y gwneuthurwyr yn fodlon dweud. I feddwl bod rhywrai wedi cael digon o addysg i fod bron â dinistrio crefft cyntaf dynol ryw. Pobl wedi cael addysg heb ddysgu'r pethau elfennol sut i fwydo anifail. Mae yna ddeddf ers dechrau amser, mai dim ond cynnyrch y maes sydd fod i fwydo pob anifail sydd yn fforchogi'r ewin. Ni chafodd y sawl a gadwodd at y ddeddf yma unrhyw anhawster, ond maent wedi dioddef 'run fath â phawb arall.

Mae rhywrai wedi gwneud elw mawr o hyn 'nôl yn yr wythdegau. Maent yn dawel iawn ar hyn o bryd, ond mae gyda nhw gyfrifoldeb mawr o'r hyn ddigwyddodd a bydd rhaid ateb rhyw ddiwrnod. Wedi'r cyfan, y diniwed sydd wedi dioddef, ac yn dal i ddioddef. Rwy'n gweld y clefyd BSE yn debyg iawn i'r clefyd AIDS, yr ydym wedi dwyn yr afiechydon yma arnom ni ein hunain, trwy anufuddhau i ddeddfau Duw.

Mae dwy ffordd i wneud pob peth, y ffordd naturiol a'r ffordd annaturiol. Y ffordd naturiol o Dduw, y mae a'r ffordd annaturiol o'r diafol. Wedi'r cyfan dyma'r unig ffordd sydd gan fyd natur i amddiffyn ei hun. Nid yw Duw byth ymhell o fyd natur. Un o'r pethau mwyaf cysegredig greodd Duw yw rhyw, rhwng mab a merch, fel bod parhad i'r ddynoliaeth ar y ddaear yma. Ond dyma'r peth sy'n cael ei gamddefnyddio fwyaf yn ein hoes ni. Ni welsoch ddau robin goch erioed yn gwneud y fath anfadwaith, na dwy ddafad. Gobeithio y dysgwn oddi wrth ein camgymeriadau.

Un o'r pethau sydd yn mynd dan fy nghroen i yw clywed y llysieuwr yn rhoi eu rhesymau dros beidio bwyta cig. Maent yn meddwl eu bod yn gwybod yn well na'r Hollalluog Ei hun. Mae yn bryd iddynt ail ddarllen y ddegfed bennod o'r Actau, pryd y cawn hanes Pedr â chwant bwyd arno, a Duw yn dweud wrtho, "Cod, lladd a bwyta," ac yn cynnig iddo holl bedwarcarnolion ac ymlusgiaid y ddaear ac ehediaid y nefoedd. Gwrthod wnaeth Pedr gan ddweud "Na, na Arglwydd, nid wyf i erioed wedi bwyta dim halogedig nac aflan". Ateb Duw iddo oedd, "Yr hyn y mae Duw wedi ei lanhau, paid ti a'i alw'n halogedig". Mae'r anifeiliaid wedi cael eu creu er lles dyn ac nid dyn er mwyn yr anifeiliaid. Mae cig yn rhan o fwydlen lawn dyn. Mae rhai o'r llysieuwyr yma â golwg fel petaent yn bwyta gwellt eu gwely. Gair o rybudd iddynt, cyn aiff yn rhy ddiweddar – eu plant neu blant eu plant fydd yn dioddef, trwy fod diffyg rhywbeth neu gilydd arnynt. Bydd hynny cynddrwg â BSE neu AIDS.

Y Teulu a'r Dyfodol

Erbyn canol y nawdegau roedd y plant i gyd wedi priodi, aeth dau dros bont Llyfnant i chwilio am gymar, a'r ddau arall dros bont Trefechan. Mae gennym bedwar mab a phedair merch erbyn hyn, a naw o wyrion, a dyna beth sy'n gwneud rhywun yn gyfoethog. Priododd Mair a David Nutting, mab Cwm Rhwyddfor, Tal-y-llyn. Priododd Gwen David Davies mab Ty'nlofft, Silian. Priododd Enoc Margaret Davies, merch Cwmbyr, Lledrod, a phriododd Dafydd Ellyw Jones, merch Glanmerin, Glaspwll.

Mor falch mae Ann a fi ohonynt, maent yn Gymry glân bob un, ond yn fwy na hynny maent wedi cael magwraeth Gristionogol bob un, ac yn dal i weld gwerth mewn mynd i'r cwrdd ar y Sul, a gofalu bod yr wyrion yn mynychu'r Ysgol Sul. Dim ond Gwen adawodd yr ardal, mae'r gweddill yn dod i Fethel ar y Sul. Newidiodd Gwen o fod yn Annibynwraig i fod yn Fedyddwraig 'run fath â David. Roeddwn yn falch iawn o hyn, er cefais siom fawr pan glywais byddai raid iddi gael ei ail-fedyddio – nid oedd bedydd yr Annibynwyr

ddigon da. Doeddwn ddim yn deall y math yma o Gristnogaeth.

Yn 1995 cafodd Ann a minnau y fraint o fynd ar bererindod i wlad yr Iesu dan arweinyddiaeth y Parch. a Mrs Olaf Davies yng nghwmni parti o'r werin bobl Gymreig. Rhai o Sir Gaernarfon a rhai o'r De. Bu yn brofiad i ni ein dau, roeddem ein dau mor gyfarwydd â darllen yr hanesion yn y Beibl. Bob man y byddem yn mynd, byddai un o'r parti yn darllen y bennod berthnasol i'r man hynny. Rwyf yn diolch o galon am gael y cyfle i fynd, a hynny yng nghwmni parti o bobl mor hwyliog. Gwelsom Glyn Cysgod Angau ar y ffordd o Jeriwsalem i Jericho lle'r oedd y Salmydd yn cyfeirio atynt yn y drydedd salm ar hugain. Gwelais i erioed y fath gwm – roedd yn codi braw arna i. Fedrech chi ddim peidio sylweddoli a theimlo gymaint o hanes oedd i'r wlad fechan hon. Buom ar fôr Galilea, sydd saith can troedfedd islaw lefel y môr a'r Môr Marw yn un mil tri chan troedfedd islaw lefel y môr. Dyna i chi olygfa hyfryd – edrych ar fôr Galilea o'r ucheldir, a gweld

o'r chwith: Mair, Margaret, Ann, Enoc, fi, David Gwarffynnon, Gwen, David Nutting, Dafydd ac Ellyw

Mynyddoedd Golan yr ochr draw yn y pellter. Cyflawnodd Iesu Grist lawer iawn o'i waith yn yr ardal yma, a gwnaeth lawer iawn o'i wyrthiau yma.

Buom yng Nghapernaum a chawsom oedfa gymun fendithiol iawn ar ochr ddwyreiniol i'r môr, yn ymyl y fan aeth y genfaint foch dros y dibyn i'r môr. Cefais brofiad anghyfarwydd iawn un diwrnod – roedd dau o'r parti am gael eu bedyddio yn yr afon Iorddonen, yn yr union fan lle'r oedd Ioan Fedyddiwr wedi bedyddio.

Ni welais unrhyw un yn cael ei fedyddio mewn afon erioed o'r blaen. Roeddwn wedi gweld Parch. Roger Jones yn bedyddio un mewn pwll bach dan yr allor yn y Tabernacl flynyddoedd yn ôl. Roeddwn i yn meddwl yn dawel bach eu bod yn rhyfygu, oherwydd roedd llif mawr yn yr Iorddonen y diwrnod hwnnw, a dyw y Parch Olaf Davies ddim yn un mawr yn gorfforol – llawer llai na'r ddau oedd am gael eu bedyddio. Beth petai yn colli ei afael pan oeddent dan y dŵr? Ond nid oedd eisiau pryderu, roedd yn amlwg ei fod wedi bedyddio o'r blaen.

Ymwelom â'r oruwch ystafell lle cynhaliwyd y swper olaf. Yn nhawelwch yr ystafell eang daeth geiriau'r Iesu'n ddwys ar ein clyw, a gofynem oll, "Ai myfi yw, Arglwydd?"

Cawsom gerdded ar hyd taith olaf Iesu Grist fyny i Jerwsalem. Gwelsom y fan lle wylodd dros ei gyd-ddyn pan yn edrych ar Jerwsalem dros y ceunant. Dyma pryd y sylweddolais beth oedd gwir ystyr yr adnod fawr, fechan hon a oedd mor hawdd i'w dysgu pan yn blentyn. Maent wedi adeiladu eglwys ar ffurf deigryn yno erbyn heddiw. Ymwelom â Llys Caiaffas, mae eglwys hardd iawn ar y fan heddiw, San Pedr Caniad y Ceiliog yw ei henw.

Yn y celloedd cyfyng islaw, awn drwy wewyr dwys, wrth gofio'r Iesu mewn celloedd caeth. Cofiwn hefyd am Pedr yn gwadu yr Iesu deirgwaith. Mae'r olygfa oddi yma yn fendigedig. Gallwn weld llyn Siloam islaw, gweld dyffryn Cedron ar ei hyd, Mynydd yr Olewydd gyferbyn, Gethsemane i'r chwith, a'r ddinas uwch ein pennau a'r muriau o'i hamgylch. O borth *Ecce Homo* cawn ddilyn llwybr y Groes. Wrth syllu ar y palmant a gweld lle bu'r milwyr yn chwarae deis gan sgraffinio'r cerrig i gadw'r sgôr, cofiwn sarhad y goron ddrain a'r wisg borffor.

Dringwn y Via Dolorosa'n ddwys heibio Deuddeg Gorsaf y Groes, a chofiwn ddagrau merched Caersalem: mae geiriau'r Iesu'n berthnasol heddiw "nac wylwch o'm plegid i, eithr wylwch oblegid eich hunain ac oblegid eich plant".

Cofiwn am Seimon o Cyrene

Beth a ddwedi heddiw Seimon
Wrth anffyddlon oes?
Dangos eto i gyd ddynion
Sut i gario'r groes
Llawn yw'r byd o esmwyth feinciau
Ple mae'r gŵr i gario'r croesau–
Gŵr yr ysgwydd gref a'r gwenau–
Gŵr i leddfu loes?

(JJ)

Yr wyrion – o'r chwith: Rhes ôl: Elliw, Garmon, Steffan, Dewi
Blaen: Anwen, Hedydd, Betsan, Aron, Sara

Wrth nesu at Galfaria down i ganol y farchnad
a rhaid gwthio trwy dorf enfawr a swnllyd, a
chofio mai torf ddifater fel hyn oedd o amgylch yr
Iesu y Gwener crasboeth hwnnw. Darllenodd un
o'r parti yr hanes o'r drydedd bennod ar hugain yn
ôl Luc. Yr oedd un o'r troseddwyr ar ei groes yn
ei gablu, gan ddweud "Onid ti yw'r Meseia?
Achub dy hun a ninnau." Ond atebodd y llall, a'i
geryddu, "Onid oes arnat ofn Duw, a thithau dan
yr un ddedfryd? I ni y mae hynny'n gyfiawn,
oherwydd haeddiant ein gweithredoedd sy'n dod
inni. Ond ni wnaeth hwn ddim o'i le". Yna
dywedodd, "Iesu, cofia fi pan ddoi i'th deyrnas".
Atebodd yntau, "Yn wir rwy'n dweud wrthyt,
heddiw byddi gyda mi ym mharadwys."

Yr ydym ni i gyd sy'n byw ar y ddaear yma
heddiw yn cael ein cynrychioli gan un o'r ddau
leidr gafodd eu croeshoelio bob tu i'r Iesu. Mae
perffaith hawl gyda ni i ddewis prun o'r ddau i'w
efelychu. Ond y mae yn gysur mawr i'r rhai sydd
yn credu yn Iesu Grist, bod maddeuant i gael ar yr
unfed awr ar ddeg i bawb sydd yn barod i
edifarhau. Gall dynion ddewis eu ffordd o fyw,
ond ni allant ddewis canlyniadau'r ffordd honno.

Cawsom oedfa gymun yn yr ardd ble roedd y
bedd gwag. Roedd garddwr yn trin y blodau yn yr
ardd a daeth adroddiad Ioan o fore'r trydydd dydd
yn fyw iawn i mi. Cofiais am Fair Magdalen yn
tybied mai'r garddwr oedd E a dywedodd, "Syr, os
mai ti a'i dygaist Ef dywed i mi ble a'i rhoddaist".
A'r Iesu a ddywedodd, "Mair", hithau a droes a
dywedodd, "Raboni".

Roedd naws hyfryd yn yr ardd a'r awyrgylch

Bedyddio yn yr Iorddonen

yn creu ynom yr hedd nas gŵyr y byd amdano, a down yn nes at gadernid tawel a heddychiaeth rymus yr Iesu. Concrodd y byd trwy droi y rudd arall a cherddodd y filltir arall bob cam i Galfaria.

Pan symudodd Ann a fi o Danyrallt i Lety'r Bugail, roedd rhaid dod â'r ddwy ast ddefaid efo ni. Roeddwn yn ffodus bod y ffald mor gyfleus, ac adeilad addas i'w cadw, sef dau dwlc mochyn, un i bob un ger y fynedfa. Roedd Dafydd wedi sicrhau dwy gadwyn i'r wal, ddigon hir iddynt fynd mewn ac allan fel roeddynt eisiau, lle delfrydol a mi gartrefodd y ddwy yn syth. Ni aethant yn ôl i Danyrallt unwaith heb mod i gyda nhw. Y peth rwy'n gwneud bob bore, a hynny cyn saith, yw gollwng y ddwy yn rhydd, ac maent yn rhedeg yn eu hyd, fyny i'r coed dan y Plas i ddomi ac ar ôl wiwerod llwyd a chwningod. Rwy'n eu clywed yn cewcian ar eu holau, maent wedi dal aml i un tra fydda i yn cael smôc fach, er mwyn i Ann gael amser i wneud brecwast.

Pan ddônt yn ôl rwyf yn eu rhoi yn ôl ar y gadwyn, rhag ofn iddynt fy nilyn i'r tŷ, a chael damwain yn y tywyllwch. Deallais yn o fuan mod i wedi lladd dau dderyn ar un ergyd. Glen oedd agosaf i'r fynedfa, ac os doi rywun amheus heibio, a dechrau pipo i mewn i'r ffald, byddai yn codi ar ei thraed a'i blewyn yn dechrau crychu. Byddai hynny yn ddigon i rywun nad oedd yn gyfarwydd â chŵn i fynd yn ei flaen. Ar ôl brecwast byddaf yn gollwng y ddwy ast yn rhydd a neidio i'r fan, a mynd i wneud beth sydd eisiau ei wneud ar y dydd – rhywbeth i'r defaid rhan amlaf, a dyw dyn heb gi dda i ddim pan yn bugeilio.

Roedd pob peth yn mynd yn iawn tan y 23ain o Ragfyr. Roeddwn wedi mynd yn fore yn y fan efo'r cŵn i weld y defaid, a mynd â gwair i'r heffrod oedd ar Foel y Garn, ar ddiwrnod gwlyb eithriadol. Pan gyrhaeddais yn ôl i'r ffald, sylwais fod darn o bapur wedi ei roi dan y bwced oedd gen i yn rhoi dŵr i'r cŵn. Mewn llythrennau bras yng nghornel uchaf y papur roedd RSPCA. Plygais lawr i'w godi a gwelais mai llythyr i mi ydoedd wedi ei roi mewn amlen blastig glir i'w ddiogelu rhag y glaw. Llythyr uniaith Saesneg, dim gair o Gymraeg. Dychrynais pan ddarllenais, "*Could the person responsible for the care and feeding of the animals at this address, please telephone 0990 555999 as a matter of urgency,*" ac yn dweud ar waelod y llythyr, "*All calls charged at the national rate*".

Doeddwn i ddim yn gwybod beth i'w wneud, ac yn methu deall beth oeddwn wedi ei wneud o le. Y mae cymaint o reolau newydd yn dod allan o Ewrop bob wythnos, mae'n anodd gwybod beth sy'n iawn, a beth sydd ddim. Es i'r tŷ a meddwl cael Ann i ffonio – mae hi'n medru siarad Saesneg yn well na fi, ond doedd hi ddim adref. Mentrais ffonio gan obeithio y byddai rhywun yn siarad Cymraeg ar gael. Codais y ffôn a deialu'r rhif dieithr iawn i mi. Yn syth, atebodd rhywun, a llais merch yn llafar ganu yn swynol iawn. Ddeallais i ddim dwedodd hi ond y tri gair olaf, "*Head Office Brecon*". Cyn iddi gael cyfle i ddweud gair arall, gofynnais iddi yn y Gymraeg a oedd yn medru siarad Cymraeg, "*Very sorry*", meddai – roedd yn amlwg ei bod yn deall Cymraeg. "*Is there anybody there that can,*" gofynnais iddi yn y Saesneg gorau

Glen a Guto

oedd gen i. *"Very sorry, there is nobody here today,"* meddai, cystal â dweud bod digon yno bob diwrnod arall.

"Somebody left a piece of paper in the ffald where the dogs are kept, this morning asking me to phone you urgently". *"Can I have your name and address please?"* meddai, *"Will you spell it for me please?"* *"Which Tal-y-bont?"* meddai wedyn, *"Ceredigion."* meddwn i wrthi a llond ceg o acen Gymraeg, ofynnodd hi ddim i fi ei sillafu iddi, ond clywais hi'n dweud *"Dyfed,"* *"No,"* meddwn i, *"Ceredigion, there is no Dyfed now".* Wnaeth hi ddim sylw. Dwi ddim yn gwybod pam ofynnais iddi beth oedd ei henw. *"Clare,"* meddai yn reit sionc. *"Clare what,"* meddwn i. *"I can't give you my full name,"* meddai, *"We're not allowed,"* *"That's funny,"* meddwn i, *"I've just given you my full name and address. Can I speak to Inspector R. Abbot 378 please,"* gofynnais iddi – y dyn oedd wedi arwyddo'r papur gefais dan y bwced dŵr.

Diolchodd Clare i fi am ffonio yn gwrtais iawn, a dywedodd wrtha'i am roi'r ffôn i lawr, ac y byddai yn cysylltu â Mr Abbott ar y ffôn symudol. Rhoddais ein rhif ffôn iddi, a dweud y byddwn yn aros i mewn am hanner awr, a dim mwy. Dyna lle bûm yn disgwyl a meddwl beth oeddwn wedi ei wneud, a beth fyddai'r cyhuddiad yn fy erbyn. Un peth, roeddwn yn hollol siŵr na chafodd yr un o'r cŵn gam gennyf erioed. Wedi'r cyfan, fi oedd wedi eu magu a dysgu'r ddwy ast i weithio, a nhw yw'r creaduriaid mwyaf gwerthfawr ar y fferm heddiw, llawer mwy gwerthfawr nag unrhyw fuwch. Ond chwarae teg i Clare, aeth y ffôn cyn

pen deg munud. Codais y ffôn a'r Arolygwr R. Abbott 378 oedd yno. Roeddwn wedi gobeithio y byddai Mr Abbott yn siarad Cymraeg er mwyn i fi ei ddeall yn iawn ar fater mor bwysig, ond nid felly y bu. Rhaid oedd troi i'r Saesneg unwaith eto. Cefais fy syfrdanu pan glywais beth oedd ganddo i'w ddweud.

Dywedodd ei fod wedi cael cwyn ar 11eg Rhagfyr gan rywun yn tynnu ei sylw fod dau gi yn Ffald Penpompren yn cael cam, yn rhwym bedair awr ar hugain y dydd, heb fwyd na dŵr. Cyhuddiad echrydus, cyhuddiad sy'n haeddu carchar os gellir ei brofi. Gwylltiais braidd a mynnu cael gwybod pwy oedd wedi danfon y gŵyn iddo, ond dywedodd yn bendant na allai roi'r enw, byddai hynny yn ddigon iddo golli ei swydd. Erbyn meddwl, does dim gwahaniaeth pwy oedd e, os yw cydwybod rhywun yn dawel. Roedd Mr Abbott yn ddyn rhesymol iawn, sicrhaodd fi nad oedd eisiau i fi bryderu o gwbl. Bu yn gweld lle'r oedd y cŵn yn cael eu rhwymo ac yn cysgu, ac wedi gweld y bwced dŵr a'r ddwy badell fwyd, heb weld y cŵn, ond yn ddigon ymarferol i wybod eu bod wrth eu gwaith.

Addawodd yn bendant i mi y byddai yn ateb y cyhuddiad mewn llythyr hallt iawn, ac yn cyhuddo'r cwynwr o wastraffu ei amser prin.

Cefais ddwy siom fawr dros y Nadolig yna, siom yn fy nghyd-ddyn, a siom ym Mwrdd yr Iaith Gymraeg. Nid wyf yn gwybod p'un yw'r fwyaf. Does ond gobeithio mai yn Saesneg gafodd y gŵyn ei rhoi. Ond rwy'n meddwl mai'r siom fwyaf yw bod rhywun fel fi yn methu amddiffyn ei hun yn ei famiaith.

Cyn fy mod wedi sylweddoli yn iawn deuthum i oedran cael pensiwn, a dyna braf oedd cael swm o arian yn dod yn gyson bob wythnos. Gwaethygu yn arw wnaeth pethau ym myd amaethyddiaeth, fel roedd y nawdegau yn mynd yn eu blaen, a'r Llywodraeth yn gweld dim gwerth mewn cynnal cymdeithas wledig, nac amaethyddiaeth, pan fo'r pantri yn llawn. Mor wahanol oedd hi ddiwedd y tridegau pan oedd y rhyfel ar gered. Cafodd yr amaethwr barch gan bawb amser hynny.

Roedd Ann a fi, Enoc a Dafydd wedi bod yn rhedeg y fferm fel partneriaid llawn ers blynyddoedd bellach a phethau wedi bod yn gweithio yn bur dda tan 1998. Teimlodd Ann a fi ei bod yn bryd i ni'n dau dynnu allan o'r bartneriaeth er mwyn i'r bechgyn gael gwell cyfle i gario mlaen, **os** oedd dyfodol i amaethyddiaeth i fod.

Dwi'n siŵr bydd raid rhoi cam neu ddau yn ôl a mynd yn ôl i gadw buwch er mwyn cael llaeth at y tŷ a phlannu tatw a llysiau er mwyn cadw'r gost i lawr.

Roedd yn flwyddyn ddigalon iawn i bawb yn enwedig i'r amaethwr ifanc, os oedd teulu ganddo. Welais i, a rwy'n siŵr na welodd fy nhad chwaith, erioed nad oedd y siec a gafwyd am y mamogiaid ddim yn ddigon i dalu am aeafu yr ŵyn menyw dros y gaeaf. Mor wahanol oedd hi pan gymerais i drosodd oddi wrth fy nhad.

Dyma'r cyfnod gorau erioed a welodd amaethyddiaeth yn faterol, ond dyma'r cyfnod y disgynnodd cyflwr ysbrydol y genedl isaf, dyma'r cyfnod nad oedd amser i fynd i'r cwrdd.

Rhannwyd y defaid a'r gwartheg yn gyfartal rhwng y ddau fab, yr union ddefaid a gwartheg gefais i gan fy nhad ac a gafodd yntau gan ei Ewythr Lewis. Rhannwyd y tir yn gyfartal rhwng y ddau, a gobeithio ein bod wedi eu trosglwyddo ychydig yn well na chawsom ni hwy.

Mor falch a diolchgar oedd Ann a fi fod gyda ni fechgyn oedd wedi profi eu hunain a'u bod ddigon galluog a medrus i gario mlaen. Torrwn fy nghalon pe bai raid gwerthu'r cyfan. Mae llawer fferm dda wedi cael ei darnio a'i difetha er mwyn cael y geiniog eithaf am fod neb i gario mlaen.

Ond, pan ddaeth yn amser i rannu cwota y defaid a chwota y buchod a'r IACS roedd yn fater arall. Roedd y rhannu ar bapur lawr yng Nghaerfyrddin yn anobeithiol. Os gwnaem gamgymeriad, fe gollai'r bechgyn eu cymhorthdal am flwyddyn. Ni allent fforddio hynny. Roedd rhaid cael dau rif newydd i'r ddwy fuches a'r ddau ddaliad a chadw yr hen rif am ddwy flynedd er mwyn derbyn y cymhorthdal oedd yn ddyledus.

Welais i ddim busnes mwy cymhleth erioed. Wyddoch chwi, o'r cannoedd o ffurflenni sydd ar gael, nid oes dim un ar gael yn Gymraeg nac yn Saesneg i rannu fferm rhwng dau. Gofynnwyd i'r Undeb ein cynorthwyo, ond ni chawsant fawr o lwyddiant. Bu Ann a fi lawr yng Nghaerfyrddin am ddau ddiwrnod yn ceisio chwilio ffordd o gael dau rif i'r ddwy fuches. Yr oeddynt yn danfon rhywun lawr atom o wahanol adrannau i geisio datrys y broblem, a ninnau yn gorfod egluro y cyfan iddynt o'r newydd bob tro. Fi oedd yn egluro os mai Cymro oedd yn dod – nid oedd hynny yn aml. Ann fyddai yn egluro os mai Sais oedd. Aed adref y noson honno yn ddiflas iawn a neb wedi medru'n helpu i gael dau rif i'r ddwy fuches – roedd yn amhosibl i lenwi'r ffurflen, a neb yn malio chwaith.

Aed lawr wedyn ymhen pythefnos, ar ddiwrnod gwlyb i gael cynnig arall arni. Aeth Ann i siopa ac es innau i'r Tŷ Llywodraeth yn Heol Picton i geisio cael dau rif. Daeth pedwar, o wahanol adrannau, i lawr i'm gweld, un ar ôl y llall, a minnau yn gorfod egluro yr un peth i bob un. Roedd pob un yn dweud nad eu hadran nhw oedd yn delio â'r mater, fel petaent yn falch o'r esgus, ac yn danfon rhywun arall lawr ataf.

Un o adran y cyfrifiad oedd y bumed ddaeth i'm gweld a minnau'n teimlo'n anobeithiol iawn erbyn hyn. Dywedodd mai Mrs Pauline Watts oedd ei henw, a diolch byth roedd yn Gymraes lân. Gwrandawodd yn astud ar fy nghais, a dywedais fod neb yn gallu llenwi'r ffurflen yma. Deallodd yn syth beth i wneud, "Mi wnawn e yn yr hen ddull" meddai a chodi a mynd allan i moyn ffurflen arall. Roeddwn yn methu coelio fy nghlustiau. Daeth yn ôl â ffurflen dwy dudalen, ac fe'i llanwodd hi yn syth. Dywedodd y byddai'r ddau rif yn cyrraedd ymhen wythnos. Diolchais iddi, do, am ddatrys problem a oedd yn ymddangos tu hwnt i bawb arall, mor ddiffwdan.

Daeth y ddau rif trwy'r post cyn pen wythnos fel yr addawyd. Doedd hi ddim yn sylweddoli pa mor ddiolchgar oeddwn i.

Mae'n dda bod yna rai swyddogion fel Mrs

Watts i'w cael o hyd, maent yn gwneud bywyd yn haws. Mae yna ormod o swyddogion bach pwysig diymdrech i'w cael heddi.

Gorfu i fi aros am dipyn cyn daeth Ann yn ôl o'r siopa. Wedyn gwnaed apwyntiad gydag is-bennaeth y weinyddiaeth lawr yng Nghaerfyrddin, Mr Graham Rees, i'n cynorthwyo i rannu yr IACS. Mater cymhleth iawn arall, rhy gymhleth i fi geisio esbonio.

Aed lawr eto i Gaerfyrddin ar y diwrnod penodedig a chael mynd fyny i'r oruwch ystafell y tro yma, i le nad oeddwn wedi bod erioed o'r blaen. Roedd Mr Rees yn Gymro glân ac yn awyddus iawn i'n helpu. Roedd e yn cydnabod fod y mater yn un dyrys iawn, a ddim am i ni gael ein camarwain ganddo. Galwodd ar dri arbenigwr arall o fewn gwahanol adrannau. Buont yn trafod yn hir am bethau oedd tu hwnt i mi. Daethant i benderfyniad yn y diwedd. Gan ein bod wedi gwneud cais am bremiwm y defaid yn yr hen enw, ym mis Ionawr, gwell fyddai cadw traean o'r IACS yn yr enw yma am flwyddyn, ac i'r bechgyn wneud cais yr un am bremiwm y buchod sugno yn eu henwau hwy ym mis Gorffennaf, ac i ni rannu gweddill yr IACS, traean i bob un.

Rwyf wedi trin llawer arnynt erioed lawr yng Nghaerfyrddin, ond y diwrnod hwnnw sylweddolais am y tro cyntaf erioed bod mistar ar Mistar Mostyn, roeddent yn gorfod bod yn ofalus iawn bod popeth yn cael ei wneud yn iawn. Roedd cyfrifwyr Ewrop yn cadw llygad barcud arnynt.

Nid yw Ann a fi yn Eisteddfodwyr brwd iawn,

ond rydym yn hoffi mynd am un diwrnod bob blwyddyn os na fydd hi yn bell iawn. Yn 1997 roedd yr Eisteddfod yn y Bala. Penderfynom fynd fyny ar y dydd Iau, roedd yn ddiwrnod bendigedig. Nid ydym byth yn mynd i mewn i'r pafiliwn, dim ond cerdded y maes. Ni fydd Ann yn fodlon nes y bydd wedi ymweld â phob stondin sydd yn gwerthu unrhyw beth. Mae yn chwilio am anrhegion pen blwydd a Nadolig i'r wyrion. Rwyf innau yn ei dilyn am yr hanner awr cyntaf, a phan wela i le i eistedd lawr yng nghysgod yr haul, byddaf yn dweud wrthi mod i'n mynd i eistedd lawr ac iddi ddod 'nôl i'r union fan ymhen dwy awr.

Dim ond i chi aros yn yr unfan yn ddigon hir mi welwch bawb 'dech chi eisiau ei weld. Mwy o lawer na petaech yn cerdded y maes trwy'r dydd. Mae'r ddwy awr yma yn mynd yn gyflym iawn wrth sgwrsio â hen gyfeillion.

Daeth merch ifanc hardd iawn ataf o rywle, fedre hi ddim bod yn fwy na deunaw oed, a dechrau sgwrsio gyda fi. Ymhen ychydig gofynnodd a oeddwn yn Gristion. Atebais fy mod yn ceisio bod. Gofynnodd wedyn, ai dyma fy syniad i o'r hyn yw bod yn Gristion – mynd i'r capel neu'r eglwys ar y Sul? Peidio gwneud unrhyw beth mawr o'i le, er enghraifft, lladd? Helpu pobl eraill? Cydsyniais â hi. "Ie, wrth gwrs" meddai, "mae bod yn Gristion yn cynnwys hyn i gyd. Ond ai hyn yn unig yw Cristnogaeth? Ble mae Crist yn ffitio i mewn i'ch darlun? Wedi'r cyfan Crist yw canolbwynt Cristnogaeth. Ac mae'r Beibl yn dweud yn glir fod yn rhaid i Grist fod yn ganolbwynt ym mywyd y Cristion hefyd. Felly mae mwy i fod yn Gristion na mynd i'r capel, a cheisio bod yn dda onid oes?" Ni ofynnais iddi beth oedd ei henw ond roedd yn byw yn y de.

Bûm yn meddwl llawer am yr hyn ddywedodd. Mae llawer o drin ar ein hieuenctid heddiw, ond nid ydym yn cael clywed ar y newyddion am y gwaith da maent yn eu gwneud. Roedd hon yn ddigon gwrol i genhadu dros ei Harglwydd ar ei phen ei hun. Gwnaeth i fi deimlo yn euog iawn. Os gwelais yr Arglwydd Iesu Grist yn rhodio'r ddaear yma erioed fe'i gwelais yn y ferch annwyl hon.

Wel dyma fi wedi cyrraedd oedran yr addewid. Mae gennyf le mawr i ddiolch. Rwyf wedi cael iechyd ar hyd fy oes. O edrych yn ôl mae'r amser wedi hedfan. Bob tro roedd rhywun yn dweud hyn wrth y Parch. Morlais Jones, roedd yn ein cywiro yn syth trwy ddweud "Amser a erys, dyn a â". Mor wir, bydd amser yma o hyd, ar ôl byddwn ni i gyd wedi hen fynd. Yr hyn ydym yn ei wneud a'n hamser tra byddwn yma sy'n bwysig.

Mae Ann a minnau wedi tynnu ein henwau allan o'r bartneriaeth yn llwyddiannus erbyn hyn ac wedi rhannu'r cyfan rhwng Enoc a Dafydd. Mae'r hen ddihareb 'Diofal yw dim' wedi dod yn wir yn ein hanes ni ein dau. Mae yn deimlad braf. Pan welaf rywbeth o'i le, does dim ond eisiau dweud wrth y bechgyn, ac os aiff un o'r ŵyrion i ddechrau mynd yn wenwynllyd pan gyda fi, does dim ond eisiau mynd ag ef neu hi yn ôl at ei fam yn syth.

Rydym yn ffodus iawn – mae Llety'r Bugail

hanner ffordd rhwng Tynygraig a Tanyrallt. A dweud y gwir does dim llawer wedi newid, rwy'n dal i gadw llygaid arnynt a'r anifeiliaid, yr unig wahaniaeth yw nad oes gofal arnaf, ac nid wyf yn cael fy nhalu. Nid ydynt yn flynyddoedd da i unrhyw un ddechrau ffermio, ond mae'r elfen ganddynt, a dyna beth sy'n angenrheidiol. Mae'n bwysig hefyd fod neb yn digalonni, mi ddaw yn well eto. Yn fwy na bod y prisiau yn wael iawn am bob cynnyrch fferm, bu 1998 y flwyddyn wlypa welais i erioed. Medrai i ddim meddwl am well cynghorion i'w roi i'r bechgyn, na'r rhai gefais i gan fy rhieni, 'Ceisiwch yn gyntaf deyrnas Dduw a'i gyfiawnder Ef, a'r holl bethau hyn a roddir i chwi yn ychwaneg'. A bod pob punt fedrant arbed yn fwy o werth na'r bunt ennillan nhw.

Mae llawer o sôn heddiw am warchod – gwarchod natur, gwarchod yr amgylchedd, gwarchod yr iaith ac yn y blaen, a da o beth yw hyn. Ond un peth sydd yn mynd ar goll heddiw yn yr ardal hon yw'r hen enwau oedd gan ein cyndeidiau ar furddunod, bryniau a nentydd y fro. Dewch am dro i fyny Cwm Ceulan o Neuadd Fawr – yr unig le sydd ar ôl â phobl yn byw heddiw ar yr ochr cil haul i'r cwm. Cyn dod i ben lôn Glanrafon, yr ydym wedi mynd heibio i dri hen furddun sydd â dim sôn amdanynt erbyn heddiw, sef Gelligrin, Cwtygarn a Cabwdwinnau. Yn y pellter yn y cwm bach sydd yn mynd o Gwm Ceulan i Gwm Clettwr mae Blaen-nant, enw ar ddwy ran o'r mynydd yw Cut yr Hwch a Ffynnon Gynron. Gyferbyn â Thŷ Mawr mae hen furddun Tŷ Bach. Ymlaen i Fronlas a Pant-Cau tu ôl iddo, ac ar y dde i ni o'r golwg mae hen dŷ Disgwylfa. Yn ôl i'r ffordd ac i fyny at y chwarel mae hen furddun Pant y Fedwen sydd wedi mynd o'r golwg yn y coed erbyn hyn. Oddi tanom yng nghanol y coed ger yr afon mae carreg enfawr, carreg Cadwgan, sydd wedi rhoi yr enw ar y fferm Carreg Cadwgan ychydig i fyny'r cwm. Gyferbyn mae dau hen furddun Pant Carw a Phant Cwarel, lle'r oedd Tomos yn byw ers lawer dydd ac yn cadw asyn. Bu Tomos yn ceisio dysgu'r asyn i fyw ar ddim, a phan lwyddodd, fe drigodd.

Cyn dod at Coed y Fongam mae ffynnon fach wedi ei naddu fel basn yn y graig, lle disychedodd lawer i fwynwr a bugail ei hun wrth gerdded defaid ac ŵyn i'r mynydd ar ddiwrnod poeth ym mis Mai. Oddi tanom mae capel Seion, Ceulan, cyrchfan trigolion y cwm yn yr hen amser. Gerllaw'r capel mae adfeilion hen furddun Rhydyrhynedd a Nantynod yn y pellter, gyda Rhydyronnen a Rhyd Wen yn nes atom.

Ymlaen ar hyd Ddiallt Rhydyronnen a gweld Dolgelynen yr ochr arall i'r afon nes cyrraedd croesffordd – Moelfferem i'r dde a Blaenceulan i'r chwith. Yn y pellter y tu ôl i Blaenceulan mae bwlch yn y mynydd o'r enw Bwlch Safn yr Ast. Ochr arall i Foel Llyn mae Bwlcharddwyên sydd yn disgrifio'r bwlch i'r dim. Ymlaen â ni eto nes cyrraedd tro yn y ffordd o'r enw Nant-llwyniâr. Canllath ymlaen ar ochr y ffordd mae Craig y Botel. Wrth fynd ymlaen, deuwn at Glap-lluest. Mae'n werth aros yn y fan hyn am ychydig a mwynhau'r olygfa ardderchog o'r Cwm i lawr i'r

Pen Uchaf Cwm Ceulan

môr. Dyma un o'r cymoedd harddaf yng Nghymru, dybiwn i. Rwyf wedi bod yn ffodus iawn o gael y cyfle i weld dipyn o'r byd ac wedi mwynhau fy hun yn fawr iawn bob tro. Ond y mwyniant mwyaf oedd cyrraedd yn ôl i'm cynefin bob tro, Cwm Cletwr, Cwm Ceulan a Chwm Eleri. Rwyf wedi cerdded pob modfedd o'r tri cwm ac yn gwybod am bob pant a bryn a phob twll llwynog. Erbyn hyn mae digon o amser gennyf i fynd i fyny i Moel y Garn ac aros am awr neu ddwy ar ddiwrnod braf, ac edrych i lawr dros y tri cwm. Mae cwarter o'r buchod yn lloia erbyn hyn yn yr hydref ar Foel y Garn.

Os gwelaf fuwch yn cilio oddi wrth y gweddill, a'i hesgyrn yn dechrau suddo, bydd rhaid mynd fyny bob bore a nos wedyn nes daw hi â llo. Mwy na thebyg, bydd y fuwch yn ôl gyda'r gweddill y buchod bore trannoeth, fel tae dim wedi digwydd. Mae yn rhaid bod yn o graff i wybod os yw hi wedi dod â llo neu beidio. Os bydd un cwarter o'i chadair wedi cael ei sugno'n llwyr, does dim eisiau gofidio, rwyf yn gwybod ei bod wedi dod â llo yn ystod y nos, ac ei fod wedi cael bolied o laeth. Petaem yn chwilio trwy'r dydd amdano, mae'n amheus gennyf y down o hyd iddo, falle bydd y llo hanner milltir i ffwrdd, wedi cael ei guddio yng nghanol brwyn, a ni symuda nes daw'r fuwch yn ôl. Mae'r fuwch yn gwybod yn iawn ble mae. Yr unig obaith i ddod o hyd iddo os bydd rhaid, yw gollwng un o'r cŵn allan, os â'r ci yn agos at lle mae'r llo, mi ddaw'r fuwch ar garlam gan fugynad a rhedeg yn syth at y llo. Os â'r ci i gyfeiriad arall, ni fydd yn cymryd unrhyw sylw. Rwyf wedi dotio

fel mae natur yn gweithio.

Mae dull o ffermio wedi newid llawer heddiw a dyw natur ddim yn cael cyfle. Ni sydd ar golled. Mae'r wyrion yn dod gennyf weithiau, a does dim yn well gennyf na chael gêm o chware cwato gyda nhw ar ben y mynydd yng nghanol y creigiau a'r brwyn, lle addas iawn am ryw awr. Maent yn mwynhau, ac mae yn help i fi gadw'n ifanc. Rwy'n hoffi mynd fyny ar ben fy hun, fi a'r ddwy ast. Does dim lle gwell i gael ar ddiwrnod braf, i aros am awr neu ddwy yn y tawelwch hyfryd sydd yno, a llonydd i feddwl. Cefais y fraint o ymweld â'r byd yma yn y ganrif fwyaf chwyldroadol yn hanes dyn. Rwy'n methu penderfynu p'run ai gwell neu waeth 'rym yn mynd. Mae pawb yn cael addysg dda heddiw, a diolch am hynny. Mae addysg wedi cyfrannu'n helaeth iawn tuag at les dyn ar y ddaear, os eu bod wedi dysgu'r pethau elfennol mewn bywyd yn gyntaf. Ond y drwg yw, mae wedi bod o help mawr i'r diafol hefyd, trwy ei ddysgu i ymyrryd mewn pethau na ddylai. A yw hi'n well ar ein plant heddiw nag oedd hi arnom ni yn blant yn y tridegau? Yn sicr mae plant heddiw wedi colli eu rhyddid. Medrem ni fynd i ble bynnag y mynnem − cerddem am filltiroedd yn y gwanwyn yn y tri cwm i chwilio am nythod brain, a dysgu llawer drwy wneud hynny. Nid yw'n ddiogel i blant heddiw fynd o olwg rhiant neu athro.

* * *

Y gwartheg ar Foel y Garn, gyda'r Garn yn y cefndir

Rydym heddiw bron â chael ein boddi mewn sbwriel, ni wyddom ble a sut i gael gwared ar yr holl wastraff. Does dim ond trigain mlynedd ers y tridegau, pan oedd neb yn gwastraffu, dim hyd yn oed dŵr golchi llawr – carient ef i'r ardd flodau neu'r ardd lysiau – roedd rhyw les ym mhob peth. Cafodd rhywrai ddigon o addysg i ddarganfod plastic, ceir, a phethau taflu i ffwrdd – pethau sydd yn achosi ein problemau ni heddiw ac ofnaf fod gwaeth i ddod. Mae'n wir fod pethau wedi gwella'n faterol ar bawb, ond a yw hynny wedi gwneud gwell pobl ohonom. Rwy'n ofni nag ydyw. Mae'n cyflwr ysbrydol a moesol wedi dirywio yn arw.

Gwelais hyn yn amlwg iawn wedi damwain angheuol y Dywysoges Diana. Nid wyf yn edmygydd mawr o'r teulu brenhinol, ond rhaid i mi ddweud, roedd rhywbeth yn annwyl iawn yn Diana. Mae ei llun hi gyda ni adref, hi gyflwynodd y wobr i Gwen yn Stoneleigh, pan enillodd gystadleuaeth yno. Trist iawn oedd clywed am y ddamwain angheuol ddigwyddodd yn oriau mân y bore hwnnw, pan ddylai pob mam dda fod yn ei gwely ers oriau. Yr hyn ddigwyddodd ar ôl ei marwolaeth sydd yn rhoi pryder i mi, pan geisiwyd gwneud rhyw fath o dduw ohoni. Cafodd y cyfryngau a'r papurau gynhaeaf da am fisoedd. Dangosodd pa mor isel oedd cyflwr ysbrydol Prydain Fawr wedi suddo. Mynnwyd bod timau peldroed yn gohirio eu gemau o ddydd Sadwrn, diwrnod ei hangladd, i ddydd Sul. Ceisiwyd dyrchafu meidrolyn yn uwch na gwaredwr y byd.

Dangoswyd beth oedd blaenoriaethau y cyfryngau a'r papurau dyddiol. Bu'r Fam Teresa farw yr un adeg, ond ychydig iawn, iawn clywyd am hyn gan un ohonynt. Gwraig oedrannus a ddewisodd wasanaethu Iesu Grist ar hyd ei hoes mewn talcen caled iawn gyda gwên. 'Yr Iesu a wylodd.'

Mae naill lywodraeth ar ôl y llall yn mynnu gwneud deddfau newydd o hyd, a llawer ohonynt ddim ond i hwyluso gwaith y diafol ar y ddaear yma. Beth oedd o'i le ar y deddfau roddodd Iesu yn ei bregeth ar y mynydd. Rwy'n gwybod bod y safon yn uchel iawn, ond maent yn nod i ni geisio eu cyrraedd. Eu rhesymeg am wneud y deddfau yma oedd am fod yr oes yn newid a bod angen am newid a'u bod yn hen ffasiwn. Tybed! 'Gwywa'r gwelltyn, syrth y blodeuyn, OND GAIR EIN DUW NI A SAIF BYTH'.

Dyna i chi y ddeddf erthylu, mae enaid y baban distadlaf yng nghroth ei fam, yr un mor werthfawr yng ngolwg Duw, ag yw enaid y sawl a wnaeth y ddeddf. Dyna i chi y ddeddf i ganiatáu gwrywgydiaeth. Mi ddylent ofyn am gael eu sbaddu, bob un, yn ferched ac yn fechgyn. Nid y fi sydd yn dweud hyn, ond Iesu Grist yn ei bregeth ar y mynydd. 'Y mae'n fwy buddiol iti golli un o'th aelodau, na bod dy gorff cyfan yn mynd i Uffern'. I feddwl bod gweinidogion yr efengyl ac athrawon yn ymarfer ar y fath weithred annaturiol. Pa fath o ddylanwad maent yn eu cael ar ein pobl ifanc. Clywais rai ar y teledu yn awyddus i bawb wybod eu bod yn wrywgydwyr. Pa werth oedd hynny, pechaduriaid ydym ni i gyd, oni byddai yn well iddynt fynd mewn i'w hystafell a chau y drws, a dweud wrth eu Tad sydd yn y dirgel, 'a bydd dy Dad sydd yn gweld yn y dirgel yn dy wobrwyo'.

Dyna i chi'r ddeddf i ganiatáu pob math o weithgareddau ar Ddydd yr Arglwydd fel bod y diafol yn cael mwy o gyfle i wneud elw, a denu tyrfaoedd mawr, fel bod neb yn gallu ymdawelu a meddwl.

Twyll yw'r loteri yma hefyd, maent yn rhoi cyfran fechan, pedair ceiniog ymhob cant tuag at achosion da, ac yn meddwl bod hyn yn cyfiawnhau y peth. Y gwir yw, mae'n arbed y llywodraeth o'i dyletswyddau i gyfrannu at achosion da, er mwyn cael ychwaneg o arian i bentyrru arfau rhyfel.

* * *

Mae Moel y Garn yn ddarn o fynydd caeëdig, un cant ac un ar bymtheg o erwau. Mae yn ddarn o fynydd hyfryd iawn, yn wynebu'r haul, lle delfrydol i fagu oen. Mae'r anifeiliaid i gyd yn berffaith fodlon yno. Mae'r buchod yn barod i fynd fyny hanner mis Ebrill ac yno y byddant tan Calan Gaeaf. Y mae yn bymtheg can troedfedd uwchlaw arwynebedd y môr, yn y man uchaf wrth y Garn. Dyna lle bydd y buchod trwy'r haf os bydd y tywydd yn boeth a thesog, yn y man uchaf, lle mae'r awel orau, a dim pryfed i'w nychu. Dim ond un man sydd ar Foel y Garn i'r holl anifeiliaid i gael dŵr – ffynnon sydd yn tarddu o'r graig lawr ym Mhant Cau. Ffynnon hollol ddibynadwy, nid yw yn cilio ond ychydig iawn ar y flwyddyn sychaf a dim yn cynyddu ond ychydig yn y flwyddyn wlypaf, ac mae'n ddwr gloyw, glân ac yn oer iawn.

Paradwys ar y ddaear i mi ar ddiwrnod braf yw treulio awr ar Foel y Garn yn gwylio'r cyfan, a'r ehedydd yn canu uwch fy mhen, er bod llai yno yn y blynyddoedd diwethaf. Gweld dafad yn rhedeg o bell i gael dŵr ac yn yfed am amser. Gweld buwch yn cychwyn lawr o'r garn i mofyn dŵr. Os cychwynith un, daw'r cyfan ar ei hôl, a'r cyfan â'r un bwriad, sef mynd lawr i'r ffynnon i ddisychedu ei hun. Dyna i chi le diwerth fyddai Moel y Garn heb y ffynnon ddibynadwy hon. Byddai'n dywyll iawn ac anobeithiol i gadw'r un anifail yno. Mae'r anifeiliaid i gyd yn gorfod gwneud cryn ymdrech i fynd lawr i'r ffynnon, yn rheolaidd bob dydd. Nid ydynt wedi cael siom erioed ar ôl cyrraedd. Os na wnant yr ymdrech, does dim ond trengi o'u blaenau.

Rwy'n gweld Moel y Garn a'r ffynnon werthfawr hon yn debyg iawn i'r byd a'r bywyd sydd ynddo. Dyna i chi le tywyll ac anobeithiol a digalon fyddai yn yr hen fyd yma heb y ffynnon o ddyfroedd gloyw a bywiol sydd i'w chael yn Iesu Grist. Dyna beth sydd yn rhoi pwrpas i fywyd. Rhaid gwneud yr un fath â'r anifeiliaid, mae yn rhaid gwneud ymdrech i ddod o hyd iddi. Chafodd neb eu siomi ar ôl drachtio ohoni. Mae dewis gyda ni i chwilio amdani neu i wrthod. Yn ôl y bregeth ar y mynydd, os na wnawn, does dim ond trengi o'n blaenau. Nadolig 2000 roeddem yn dathlu genedigaeth rhyfeddol Iesu Grist. Bugeiliaid gafodd y newydd da gyntaf, "Peidiwch ac ofni, oherwydd wele, yr wyf yn cyhoeddi i chwi y newyddion da am lawenydd mawr a ddaw i'r holl bobl, ganwyd i chwi heddiw yn nhref Dafydd, WAREDWR, yr hwn yw'r MESEIA, yr Arglwydd".

Yr ydym mor gyfarwydd â'r geiriau yma heddiw, mae yn berygl i ni golli eu hystyr. Does dim rhyfedd bod y bugeiliaid wedi dychryn. Yn fwy nag eu bod wedi clywed y newyddion da, arhosodd amser am ychydig ac ail ddechrau o hynny ymlaen. Mae'n anodd credu y gallai dim byd ddigwydd heddiw i achosi i hyn ddigwydd. Mae gyda ni achos sydd yn werth ei ddathlu, achos sydd yn gwneud pob dathlu arall yn ddibwys, fel oedd Mam-gu yn arfer dweud. Cynigiodd i ni ffordd amgenach i fyw, ffordd cariad. Newidiodd y byd. Diolch bod gymaint o ddaioni yn mynd ymlaen yn y byd heddiw yn enw Iesu Grist. Diolch am bawb sydd yn barod i leddfu poen ei gyd-ddyn. Diolch i bawb sydd yn barod i rannu'r newyddion da. Diolch i bawb sydd yn cyfrannu yn ariannol tuag at elusennau lu.

Diolch am bawb sydd yn barod i weithio'n wirfoddol i hyrwyddo teyrnas Iesu Grist ar y ddaear yma. Ychydig iawn o'r newyddion da yma yr ydym yn ei weld a chlywed ar y cyfryngau a'r papurau dyddiol. Mae yn well ganddynt roi cyfrif manwl o weithredoedd y diafol ar y ddaear yma, naill ddydd ar ôl y llall. Mae Iesu Grist yn dibynnu arnom ni i ddwyn Ei waith i ben. Ein prif bwrpas ni oll yw ceisio hyrwyddo Ei deyrnas Ef ar y ddaear, tra byddom yma. Nid yw hynny yn hir iawn i'r un ohonom. Dim ond dwy fil o flynyddoedd sydd ers cael y newyddion da. Faint yw dwy fil o flynyddoedd mewn tragwyddoldeb, deg munud, chwarter awr? Yr ydym ni yn disgwyl i bethau wella yn ein hoes ni, ond y mae amser ar ochr Duw. Nid yw amser o ochr y diafol. Concrodd Duw y diafol bore'r trydydd dydd, pan oedd Iesu Grist yn dair ar ddeg ar hugain oed.

Pan fydd dyn wedi cael digon o amser i ddarganfod bod pechod wedi methu, dyna pryd y daw gobaith i'r holl fyd. Rwyf wedi profi beth yw paradwys ar y ddaear, ond y llawenydd mawr yw bod Iesu Grist, pan yn marw ar y groes wedi addo'r lleidr edifeiriol baradwys yr ochr draw.

O'r chwith: Margaret, Gwenda, Fi, Non, Edna.

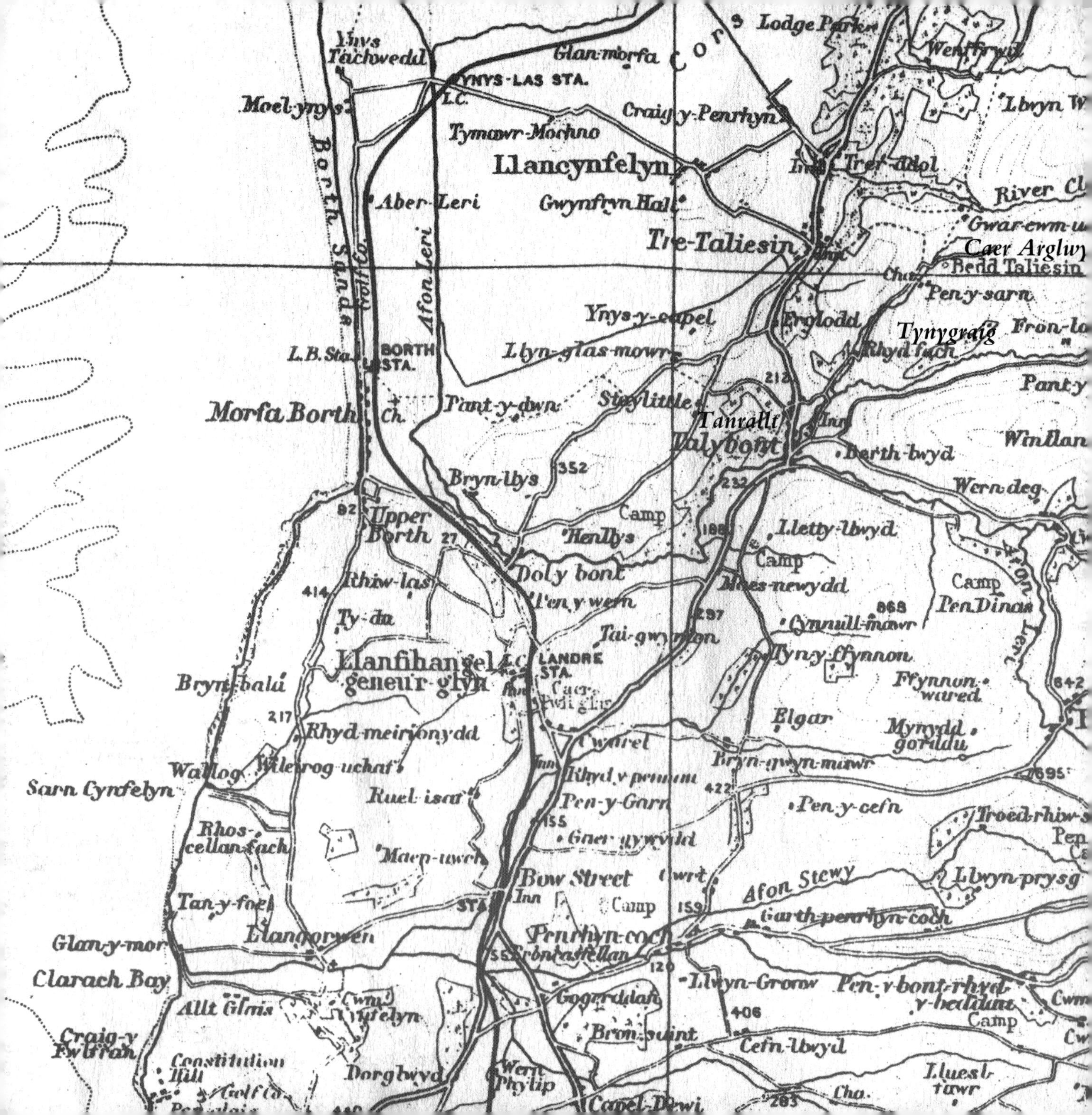

Ynys Tachwedd
Lodge Park
Glan-morfa
Cors
YNYS-LAS STA.
Moel-ynys
L.C.
Craig-y-Penrhyn
Tymawr-Mochno
Borth Sands
Llancynfelyn
Tre'r-ddol
River
Aber-Leri
Gwynfryn Hall
Afon Leri
Tre-Taliesin
Gwar-cwm
Caer Arglwy
Bedd Taliesin
Pen-y-sarn
Ynys-y-capel
Erglodd
Tynygraig
L.B. Sta.
BORTH STA.
Llyn-glas-mawr
Rhyd fach
Morfa Borth
Ch.
Pant-y-dwn
Staylittle
Tanrallt
Inn
Talybont
Borth-lwyd
Bryn-llys
352
232
Wern-deg
92
Upper Borth
27
Camp
Henllys
188
Lletty-llwyd
Camp
Doly bont
414
Rhiw-las
Moes-newydd
Camp
Pen-y-wern
Pen Dinas
Ty-da
297
868
Cynnull-mawr
Tai-gwynion
Llanfihangel geneur-glyn
LANDRE STA.
Tyn-y-ffynnon
Bryn-bala
Ffynnon-wared
842
217
Elgar
Rhyd-meirionydd
Mynydd gorddu
Cwarel
Wallog
Bryn-gwyn-mawr
695
Sarn Cynfelyn
Rhyd-y-pennau
422
Ruel isaf
Pen-y-Garn
Pen-y-cefn
Rhos-cellan-fach
155
Troed-rhiw
Maen-uwch
Bow Street
Afon Stewy
Llwyn-prysg
Tan-y-foel
STA.
Inn
Camp
159
Llangorwen
Penrhyn-coch
Garth-penrhyn-coch
Glan-y-mor
55
Clarach Bay
120
Llwyn-Grow
Pen-y-bont-rhyd-y-beddau
Allt Glais
Gogerddan
Camp
406
Craig-y-Fulfran
Bronpaint
Cefn-llwyd
Constitution Hill
Golf Cl.
Dorglwyd
Wern Phylip
Lluest tawr
Capel-Dewi
283

oronwen Hill 1028
1194
Llyn Conach
Llyn Pen-rhaiadr
Waterfall 1624
Llechwedd Diflas
1909
el Goch
Esgair Foel ddu
Llyn Dwfn
New Pool
Anglers Retreat
1734
Mynydd Bychan 1577
Foel Grafia
1631
1804
Llechwedd
Blaen-Cletbir
Moel-y-Llyn
1578 Bwlch-y-garreg Hill
1523
Bryn Moel 1607
1837 Banc
Hyddgen
Carn 1852
Foel Isar
1681
1705
Lead Works
Castell
1645
1537
Gwilym
Carn Hyddgen
y-Garn
Lead Mine
1598
Dolrhuddlan
Fawr
Llechwedd-mawr
1780
Banc Lluest-newydd
Bry Cra
Blaen Ceulan
Bryn Gwyn
1545
Fynach Fawr
1387
Llechwedd mawr
Nant-y-llyn
Pen Cerig-tewion
1256
el fferm
Cwm-byr
Cha
Drosgol
Maesnant
Plynlimon Fach
Llyn Llygad Rheidol
y nant
Cyneiniog
1582
Lead Mine
1360
Drosgol 1806
Bryn-y-Beddau
Source of R. Wye
oel en
Bwlch Glas
Esgair Fros-fud
Camddwr-Mawr
1595
Pen 2469
Plynlimon-fawr
1456
Trumiau 1310
Nant-y-moch
Nant-y-perfedd
1295
Pen Plynlimon-fawr
Bwlch-y-gyllen
1349
Bryn Gwyn 1453
1298
Drum Peithnant
Plynlimon Mine (Lead)
Esgair M
Reservoir
ch-cbrydau
Banc Llettyn-hen
2245
Ford 1er-neuaddau 1186
Cripia Eisteddfa-fach
Eisteddfa Gurig
Lle
ervoirs
1108
Pond Syfydrin
Disgwylfa Fawr
1661
Bryn Llwyd
Blaen-Peithnant
Lead Mine
1350
Aron Tan
1434
1149
Syfydrin
Aber-Peithant
Hirnant
1656
Drybedd
Foel Wyddon 1756
Cwm-symlog
1335
1344
Dinas Camp
1404
1709
Bryn Glas
Camp
Cwm-Ergyr
Pera Fyn
Inn Lead Mine
Reservoir
Dinas
Nant-y-cae-rhedyn
Dyffryn
1818
Pen-y-Graig ddu
Craignant
R. Rheidol

Cyhoeddiadau eraill

Aberdyfi: The Past Recalled – Hugh M. Lewis £6.95
You Don't Speak Welsh! – Sandi Thomas £5.95
Come, Wake the Dragon – Rodney Aitchtey £5.95
Choose Life – Phyllis Oostermeijer £5.95

Am fwy o wybodaeth am wasgnod Dinas
cysylltwch â Lefi Gruffudd yn Y Lolfa

Y Lolfa Cyf., Talybont, Ceredigion SY24 5AP
e-bost ylolfa@ylolfa.com
y we www.ylolfa.com
ffôn (01970) 832 304
ffacs 832 782
isdn 832 813